Anna e o Beijo Francês

Anna e o Beijo Francês

Stephanie Perkins

Tradução
Fabiana Paganini de Andrade

Novo Conceito

Esta é uma obra de ficção. Os nomes, personagens, lugares e acontecimentos descritos são produto da imaginação do autor. Qualquer semelhança com nomes, datas e acontecimentos reais é mera coincidência.

8ª Impressão – 2015
Impressão e Acabamento Intergraf 240715

Produção Editorial:
Equipe Novo Conceito
Capa: Kristina Duewell e Mello & Mayer
Foto da Capa: © 2010 Michael Front

Dados Internacionais de Catalogação na Publicação (CIP)
(Câmara Brasileira do Livro, SP, Brasil)

Perkins, Stephanie
Anna e o Beijo Francês / Stephanie Perkins ; tradução Fabiana Paganini de Andrade. -- Ribeirão Preto, SP: Novo Conceito Editora, 2011.

Título original: Anna and the French Kiss.
ISBN 978-85-63219-32-9

1. Ficção norte-americana I. Título.

11-03595 CDD-813

Índices para catálogo sistemático:
1. Ficção : Literatura norte-americana 813

Novo Conceito
Rua Dr. Hugo Fortes, 1885
Parque Industrial Lagoinha
14095-260 – Ribeirão Preto – SP
www.grupoeditorialnovoconceito.com.br

Para Jarrod, melhor amigo e amor verdadeiro

Capítulo 1

Isto é tudo o que sei sobre a França: *Madeline*, *Amélie* e *Moulin Rouge*. A Torre Eiffel e o Arco do Triunfo também, embora eu não saiba qual a verdadeira função de nenhum dos dois. Napoleão, Maria Antonieta e vários reis chamados Louis. Também não estou certa do que eles fizeram, mas acho que tem alguma coisa a ver com a Revolução Francesa, que tem algo a ver com o Dia da Bastilha. O museu de arte chama-se Louvre, tem o formato de uma pirâmide, e a Mona Lisa vive lá com a estátua da mulher sem braços. E tem cafés e bistrôs — ou qualquer nome que dão a estes — em cada esquina. E mímicos. A comida é supostamente boa, as pessoas bebem muito vinho e fumam muitos cigarros.

Ouvi dizer que eles não gostam de americanos nem de tênis brancos.

Alguns meses atrás, meu pai me matriculou em um internato. A ênfase em suas palavras praticamente crepitavam pelo telefone quando declarou que viver em outro país era uma boa experiência e uma lembrança que eu guardaria para sempre. Claro. Lembrança. E eu teria apontado o uso indevido de tal palavra se já não estivesse surtando.

Desde esse anúncio, tenho gritado, implorado, pleiteado e chorado, mas nada parece convencê-lo do contrário. E então tenho um novo visto de estudante e um passaporte, cada um me anunciando solenemente: Anna Oliphant, cidadã dos Estados Unidos da América. E agora estou aqui, com meus pais, desfazendo a mala em um quarto menor do que minha mala, a mais nova estudante do último ano na School of America, em Paris.

Não é que eu seja ingrata, quero dizer, é Paris. A Cidade Luz! A cidade mais romântica do mundo! Não sou imune a isso. É que essa coisa de internato tem mais a ver com meu pai do que comigo. Desde que vendeu tudo e começou a escrever livros caretas — que foram transformados em filmes mais caretas ainda —, ele tem tentado impressionar seus amigos figurões de Nova York, esnobando quão culto e rico ele é.

Meu pai não é culto. Mas é rico.

Nem sempre foi assim. Quando meus pais ainda eram casados, éramos estritamente de classe média baixa. Quando ocorreu o divórcio, todos os vestígios de decência desapareceram, e seu sonho de ser o próximo grande escritor do Sul foi trocado pelo de ser o próximo autor publicado. Então ele começou a escrever esses romances que acontecem em Small Town Georgia sobre "pessoas com bons valores americanos que se apaixonam e então contraem doenças que lhe ameaçam a vida e morrem".

Falo sério.

E isso me deprime muito, mas as senhoritas engolem toda essa história. Adoram os livros do meu pai, adoram os suéteres de crochê e adoram o seu sorriso branco e o seu bronzeado laranja. E elas o transformaram em um *best-seller* e em um total idiota.

Dois dos seus livros viraram filmes e três outros estão sendo produzidos. É daí que a grana de verdade vem: Hollywood. E, de alguma forma, essa grana extra e o pseudoprestígio deturparam o seu cérebro fazendo que ele acreditasse que eu deveria viver na França. Por um ano. Sozinha. Não entendo por que ele não podia me mandar para a Austrália ou Irlanda ou qualquer outro lugar em que o inglês fosse a língua nativa. A única palavra em francês que eu sei é *oui*, que significa "sim", e eu aprendi recentemente que se escreve o-u-i, não w-e-e.

Pelo menos as pessoas na minha nova escola falam inglês. Foi fundada por americanos pretensiosos, que não gostam da companhia dos próprios filhos. É sério! Quem manda os filhos para um internato? É tão Hogwarts. Só que no meu não tem feiticeiros bonitinhos, balinhas mágicas ou aulas de voo.

Ao contrário, estou presa com outros 99 alunos. Há 25 pessoas ao todo na minha sala de último ano, contra as 600 que havia em Atlanta. E estou estudando as mesmas coisas que estudava em Clairemont High, além de estar matriculada no curso básico de francês.

Ah, claro! Básico de francês. Sem dúvida, com os calouros. Eu arrebento mesmo!

A minha mãe diz que preciso deixar de lado a hostilidade imediatamente, mas não é ela quem está deixando para trás sua incrível melhor amiga, Bridgette, ou seu fabuloso emprego no multiplex Royal Midtown 14, ou Toph, o maravilhoso garoto do multiplex Royal Midtown 14.

Ainda não consigo acreditar que ela está me separando do meu irmão, Sean, que só tem 7 anos e é muito novo para ser deixado sozinho em casa depois da aula. Sem mim, ele provavelmente será raptado por aquele cara assustador do fim da rua, que tem toalhas imundas da Coca-Cola penduradas nas janelas. Ou Sean, acidentalmente, comerá algo contendo corante Red Dye #40 e sua garganta inchará e ninguém estará lá para levá-lo ao hospital. Ele pode até morrer. E aposto que eles não me deixariam voltar para casa para o funeral, e eu teria de visitar o cemitério sozinha no ano seguinte, e meu pai teria escolhido algum querubim de granito de mau gosto para ficar sobre o seu túmulo.

Espero que meu pai não queira que eu preencha formulários de faculdade na Rússia ou na Romênia agora. O meu sonho é estudar teoria do cinema na Califórnia. Quero ser a maior crítica de filme do sexo feminino. Um dia serei convidada para todos os festivais, terei a coluna mais importante do jornal, um programa de TV bem legal e uma página na internet extremamente popular. Aguardem!

Só preciso de mais algum tempo para trabalhar nisso.

— Anna, está na hora.

— O quê? — Olho para as minhas camisetas perfeitamente dobradas em quadrados.

Minha mãe olha para mim e brinca com o pingente de tartaruga do colar. Meu pai, vestido com uma camisa polo pêssego, e sapatos náuticos, olha fixamente através da janela do meu quarto. É tarde, mas, do outro lado da rua, uma mulher canta algo semelhante à ópera.

Meus pais precisam voltar para seus quartos. O voo dos dois sai pela manhã.

— Ah! — Agarro uma camiseta em minhas mãos, apertando-a um pouco.

Meu pai se afasta da janela e eu fico surpresa ao ver que seus olhos estão úmidos. Qualquer coisa que deixe meu pai — mesmo que seja meu pai — a ponto de chorar me dá um nó na garganta.

— Bem, criança. Acredito que você está bem crescidinha agora.

Meu corpo está congelado. Ele me puxa para perto dele e me dá um abraço enorme. Seu aperto é assustador. — Cuide-se. Estude bastante e faça alguns amigos. E tome cuidado com os ladrõezinhos — ele acrescenta. — Às vezes, eles trabalham em dupla.

Eu concordo, e ele me solta. E então vai embora. Minha mãe fica para trás. — Você terá um ano maravilhoso aqui — diz ela. — É tudo o que sei. — Mordo meu lábio para evitar que comece a tremer, e ela me puxa para seus braços. Tento respirar. Inalar. Conto até três. Expiro. Sua pele cheira loção de *grapefruit*. — Eu te ligo assim que chegar em casa — ela diz.

Casa. Atlanta não é mais a minha casa.

— Eu te amo, Anna.

Estou chorando agora. — Eu também te amo. Tome conta do Sean para mim.

— Claro.

— E o Capitão Jack — eu digo. — Verifique se o Sean o alimenta, troca a sua cama e enche a sua garrafa de água. E assegure-se de que não dará muitas guloseimas a ele, porque elas o fazem engordar e então ele não conseguirá sair do seu iglu. Mas certifique-se de que ele deu, pelo menos, um pouquinho todos os dias, porque ele ainda precisa da vitamina C, e não bebe a água quando eu coloco as pastilhas de vitamina C.

Ela se afasta e coloca uma mecha do meu cabelo atrás da minha orelha. — Eu te amo — diz novamente.

E, então, minha mãe faz algo que, apesar de toda a papelada, passagens aéreas e apresentações, eu não esperava. Algo que teria acontecido de qualquer forma daqui a um ano, assim que eu fosse para a universidade, e isso independentemente do tanto de dias, meses ou anos que eu tivesse esperado; ainda não estou preparada para quando isso verdadeiramente acontecer.

Minha mãe vai embora. Eu estou sozinha.

Capítulo 2

Eu o sinto chegar, mas não consigo evitar.

Pânico.

Eles me deixaram. Meus pais realmente me deixaram! Na França!

Enquanto isso, Paris está estranhamente silenciosa. Até mesmo a cantora de ópera já se foi. Não posso perder isso. As paredes aqui são mais finas que *band-aids*, então, se eu surtar, meus vizinhos — meus novos colegas de sala — ouvirão tudo. Vou passar mal. Vou vomitar aquele tapenade de berinjela que jantei, e todos ouvirão e ninguém me convidará para ver os mímicos fugindo das suas caixas invisíveis ou qualquer outra coisa que as pessoas façam no seu tempo livre.

Corro até a pia para jogar um pouco de água no rosto, mas ela sai com tanta força que esguicha em minha camisa. Choro mais ainda quando me lembro que ainda não tirei as toalhas da mala, e roupas molhadas me lembram aqueles estúpidos brinquedos aquáticos para os quais Bridgette e Matt costumavam me arrastar em Six Flags, onde a água tem cor estranha, cheira a tinta e tem bilhões de trilhões de micróbios bacterianos. Ah, meu Deus. E se tiver micróbios bacterianos na água? A água na França é, pelo menos, segura para beber?

Patético. Eu sou patética.

Quantas meninas de 17 anos matariam para sair de casa? Meus vizinhos não estão passando por nenhum colapso. Nenhum choro vem da parede dos seus quartos. Agarro uma camiseta sobre a cama para me secar, quando a solução salta na minha frente. O travesseiro. Caio de cara na barreira de som e choro, choro e choro.

Alguém está batendo à porta.

Não. Com certeza ninguém está batendo à porta.

Estão batendo de novo!

— Olá — uma garota fala do corredor. — Olá. Você está bem?

Não, eu não estou bem. Vá embora. Mas ela chama novamente e sou obrigada a me arrastar da cama e responder à porta. Uma loira com cabelos longos e enrolados aguarda do outro lado. Ela é alta e grande, não do tipo acima do peso. Estilo jogadora de vôlei. Um *piercing* de diamante brilha no seu nariz sob a luz do corredor. — Você está bem? — Sua voz é suave. — Eu sou Meredith; moro aqui ao lado. Aqueles que acabaram de sair são seus pais?

Meus olhos inchados confirmam.

— Eu também chorei na primeira noite. — Ela balança a cabeça, pensa por algum momento e depois concorda. — Venha cá. *Chocolat chaud.*

— Um show de chocolate? — Por que eu ia querer assistir a um show de chocolate? Minha mãe me abandonou e estou aterrorizada em ter de deixar o meu quarto e...

— Não — ela sorri. — *Chaud.* Quente. Chocolate quente, eu posso fazer um para nós no meu quarto.

Apesar do meu estado, eu a sigo. Meredith me segura pela mão como um guarda de trânsito. Ela usa anéis nos cinco dedos. — Não esqueça sua chave. As portas se fecham automaticamente.

— Eu sei. — E então puxo meu colar para mostrar a ela. Coloquei a minha chave aqui durante o seminário deste fim de semana sobre "habilidades para a vida" aos novos alunos, quando nos informaram como é fácil ficarmos trancados do lado de fora.

Entramos no quarto dela. Eu suspiro. É impossível que seja do mesmo tamanho que o meu, dois por três metros, com a mesma miniescrivaninha, minicômoda, minicama, minirrefrigerador, minipia e minichuveiro. (Não tem miniprivada, essas são compartilhadas lá no final do corredor.) Mas... ao contrário da minha gaiola estéril, cada pedaço da parede e do teto está coberta com pôsteres, fotos, papéis de embrulho brilhantes e *flyers* em francês.

— Há quanto tempo você está aqui? — pergunto.

Meredith me dá um lenço e eu assoo o nariz, um grasnar terrível como o de um ganso bravo, mas ela nem se move ou muda de expressão. — Cheguei ontem. Este é o meu quarto ano aqui, então não tive de ir aos seminários. Viajei sozinha, fico andando por aí, esperando que meus amigos apareçam. — Ela olha em volta com as mãos nos quadris, admirando seu trabalho manual. Dou de cara com uma pilha de revistas, tesouras e fita no chão e então percebo que é um trabalho em andamento. — Nada mau, não é? Paredes vazias não me agradam.

Caminho ao redor do quarto, examinando tudo. Rapidamente descubro que os rostos nas paredes são das mesmas cinco pessoas: John, Paul, George, Ringo e de algum jogador de futebol que não reconheço.

— Os Beatles são tudo o que eu ouço. Meus amigos ficam me enchendo o saco, mas...

— Quem é esse? — Aponto para o jogador de futebol. Ele está vestindo vermelho e branco, tem as sobrancelhas e os cabelos escuros. Bem bonitão, para falar a verdade.

— Cesc Fàbregas. Deus, ele é o meio-campo mais incrível. Joga para o Arsenal. O clube inglês? Não?

Balanço a cabeça. Não me mantenho atualizada com relação a esportes, mas talvez devesse. — Belas pernas.

— E eu não sei? Daria para martelar o dedo com aquelas coxas.

Enquanto Meredith mistura *chocolat chaud* na caneca, fico sabendo que ela também está no último ano e que joga futebol apenas durante o verão, porque a nossa escola não tem um programa, mas que ela costumava liderar o *ranking* em todo o estado de Massachussetts. Ela é de lá, Boston. E me lembra que eu deveria dizer "futebol" aqui, e — quando paro para pensar — realmente faz mais sentido. Meredith não parece se importar quando eu a aborreço com perguntas ou me meto nas suas coisas.

O quarto dela é incrível. Além do monte de coisas na parede, ela tem uma dúzia de xícaras de porcelana chinesa adornadas com asas plásticas, prateadas com pedras de âmbar e um vidro com flores. Parece que ela mora aqui há anos.

Experimento uma delas com um dinossauro de borracha. O T-rex acende luzes vermelhas, amarelas e azuis quando eu o aperto.

— Gostaria de ter um quarto como este. — Eu o adoro, mas sou completamente louca por organização para ter algo assim. Preciso de paredes limpas, escrivaninha limpa e tudo colocado no seu devido lugar.

Meredith parece feliz com o elogio.

— Esses são seus amigos? — Coloco o dinossauro de volta na xícara de chá e aponto para uma foto grudada no espelho. É cinza, com sombras, e está impressa em um papel grosso e embaçado. Com certeza, resultado de uma aula de fotografia. Quatro pessoas estão em pé diante de um cubo vazio. A abundância de roupas pretas estilizadas e musse no cabelo revela que Meredith pertence à facção residente artística. Sei que o quarto dela é artístico e ela tem todos aqueles anéis nos dedos e *piercing* no nariz, mas o resto é completamente discreto — suéter lilás, *jeans* apertado, voz suave.

Ela abre um largo sorriso e o seu *piercing* brilha.

— Sim. Ellie tirou esta foto em La Défense. Estes são Josh, St. Clair, eu e Rashimi. Você os conhecerá amanhã, no café da manhã. Bem, todos, menos Ellie. Ela se formou no ano passado.

O nó no meu estômago começa a se desfazer. Esse foi um convite para me sentar com ela?

— Mas eu acredito que você a conhecerá em breve porque ela está namorando o St. Clair. Ela está em Parsons Paris por causa da fotografia.

Eu nunca ouvi falar de Parsons Paris, mas concordo, como se um dia eu mesma fosse para lá.

— Ela é muito talentosa. — O tom da sua voz sugere o contrário, mas eu não insisto no assunto. — Josh e Rashimi também estão namorando — acrescenta.

Meredith deve estar sozinha.

Infelizmente, entendo-a. Eu tinha namorado meu amigo Matt por cinco meses. Ele era meio alto, meio engraçado e tinha um cabelo meio decente. Era aquela situação do tipo "já que não tem ninguém por aqui, você quer dar uns beijos?". Tudo o que fazíamos era nos beijar, e nem era tão bom. Muita baba. Eu sempre tinha de limpar o queixo.

Terminamos quando fiquei sabendo sobre a França, mas não era grande coisa. Não chorei ou enviei *e-mails* melodramáticos ou risquei com uma chave o carro da mãe dele. Agora ele está saindo com a Cherrie Milliken, que está no coral e tem cabelo brilhante como os de um comercial de xampu. Isso nem me incomoda.

Não mesmo.

Além do mais, o rompimento com Matt me deixou livre para cobiçar Toph, meu extraordinário colega de trabalho do multiplex. Não que eu não o cobiçasse quando estava com o Matt, mas facilitou. Isso não me fez sentir culpada, e as coisas estavam começando a acontecer com o Toph — elas realmente estavam — quando o verão acabou. Mas o Matt é o único cara com quem já saí, e ele mal conta. Uma vez disse a ele que tinha namorado um cara chamado Stuart Thistleback em um acampamento de verão. Stuart Thistleback tinha cabelo castanho-avermelhado e tocava violoncelo, e estávamos totalmente apaixonados, mas ele morava em Chattanooga e ainda não tínhamos carteira de motorista.

Matt sabia que eu tinha inventado tudo isso, mas ele era muito legal para dizer qualquer coisa.

Estou quase perguntando a Meredith quais aulas ela vai frequentar, quando o telefone dela toca as primeiras notas de "Strawberry Fields Forever". Ela revira os olhos e atende. — Mãe, é meia-noite aqui. Seis horas de diferença, lembra?

Olho para o radio-relógio dela em formato de submarino amarelo e me surpreendo ao perceber que ela está certa. Coloco minha caneca de *chocolat chaud*, há muito tempo vazia, sobre a cômoda. — Está na minha hora — sussurro. — Desculpe por ter ficado tanto tempo aqui.

— Espere um pouco. — Meredith tapa o fone. — Foi um prazer conhecê-la. Vejo você no café da manhã?

— Claro. Vejo você lá. — Eu tento parecer casual, mas estou tão entusiasmada que mal saio do quarto dela e dou de cara com a parede.

Opa. Não é uma parede. É um garoto.

— Desculpe. Sinto muito, não vi você.

Ele balança a cabeça, um pouco tonto. A primeira coisa que noto é o seu cabelo. É castanho-escuro, desarrumado e, ao mesmo tempo, longo e curto. Penso nos Beatles, uma vez que acabei de vê-los no quarto da Meredith. É um cabelo artístico. Cabelo de músico. Um cabelo do tipo eu-finjo-que-não-me-importo-mas-me-importo.

Cabelo bonito.

— Tudo bem, eu também não te vi. Você está bem?

Minha nossa. Ele é inglês.

— Hum... A Mer mora aqui?

Honestamente, não conheço nenhuma garota americana que resista a um sotaque inglês.

O garoto pigarreia. — Meredith Chevalier? Garota alta? Cabelo longo e enrolado? — Então, ele olha para mim como se eu fosse louca ou parcialmente surda, como minha avó Oliphant. Minha avó só sorri e balança a cabeça sempre que eu pergunto: "Que tipo de salada você quer?" ou "Onde você colocou a dentadura do vovô?".

— Desculpe. — Ele se afasta um pouco de mim. — Você estava indo dormir.

— Sim! Meredith mora ali. Acabei de passar horas com ela. — Eu digo isso com muito orgulho, como meu irmão Sean faz sempre que encontra algo nojento no quintal. — Eu sou Anna, sou nova aqui. — Ah, meu Deus. O que... há... com... esse entusiasmo assustador? Sinto que estou ficando vermelha e isso é tão humilhante.

O garoto lindo sorri. Seus dentes são adoráveis — retos na parte de cima e curvos na base, com um leve toque de bruxismo. Sou louca por sorrisos como esse em razão do fato de não ter usado aparelho. Tenho um espaço nos meus dentes da frente do tamanho de uma uva-passa.

— Étienne — ele diz. — Eu moro um andar acima.

— Eu moro aqui. — Aponto abobada para o meu quarto, enquanto a minha mente roda: nome francês, sotaque inglês, escola americana. Anna está confusa.

Ele bate duas vezes na porta de Meredith. — Bem, vejo você por aí, então, Anna.

Eh-t-yen pronuncia meu nome assim: Ah-na.

Meu coração pulsa, pulsa, pulsa no meu peito.

Meredith abre a porta. — St. Clair! — ela berra. Ela ainda está ao telefone. Eles se abraçam, riem e conversam. — Entra! Como foi seu voo? Quando você chegou? Você viu o Josh? Mãe, eu tenho que desligar.

O telefone e a porta de Meredith se fecham simultaneamente.

Eu me atrapalho com a chave no colar. Duas garotas em roupões rosa iguais ficam paradas atrás de mim, rindo e cochichando. Vários garotos no corredor abafam o riso e assoviam. Meredith e seu amigo riem através das finas paredes. Meu coração aperta e meu estômago dá um nó novamente.

Ainda sou a garota nova. Ainda estou sozinha.

Capítulo 3

Na manhã seguinte, penso em passar pelo quarto de Meredith, mas desisto e vou sozinha para o café da manhã. Pelo menos sei onde fica a cantina (Segundo Dia: Seminário de Habilidades para a Vida). Checo meu cartão de refeição e abro a sombrinha da Hello Kitty. Está garoando. O tempo nem se importa que hoje seja meu primeiro dia de aula.

Atravesso a rua com um grupo de alunos falantes. Eles não me notam, mas, juntos, nos esquivamos das poças. Um carro, pequeno o suficiente para ser um dos brinquedos do meu irmão, passa voando e lança água em uma garota de óculos. Ela xinga e os seus amigos a atormentam.

Eu fico para trás.

A cidade está cinza como pérola. Os arranha-céus e os prédios de pedra emitem a mesma elegância fria, mas, logo à minha frente, o Panteão brilha. Seu domo enorme e as colunas impressionantes se elevam para coroar o topo da vizinhança. Toda vez que eu vejo isso é difícil passar em branco. É como se tivesse sido roubado da Roma antiga ou, no mínimo, da colina do Capitólio. Não sei qual é o seu propósito, mas acredito que alguém me dirá em breve.

Minha nova vizinhança é o Quartier Latin, ou a quinta redondeza. De acordo como o meu dicionário de bolso, isso significa distrito, e os prédios na minha redondeza misturam-se uns aos outros, curvando-se uns sobre os outros com o esplendor dos bolos de casamento. As calçadas estão lotadas de estudantes e turistas e são ornamentadas por postes e bancos idênticos, árvores cerradas, rodeadas por grades metálicas, catedrais góticas e pequenas *crêperies*, displays de cartões-postais e arabescos fundidos nos balcões metálicos.

Se fossem férias, tenho certeza de que estaria encantada. Compraria um chaveiro da Torre Eiffel, tiraria fotos dos paralelepípedos e pediria um prato de escargôs. Mas não estou em férias. Estou aqui para viver, e me sinto pequena.

O prédio principal da School of America fica a dois minutos de caminhada do Résidence Lambert, o dormitório dos veteranos e o dos novatos. A entrada é sob um grande arco, que fica em um jardim com árvores cuidadosamente podadas. Gerânios e trepadeiras caem por sobre os vasos em cada andar, e majestosas cabeças-de-leão estão cravadas no centro das portas verdes, que são três vezes maiores do que eu. Em cada lado da porta está pendurada uma bandeira vermelha, branca e azul — uma americana e outra francesa.

Parece o cenário de um filme. *Uma pequena princesa*, se a história ocorresse na França. Como pode tal escola existir? E como eu posso estar matriculada nela? Meu pai é louco de acreditar que pertenço a este lugar. Estou lutando para fechar minha sombrinha e conseguir abrir uma das pesadas portas de madeira com o meu traseiro quando um mauricinho com cabelo de falso surfista passa por mim. Ele dá de cara com a minha sombrinha e então lança aquele olhar mortal como se fosse culpa minha ele ter a paciência de um bebê e como se já não estivesse encharcado por causa da chuva.

Duas deduções óbvias para Paris. Não ligo a mínima, mauricinho.

O teto do primeiro andar é absurdamente alto, repleto de candelabros e pintado com afrescos de ninfas flertando e sátiros luxuriosos. Cheira levemente a produtos de limpeza cítricos e marcadores de quadro branco. Sigo o barulho das solas de borracha pela cantina. Abaixo dos nossos pés há um mosaico de granito com pardais entrelaçados. Na parede no final do *hall* há um relógio dourado que está soando as horas.

A escola inteira é tão intimidadora quanto impressionante. Deveria ser reservada para alunos com seguranças particulares e pôneis Shetland, não para uma pessoa que compra a maioria das suas roupas na Target.

Mesmo que eu já a tenha visto no *tour* feito pela escola, a cantina me dá arrepios. Costumava almoçar em um ginásio convertido em cantina que fedia a alvejante e cuecas suadas. Ali havia longas mesas com bancos acoplados, xícaras de papel e canudos plásticos. As senhoras com touquinhas, que ficavam no caixa, serviam *pizza* congelada, batatas fritas congeladas e *nuggets* congelados, e as máquinas de refrigerantes e de salgadinhos e doces forneciam o resto da minha nutrição.

Mas essa cantina poderia ser um restaurante.

Ao contrário da histórica opulência do *hall*, a cantina é lustrosa e moderna. É repleta de mesas de bétula redondas e plantas penduradas em cestas. As paredes são tangerina e limão e há um francês garboso de chapéu branco de *chef* servindo uma variedade de comida que parece ser fresca. Há uma série de bebidas engarrafadas, mas, em vez da alta dose de açúcar, refrigerantes com alto nível de cafeína, elas estão repletas de suco e uma dezena de tipos de água mineral. Há até um jogo de café. Café. Sei de alguns alunos, em Clairemont, famintos por Starbucks que matariam por um café na escola.

As cadeiras já estão tomadas por pessoas conversando com os amigos por sob os gritos dos chefes e o bater dos pratos (porcelana de verdade, não de plástico). Eu paro no caminho da porta. Os alunos passam por mim, indo para todas as direções. Meu coração se aperta. Devo encontrar uma mesa ou pegar o café primeiro? E como devo pedir se o cardápio está em francês?

Fico surpresa quando uma voz chama meu nome. Por favor, por favor, por favor...

Um giro pela multidão revela uma mão com cinco anéis acenando do outro lado. Meredith aponta para uma cadeira vazia ao seu lado, e eu ziguezagueio até lá, agradecida e quase dolorosamente aliviada.

— Pensei em bater à sua porta e então poderíamos ter vindo juntas, mas eu não sabia se você gosta de dormir até tarde ou não. — As sobrancelhas de Meredith indicam preocupação. — Me desculpe, eu deveria ter batido. Você parece tão perdida.

— Obrigada por guardar um lugar para mim. — Eu ponho minhas coisas no chão e me sento. Há duas outras pessoas novas na mesa e, como prometido na noite anterior, são as pessoas da foto no espelho. Estou nervosa de novo e arrumo minha mochila embaixo da mesa.

— Esta é a Anna, a garota de quem eu estava falando para vocês — diz Meredith.

Um garoto de cabelo curto e nariz grande me saúda com sua xícara de café. — Josh — ele diz. — E Rashimi. — Ele aponta para a garota ao seu lado, que segura a outra mão dele no bolso da frente de seu moletom. Rashimi usa óculos de armação azul e tem cabelo escuro e grosso que percorre toda as suas costas. Ela mal me nota.

Tudo bem. Não é grande coisa.

— Está todo mundo aqui, exceto St. Clair. — Meredith o procura pela cantina. — Ele geralmente chega atrasado.

— Sempre — Josh a corrige. — Sempre chega atrasado.

Eu pigarreio. — Acho que o conheci na noite passada. No corredor.

— Cabelo legal e um sotaque inglês? — diz Meredith.

— Acho que sim. — Tento parecer casual.

Josh sorri com desdém. —Todas são apaixonadas por St. Clair.

— Ah, cala a boca — diz Meredith.

— Eu não estou. — Rashimi me olha pela primeira vez, imaginando se eu posso ou não me apaixonar pelo namorado dela.

Ela larga a mão dele e dá um suspiro exagerado. — Bom, eu estou. Vou chamá-lo para o baile. Este é o nosso ano. Posso sentir.

— Tem baile nesta escola?

— Deus, não — diz Rashimi. — É verdade, Josh, você e St. Clair ficariam lindos em *smokings* iguais.

— Caudas. — O sotaque inglês faz com que eu e Meredith pulemos de nossas cadeiras. O garoto do corredor. O garoto bonito. Seu cabelo está úmido por causa da chuva. — Eu insisto que os *smokings* tenham caudas, caso contrário, darei o seu corpete para Steve Carter.

— St. Clair! Josh salta da cadeira e eles dão os clássicos dois tapinhas nas costas, típico dos rapazes.

— Nenhum beijinho? Estou apaixonado, cara.

— Pensei que isso poderia causar algum problema com a namorada. Ela ainda não sabe sobre nós.

— Não interessa — diz Rashimi, mas agora ela está sorrindo. Fica bem sorrindo. Deveria usar mais os cantos da boca.

O garoto lindo do corredor (Devo chamá-lo de Étienne ou St. Clair?) deixa a bolsa cair e senta na cadeira restante, entre mim e Rashimi. — Anna. — Ele está surpreso em me ver e eu também. Ele se lembra de mim.

— Bonita sombrinha. Poderia tê-la usado esta manhã. — Ele passa a mão pelos cabelos e uma gota cai no meu braço. Faltam-me as palavras. Infelizmente, meu estômago fala por si. Seus olhos se arregalam com o barulho e eu fico alarmada ao notar quão castanhos eles são. Como se ele precisasse de mais alguma arma contra a espécie feminina.

Josh deve estar certo. Toda garota na escola deve estar apaixonada por ele.

— O barulho foi terrível. Você deveria alimentar essa coisa. A menos que... — Ele finge me examinar, e então se aproxima sussurrando. — A menos que você seja uma daquelas garotas que nunca comem. Não consigo tolerar isso, me desculpe. Tenho de banir você da mesa por toda a vida.

Estou determinada a falar racionalmente na presença de St. Clair. — Eu não estou muito certa de como devo fazer o pedido.

— Fácil — diz Josh. — Fique na fila. Diga a eles o que você quer. Aceite deliciosas guloseimas. E então dê a eles o seu cartão de refeição e duas canecas de sangue.

— Ouvi dizer que eles aumentaram para três este ano — diz Rashimi.

— Medula óssea — fala o garoto lindo do corredor. — Ou o seu lóbulo esquerdo.

— Eu me referia ao cardápio, muito obrigada. — Aponto para o quadro acima de um dos *chefs*. Alguém com uma letra requintada, cursiva, escreveu o cardápio da manhã em rosa, amarelo e branco.

— Você não fala francês? — pergunta Meredith.

— Estudei espanhol por três anos. Não é como se eu sempre tivesse pensando que me mudaria para Paris.

— Tudo bem — Meredith diz rapidamente. — Muitas pessoas aqui não falam francês.

— Mas a maioria fala — acrescenta Josh.

— Mas a maioria não fala muito bem — Rashimi olha explicitamente para ele.

— Você aprenderá a língua da comida primeiro. A língua do amor. — Josh massageia a barriga como um Buda magricela. — *Ouef*. Ovo. *Pomme*. Maçã. *Lapin*. Coelho.

— Nada engraçado — Rashimi dá um soco em seu braço. — Não me surpreende que a Isis o morda. Idiota.

Eu olho para o quadro novamente. Ainda está em francês. — E então?

— Certo. — O garoto lindo do corredor empurra a cadeira. — Venha comigo, então. Eu também não comi ainda. — Eu não posso deixar de notar várias garotas boquiabertas conforme passamos pela multidão. Uma loira com um nariz pontudo e uma blusinha de adolescente murmura assim que entramos na fila.

— Ei, St. Clair. Como foi seu verão?

— Olá, Amanda. Foi bom.

— Você ficou aqui ou voltou para Londres? — Ela se curva sobre sua amiga, uma garota baixinha com um grande rabo de cavalo, e se posiciona de modo que possa expor seu decote o máximo possível.

— Fiquei com minha mãe em São Francisco. Você curtiu suas férias? — ele pergunta educadamente, mas fico satisfeita ao ouvir a indiferença em sua voz.

Amanda joga o cabelo e, de repente, vejo que ela é como Cherrie Milliken. Cherrie adora balançar o cabelo e ficar enrolando-o nos dedos. Bridgette está convencida de que ela passa seus fins de semana em frente a ventiladores, fingindo ser uma supermodelo, mas estou certa de que ela está muito ocupada enchendo seus cachos de qualquer produto na busca interminável pelo brilho perfeito.

— Foi fabuloso. — Ela balança o cabelo. — Fui para a Grécia por um mês e então passei o resto do verão em Manhattan. Meu pai tem um apartamento incrível com vista para o Central Park.

Cada sentença que ela diz tem uma palavra que é enfatizada. Bufo para evitar dar risada, e o garoto lindo do corredor começa a tossir.

— Mas eu senti sua falta. Você não recebeu meus *e-mails*?

— Hum..., não. Você deve ter o endereço errado. — Ei — ele me cutuca. — Está quase na nossa vez. — Ele vira de costas para Amanda, e ela e sua amiga parecem intrigadas. — Hora da sua primeira aula de francês. O café da manhã aqui é simples e consiste basicamente em pães: *croissants* são os mais famosos, claro. Isso quer dizer nada de carne, ovos mexidos.

— Bacon? — pergunto, esperançosa.

— Absolutamente não. — Ele ri. — Segunda lição, as palavras no quadro. Ouça atentamente e repita. Granola. — Aperto os olhos conforme ele os abre zombando inocentemente. — Significa "granola", viu só? E esta aqui, *yaourt*?

— Céus, eu não sei. Iogurte?

— Nativa! Você disse que nunca morou na França antes?

— "Ar". Maldito. "Ar".

Ele sorri. — Ah, entendi. Conhece-me a menos de um dia e zomba de mim por causa do meu sotaque. O que vem depois? Importa-se de discutir o estado do meu cabelo? Minha altura? Minha calça?

O francês atrás do caixa nos repreende. Desculpe, chefe Pierre. Estou um pouco distraída por causa desta obra-prima de garoto inglês, francês, americano. Interrompendo meus pensamentos, o garoto pergunta rapidamente: — Iogurte com granola e mel, ovos cozidos ou peras no brioche?

Eu não faço a menor ideia do que é um brioche. — Iogurte — eu digo.

Ele faz o nosso pedido em francês perfeito. Pelo menos, parece impecável para as minhas orelhas virgens e isso deixa o *chef* Pierre mais calmo. Perde o olhar carrancudo e despeja a granola e o mel no meu iogurte. Uma pitada de mirtilo é adicionada no antes de ele me dar.

— *Merci*, senhor Boutin.

Eu agarro a nossa bandeja. — Nada de *Pop-Tarts*? Nada de *Cocoa Puffs*? — Estou totalmente ofendida.

— *Pop-Tarts* são às terças, *Eggo waffles*, às quartas, mas eles nunca servem *Cocoa Puffs*. Você terá de trocar por *Froot Loops* às sextas.

— Você sabe muito sobre porcarias americanas para um cara inglês.

— Suco de laranja? *Grapefruit*? *Cranberry*? — Aponto para o suco de laranja, e ele retira dois do *display*. — Eu não sou inglês. Sou americano.

Sorrio. — Claro que você é.

— Eu sou. Você tem de ser americano para estar na SOAP, lembra-se?

— Soap?

— School of America in Paris — ele explica. — SOAP.

Legal. Meu pai me mandou para cá para ser purificada, limpa.

Entramos na fila para pagar e eu fico surpresa em notar a eficiência com que a fila anda. Na minha antiga escola, o negócio consistia em cortar a fila e deixar enraivecidas as senhoras do almoço, mas, aqui, todos aguardam pacientemente. Viro-me a tempo de observar seu olhar acima e abaixo do meu corpo. Fico sem ar. O garoto lindo está me notando. Ele não percebe que o peguei fazendo isso. — Minha mãe é americana — ele continua suavemente. — Meu pai é francês. Nasci em São Francisco e fui criado em Londres.

Milagrosamente, recupero a fala. — Um verdadeiro internacional.

Estou a ponto de zombar dele quando, de repente, me lembro: Ele tem namorada. Algo maldoso cutuca as dobras rosa do meu cérebro me forçando a relembrar a conversa com Meredith na noite passada. É hora de mudar de assunto. — Qual é seu nome de verdade? Na noite passada você se apresentou como...

— St. Clair é meu sobrenome. Étienne é o primeiro nome.

— Étienne St. Clair. — Tento pronunciar como ele, toda estrangeira e chique.

— Terrível, não é mesmo?

Estou rindo agora. — Étienne é legal. Por que as pessoas não te chamam assim?

— Oh, "Étienne é legal!" Quanta generosidade sua.

Outra pessoa entra na fila atrás de nós. Um garoto de pele marrom, acne e cabelo preto e grosso como um tapete. O garoto empolga-se ao ver St. Clair e ele sorri de volta. — Ei, Nikhil. Curtiu as férias? — É a mesma pergunta que ele fez a Amanda, mas desta vez o tom era sincero.

É tudo aquilo de que precisava para que o garoto embarcasse na viagem que fez a Délhi, sobre os mercados, templos e monções. (Ele foi a uma excursão de um dia ao Taj Mahal. Eu fui à cidade do Panamá com o resto da Geórgia.) Outro garoto aparece, ele é magro e pálido, com cabelo arrepiado. Nikhil nos esquece e cumprimenta seu amigo com o mesmo tom de entusiasmo.

St. Clair — estou determinada a chamá-lo assim antes que me confunda — volta-se para mim. — Nikhil é irmão de Rashimi. Ele é calouro este ano. Ela também tem uma irmã menor, Sanjita, que é novata, e uma irmã mais velha, Leela, que se formou há dois anos.

— Você tem irmãos?

— Não. Você tem?

— Um irmão, mas ele está em casa. Em Atlanta. Fica na Geórgia. No sul.

Ele levanta uma sobrancelha. — Eu sei onde fica Atlanta.

— Ah, claro. — Eu entrego meu cartão de refeição para o homem atrás da máquina registradora. Assim como o senhor Boutin, ele veste um uniforme branco justo e chapéu engomado. Também tem um bigode que parece o guidão de uma bicicleta. Eu não sabia que eles usavam esse tipo de bigode por aqui. O chef Guidão de Bicicleta passa o meu cartão e me devolve com um rápido *merci*.

Obrigada. Outra palavra que eu já sei. Excelente.

No caminho de volta para a nossa mesa, Amanda observa St. Clair do seu grupo de patricinhas e mauricinhos. Não fico surpresa em ver o mauricinho de cabelo moicano e olhar feio sentado com ela. St. Clair está falando sobre aulas — o que devo esperar no meu primeiro dia, quem são meus professores —, mas eu parei de ouvir. Tudo o que vejo é o seu sorriso "dente torto" e seu andar bamboleante.

Eu sou tão tola como todas as outras.

Capítulo 4

As filas de H até P movem-se vagarosamente. O cara da minha frente está discutindo com o conselheiro. Dou uma olhada na de A a G e vejo que Meredith (Chevalier) e Rashimi (Devi) já receberam seus horários de aula e os observam, comparando-os.

— Mas eu não pedi teatro, pedi ciência da computação.

A conselheira agachada é paciente. — Eu sei, mas ciência da computação não cabia no seu horário, e a sua segunda opção, sim. Talvez você possa fazer ciência da computação no ano que...

— Minha segunda opção foi ciência da programação.

Espere aí. Minha atenção volta-se para o que elas estão dizendo. Eles podem fazer isso? Colocar-nos em aulas que não pedimos? Eu vou morrer — morrer — se tiver de fazer ginástica de novo.

— Na verdade, David — a conselheira folheia os papéis —, você se recusou a preencher o seu formulário de segunda opção, então tivemos de selecionar a aula para você, mas acho que você vai encontrar...

O garoto, nervoso, pega o horário da mão dela e sai. Oba! Não é que seja culpa dele. Dou um passo à frente e digo meu nome o mais educadamente possível, para compensar a situação desagradável criada pelo idiota que acabou de sair. Ela me dá um sorriso de volta. — Eu me lembro de você, querida. Tenha um bom primeiro dia! — E ela me entrega meia folha de um papel amarelo.

Eu prendo a respiração enquanto o observo. Ufa. Sem surpresas. Inglês avançado, cálculo, francês básico, física, história europeia e algo duvidoso chamado *La Vie.*

Quando me matriculei, o conselheiro descreveu *Vida* como uma aula somente para os alunos do último ano, semelhante a uma sala de estudos, mas, ocasionalmente, palestrantes convidados falariam conosco sobre como administrar nosso dinheiro, alugar apartamentos e cozinhar uma quiche ou o que quer que seja. Estou aliviada que minha mãe me deixou fazer essa. Uma das coisas decentes desta escola é que os alunos do último ano não precisam cursar matemática, ciências e história. Infelizmente, minha mãe é puritana e se recusou a deixar que eu me forme sem mais um ano das três. "Você nunca vai entrar na universidade certa se fizer aula de cerâmica", ela avisou, franzindo as sobrancelhas sobre o meu pacote de orientação.

Obrigada, mãe. Manda que eu estude fora, em uma cidade conhecida pela sua arte, e me faz passar por outro ano de aulas de matemática. Arrasto-me em direção a Meredith e Rashimi rezando para que compartilhemos algumas aulas. Eu estou com sorte.

— Três comigo e quatro com Rash! — Meredith fica radiante e devolve meu horário. Seus anéis com as cores do arco-íris batem uns contra os outros.

Rash. Que apelido mais infeliz. Elas conversam sobre pessoas que não conheço e minha mente vai até o outro lado da quadra, onde St. Clair espera com Josh na fila de Q a Z. Fico imaginando se vou ter alguma aula com ele.

Quero dizer, eles. Aulas com eles.

A chuva parou e Josh chuta uma poça na direção de St. Clair. Ele ri e diz algo que os faz rir ainda mais. De repente, observo que St. Clair é mais baixo que Josh. Muito mais baixo. É estranho que não tenha notado antes, mas ele não se posiciona como um cara baixo. A maioria dos caras baixos geralmente são tímidos ou ficam na defensiva, alguns são uma mistura das duas coisas, mas St. Clair é confiante, amigável e...

— Jesus, mas como olha!

— O quê? — Volto a cabeça, mas Rashimi não está falando comigo. Ela está balançando a cabeça em direção a Meredith, que está tão embasbacada como eu.

— Você está fazendo buracos na cabeça do St. Clair.

— Cala a boca! — Meredith sorri para mim e dá de ombros.

Bem. Isso explica tudo. Como se eu precisasse de outra razão para não cobiçar. O "garoto dos sonhos" está oficialmente fora de cogitação. — Não diga nada a ele — ela diz. — Por favor.

— Claro que não — respondo.

— Porque nós certamente somos só amigos.

— Obviamente.

Andamos sem propósito até que a diretora chega para discursar. Ela é graciosa e se porta como uma bailarina. Tem pescoço longo, e o cabelo branco está arranjado em um nó firme que faz com que sua aparência seja distinta, e não de uma pessoa velha. O efeito geral é parisiense, embora eu saiba, pela minha carta de aceitação, que ela é de Chicago. Seu olhar desliza em torno de nós, seus 100 pupilos escolhidos a dedo.

— Bem-vindos a outro ano empolgante na School of America in Paris. Estou satisfeita em ver tantos rostos conhecidos e estou ainda mais feliz em ver os rostos novos.

Aparentemente, discursos escolares são algo que a França não consegue melhorar.

— Aos alunos que estavam aqui nos anos anteriores, eu os convido a dar as boas-vindas aos calouros e, também, aos novos alunos do último ano.

Um punhado de aplausos educados. Concentre-se, Anna, concentre-se. Mas sinto o olhar dele como se fosse o calor do sol. Minha pele umedece de suor. Por que ele está olhando? Ele ainda está olhando? Acho que sim. Por quê, por quê, por quê? É um olhar bom, ruim ou indiferente?

Mas, quando finalmente olho, ele não está olhando para mim. Está mordendo a unha do dedo mindinho.

A diretora finaliza, e Rashimi sai correndo para encontrar os meninos. Meredith me mostra a sala de inglês. A *professeur* ainda não chegou, então nos sentamos nos fundos. A sala de aula é menor do que a que estou acostumada e tem janelas escuras, em boas condições e altas. No entanto, as carteiras, o quadro e o apontador na parede são iguais.

— Você vai gostar da *professeur* Cole. Ela é hilária e sempre pede os melhores livros — Meredith diz.

— Meu pai é escritor — despejo isso sem pensar e imediatamente me arrependo.

— Verdade? Quem?

— James Ashley. Esse é o nome de autor dele. Acredito que Oliphant não seria romântico o suficiente.

— Quem?

O fator humilhação multiplica-se. —*The decision? The entrance?* Eles viraram filmes. Esqueça, todos eles têm nomes vagos como esses...

Ela se inclina, empolgada. — Não diga, minha mãe adora *The entrance!*

Franzo a testa.

— Eles não são tão ruins. Vi *The entrance* uma vez com ela e chorei muito quando aquela garota morreu de leucemia.

— Quem morreu de leucemia? — Rashimi joga sua mochila perto de mim. St. Clair aparece atrás dela e senta-se na carteira em frente à Meredith.

— O pai de Anna escreveu *The entrance* — diz Meredith.

Tusso. — Não é algo de que me orgulhe.

— Desculpe, o que é *The entrance*? — Rashimi pergunta.

— É aquele filme no qual o cara ajuda a fazer o parto de uma bebezinha e então ela cresce e ele se apaixona por ela — Meredith diz isso, enquanto St. Clair verifica seu horário. — Mas um dia depois do noivado deles, ela é diagnosticada com leucemia.

— O pai a empurra corredor abaixo na cadeira de rodas — continuo. — E então ela morre na lua de mel.

— Credo! — Rashimi e St. Clair dizem juntos.

Vexame suficiente.

— Onde está Josh? — pergunto.

— Ele é novato — Rashimi diz, como se eu já devesse saber disso. — Nós o deixamos em pré-cálculo.

— Ah. — Nossa conversa chega a um beco sem saída. Adorável.

— Três aulas juntos, Mer. Dá aqui o seu horário. — St. Clair volta-se e pega a minha folha. — Oooh, francês básico.

— Eu te disse.

— Não é tão ruim. — Ele devolve meu horário e sorri. — Você estará lendo o cardápio do café da manhã sem minha ajuda antes mesmo que perceba.

Humm, talvez eu não queira aprender francês.

Argh! Meninos fazem com que meninas fiquem tão estúpidas.

— *Bonjour à tous.* — Uma mulher usando um vestido turquesa entra e estala sua xícara de café no palco. Ela não é tão velha e tem o cabelo mais loiro que eu já vi em uma professora. — Para os... — Seus olhos passam pela sala até pararem em mim.

O quê? O que foi que eu fiz?

— Para a única pessoa que não me conhece, *jê m' appelle professeur Cole.* — Ela me trata com extrema cortesia e a sala ri. Eles se viram para me olhar.

— Olá — digo bem baixinho.

Suspeita confirmada. Das 25 pessoas presentes — toda a sala do último ano —, eu sou a única nova aluna. Isso quer dizer que meus colegas de sala têm outra vantagem sobre mim: todos eles estão familiarizados com os professores. A escola é tão pequena que cada matéria é ensinada pelo mesmo professor nos quatro anos.

Tento imaginar qual aluno saiu para que eu pudesse entrar. Provavelmente alguém mais descolado que eu. Alguém com cabelo rastafári, tatuagens de mulheres e conexões com a indústria da música.

— Eu vejo que o pessoal encarregado ignorou meus pedidos mais uma vez — diz a *professeur* Cole. —Todos de pé. Vocês sabem o que fazer.

Eu não, mas empurro a minha carteira quando todos começam a empurrar a deles. Nós as organizamos em um grande círculo. É estranho ver todos os meus colegas de sala ao mesmo tempo. Aproveito a oportunidade para observá-los. Não acredito que fico de fora, porém, suas calças, sapatos e mochilas são mais caros que os meus. Parecem mais limpos, reluzentes.

Nenhuma surpresa nisso. Minha mãe é professora de biologia no colegial, o que não nos deixa muito dinheiro para gastos extras. Meu pai paga o financiamento e ajuda com as contas, mas isso não é suficiente, e minha mãe é muito orgulhosa para pedir mais dinheiro. Ela diz que ele recusaria de qualquer forma e simplesmente compraria outro elíptico.

Deve haver alguma verdade nisso tudo.

O resto da manhã é confuso. Gosto da *professeur* Cole, e meu professor de matemática, *professeur* Babineaux, também é legal. Ele é parisiense e move as sobrancelhas e cospe quando fala. Para ser justa, não acho que o ato de cuspir seja algo francês. Acho que ele simplesmente tem a língua presa. É difícil dizer, por causa do sotaque.

Depois dessas aulas, tive francês básico. *Professeur* Gillet é outro parisiense. Era de se esperar. Eles sempre mandam os falantes nativos para aulas de língua estrangeira. Meus professores de espanhol reviravam os olhos e exclamavam, "*¡Aye, dios mio!*" sempre que eu levantava a mão. Ficavam frustrados quando eu não conseguia entender um conceito que parecia óbvio para eles.

Parei de levantar a mão.

Como previsto, a classe está cheia de calouros. E eu. Ah, e um novato, o garoto nervoso por causa do horário de hoje de manhã. Ele se apresenta entusiasticamente como Dave, e posso dizer que está tão aliviado quanto eu em não ser o único aluno do último ano.

Talvez o Dave seja bem legal, apesar de tudo.

À tarde, sigo a boiada até a cantina. Evito a fila principal e vou direto ao balcão "escolha-sua-própria-fruta" e pão, ainda que o cheiro da massa esteja muito bom. Eu sou tão covarde. Prefiro ficar faminta a tentar pedir algo em francês. "*Oui, oui!*", eu diria, apontando aleatoriamente para as palavras no cardápio. Então, o chef Bigode Guidão de Bicicleta me traria algo repugnante e eu teria de comprar por pura vergonha. *Claro que eu queria pedir o pombo assado! Humm! Igualzinho ao da vovó.*

Meredith e seus amigos estão na mesma mesa de hoje pela manhã. Respiro fundo e me junto a eles. Para meu alívio, ninguém parece surpreso. Meredith pergunta a St. Clair se ele já viu sua namorada. Ele relaxa na cadeira. — Não, mas vamos nos encontrar hoje à noite.

— Você a viu neste verão? As aulas dela já começaram? O que ela está fazendo este semestre? — ela continua fazendo perguntas sobre Ellie, para as quais ele dá respostas curtas. Josh e Rashimi estão se beijando — eu pude ver a língua —, então me volto para as minhas uvas e pão. Que bíblico da minha parte.

As uvas são menores que aquelas a que eu estou acostumada, e a casca é levemente texturizada. Isso é sujeira? Molho meu guardanapo na água e começo a passar nas uvas. Ajuda um pouco, mas elas ainda estão meio ásperas. Humm. St. Clair e Meredith param de falar. Olho e os vejo me observando confusos.

— O quê?

— Nada — ele diz. — Continue dando banho na uva.

— Elas estavam sujas.

— Você experimentou alguma? — Meredith pergunta.

— Não, elas ainda têm estas pintinhas de terra. — Ergo uma e mostro a eles. St. Clair a tira da minha mão e põe dentro de sua boca. Fico hipnotizada pelos seus lábios, sua garganta, enquanto ele a engole.

Hesito. Prefiro comer comida limpa ou causar uma boa impressão em St. Clair?

Ele pega outra e sorri. — Abre a boca.

Eu abro.

A uva passa pelo meu lábio inferior à medida que ele a coloca em minha boca. Ela explode na minha boca e eu fico tão chocada com o gosto que quase a cuspo.

O sabor é tão intenso, parece mais com bala de uva do que com a fruta mesmo. Dizer que nunca provei nada parecido é pouco. Meredith e St. Clair riem.

— Espere até prová-las como vinho — ela diz.

St. Clair enrola uma garfada de massa. — Então, como foi a aula de francês?

A rápida mudança de assunto me faz tremer.

— Gillet é assustadora. Ela é cheia de linhas de expressão. — Pego um pedaço de pão. A casca se quebra e o interior é leve e flexível. Ah, meu Deus. Eu lanço outro pedaço para dentro da boca.

Meredith parece pensativa. — Ela pode ser bastante intimidadora a princípio, mas é muito legal depois que você a conhece.

— Mer é sua pupila predileta — St. Clair diz.

Rashimi se desgruda de Josh, que parece um pouco tonto com o ar fresco. — Ela está fazendo aulas de francês e espanhol avançado — acrescenta.

— Talvez você possa ser minha tutora — digo a Meredith. — Sou muito ruim em línguas estrangeiras. A única razão pela qual este lugar aceitou as minhas notas de espanhol foi porque a diretora lê os romances tolos do meu pai.

— Como você sabe? — ela pergunta.

Reviro os olhos. — Ela mencionou isso uma ou duas vezes durante a entrevista. — Ficava fazendo perguntas sobre o elenco de *The lighthouse*. Como se fosse meu pai quem decidisse. Ou como se eu me preocupasse. Ela não percebeu que meus gostos cinematográficos são um pouco mais sofisticados.

— Gostaria de aprender italiano — diz Meredith. — Mas eles não oferecem aqui. Quero ir para a faculdade em Roma no ano que vem. Ou talvez Londres. Eu poderia estudar lá também.

— Certamente Roma é um lugar melhor para estudar italiano... — eu digo.

— Sim, bem. — Ela olha furtivamente para St. Clair. — Eu sempre gostei de Londres.

Pobre Mer. Está perdida.

— O que você quer fazer? — pergunto a ele. — Para onde você vai?

St. Clair dá de ombros. É lento e, como todo o corpo, surpreendentemente francês. O mesmo dar de ombros que o garçom do restaurante da noite passada me deu quando perguntei se eles serviam pizza.

— Não sei. Depende, embora eu gostasse de estudar história. — Ele se inclina como se estivesse a ponto de contar um segredo impróprio. — Eu sempre quis ser um daqueles caras que eles entrevistam nos especiais da BBC ou da PBS. Você sabe, com as sobrancelhas estranhas e cotoveleiras de couro no casaco.

Exatamente como eu! Mais ou menos. — Eu quero estar no canal de filmes clássicos e discutir Hitchcock e Capra com Robert Osborne. Ele é anfitrião da maioria dos programas deles. Quero dizer, eu sei que ele é um cara velho, mas ele é tão legal. Ele sabe tudo sobre cinema.

— Verdade? — Ele parece realmente interessado.

— A cabeça de St. Clair está sempre em livros de história do tamanho de dicionários — Meredith interrompe. — É difícil tirá-lo do quarto.

— Isso porque a Ellie está sempre lá — diz Rashimi, secamente.

— Olha quem fala — ele diz em direção a Josh. — Sem mencionar... Henri.

— Henri! — Meredith diz, e ela e St. Clair caem na gargalhada.

— Uma maldita tarde e vocês nunca mais me deixarão esquecer isso? — Rashimi olha para Josh, que apunhala sua massa.

— Quem é Henri? — Tropeço na pronúncia. *En-ree.*

— Um guia turístico em uma viagem de campo ao Palácio de Versailles no segundo ano — St. Clair explica. — Sujeito magricela, mas Rashimi nos encurralou no *Hall* dos Espelhos e se jogou em cima dele...

— Eu não me joguei!

Meredith balança a cabeça. — Eles se apalparam, tipo, a tarde toda. Para todo o público.

— A escola toda esperou no ônibus por duas horas porque ela esqueceu a hora que nós tínhamos combinado de nos encontrarmos na volta — ele diz.

— Não foram duas horas...

Meredith continua. — *Professeur* Hansen finalmente a encontrou atrás de uma moita, nos jardins reais, e ela tinha marcas de dente por todo o pescoço.

— Marcas de dente! — St. Clair reafirma.

Rashimi fica furiosa. — Cala a boca, Língua Inglesa.

— Hã?

— Língua Inglesa — ela diz. — É disso que te chamamos após a sua demonstração pública de tirar o fôlego com a Ellie na feira de rua do ano passado. — St. Clair tenta protestar, mas ele está rindo muito. Meredith e Rashimi continuam espetando ainda mais, mas... estou perdida de novo. Fico imaginando se Matt começou a beijar melhor agora que tem alguém mais experiente para praticar. Ele provavelmente beijava mal por minha causa.

Ah, não. Eu beijo mal.

Algum dia ganharei uma estatueta com formato de um par de lábios, e estará gravada com as seguintes palavras: "o pior beijo do mundo". E Matt então fará um discurso sobre como ele me namorou apenas porque estava desesperado, mas não me entreguei, então, fui uma perda de tempo porque Cherrie Milliken sempre gostou dele e ela se entregou totalmente. Todo mundo sabe disso.

Ah, meu Deus. O Toph pensa que beijo mal?

Só aconteceu uma vez. Minha última noite no cinema também foi a última antes que eu viesse para França. Foi lento e nós tínhamos ficado sozinhos no *lobby* durante a noite toda. Talvez porque era meu último turno, talvez porque eu senti que aquela era a última chance... qualquer que fosse a razão, estávamos despreocupados. Fomos corajosos. A paquera durou a noite toda e, na hora que nos disseram para ir para casa, não conseguíamos ir embora. Simplesmente ficamos... alongando a conversa.

E então, finalmente, ele disse que sentiria a minha falta.

E então, finalmente, me beijou sob o teto barulhento.

E então, fui embora.

— Anna? Você está bem? — alguém me pergunta.

Não chore, não chore, não chore.

— Hum. Onde fica o banheiro? — O banheiro é minha desculpa favorita para qualquer situação. Ninguém pergunta mais nada uma vez que você o menciona.

— Os banheiros estão no fim do corredor. — St. Clair parece preocupado, mas não se atreve a perguntar coisa alguma. Ele provavelmente tem medo de que eu vá falar sobre absorventes ou mencionar a temível palavra com "m".

Passo o resto do almoço em um banco. Sinto tanta falta de casa e isso dói fisicamente. Meu coração bate acelerado, meu estômago está nauseado e é tudo tão injusto. Nunca pedi para ser mandada para cá. Tinha os meus próprios amigos, as minhas próprias piadas particulares e os meus próprios beijos roubados. Queria que meus pais tivessem me dado alguma escolha: "Você gostaria de passar o seu último ano em Atlanta ou em Paris?"

Quem sabe? Talvez eu tivesse escolhido Paris.

O que os meus pais nunca levaram em consideração é que eu queria, ao menos, ter tido escolha.

Capítulo 5

Para: Anna Oliphant <bananaelephant@femmefilmfreak.net>
De: Bridgette Saunderwick <bridgesandwich@freebiemail.com>
Assunto: Não olhe agora, mas.

... a parte inferior direita da sua cama está desarrumada. Ha! Fiz você olhar. Agora para de suavizar rugas invisíveis. Sério. Como está Le Academe du Fraunch? Alguns pretendentes que eu deva saber? Falando sobre isso, adivinha quem está na minha sala de cálculo?? Drew! Tingiu o cabelo de preto e colocou um *piercing* nos lábios. E tem um bumbum e tanto (presta atenção, preguiçosa). Sentei-me com os mesmos no almoço, mas não foi a mesma coisa sem você. Sem mencionar que a louca da Cherrie apareceu. Ficava mexendo no cabelo e juro que te ouvia murmurando aquele comercial da TRESemmé. Arranco os meus olhos com o boneco do Darth Maul do Sean se ela se sentar conosco todos os dias. A propósito, sua mãe me contratou para olhar o seu irmão depois da aula, então é melhor eu ir. Não quero que ele morra na minha mão.

Você é muito má. Vem para casa.
Bridge

P.S.: Amanhã eles anunciarão os líderes das seções na banda. Me deseje sorte. Se eles derem o meu lugar para o Kevin Quiggley, vou arrancar os olhos DELE com o Darth Maul.

Callipygian. Ter o bumbum em forma. Essa é boa, Bridge.

Minha melhor amiga é uma fanática por palavras. Uma das suas mais estimadas posses é o *OED* que ela comprou por praticamente nada em uma garagem há dois anos. O *Oxford English Dictionary* é um compêndio de 20 volumes que não só fornece as definições das palavras mas também a etimologia. Bridge está sempre lançando uma palavra nova nas nossas conversas porque adora ver as pessoas se contorcendo e bufando. Aprendi muito tempo atrás a não fingir saber sobre o que ela está falando. Ela me chamava atenção o tempo todo.

Então, Bridge coleciona palavras e, aparentemente, a minha vida.

Eu não acredito que minha mãe a contratou para cuidar do Sean. Sei que ela é a melhor escolha, uma vez que sempre ficamos com ele juntas, mas, ainda assim, é estranho que ela esteja lá sem mim. E é estranho que esteja conversando com a minha mãe enquanto estou presa aqui do outro lado do mundo. A próxima coisa que ela vai me dizer é que arrumou um emprego no cinema.

Falando nisso, Toph não me manda *e-mail* há dois dias. Não é que eu espere que ele me escreva todos os dias ou toda semana, mas... havia algo inegável entre nós. Quero dizer, nós nos beijamos. Isso — o que quer que seja — acabará agora que estou aqui?

O nome verdadeiro dele é Christopher, mas ele odeia ser chamado de Chris, então as pessoas o chamam de Toph mesmo. Ele tem olhos extremamente verdes e costeletas muito legais. Somos canhotos, adoramos o mesmo queijo nacho do *snack bar* e ambos odiamos Cuba Gooding Jr. Fiquei interessada em Toph desde o meu primeiro dia no emprego, quando prendeu a cabeça embaixo da máquina de refrigerante e bebeu direto da torneira, só para me fazer rir. Ele ficou com a boca toda suja pelo resto do turno.

Nem todas as pessoas podem mostrar um dente sujo. Mas, acredite em mim, o Toph pode.

Atualizo a minha caixa de entrada — só por precaução —, mas nada novo aparece. Estou na frente do computador há várias horas, esperando a Bridge sair da aula. Fico feliz que ela tenha escrito para mim. Por alguma razão, queria que ela fosse a primeira a me escrever. Talvez porque quisesse que ela pensasse que estava tão feliz e ocupada que não tive tempo para conversar. Quando, na verdade, estou sozinha e triste.

E com fome. Meu frigobar está vazio.

Jantei na cantina, mas evitei a fila principal de novo, me enchendo com mais pão, o que só segura a fome por certo tempo. Talvez St. Clair possa pedir café da manhã para mim de novo amanhã cedo. Ou Meredith, aposto que ela faria isso.

Respondo à Bridge, contando sobre os meus novos "amigos", a cantina louca que tem comida como a de restaurante e o panteão gigante rua abaixo. Além de falar de mim mesma, descrevo St. Clair e menciono como durante a aula de física ele se debruçou sobre a Meredith para pegar emprestada uma caneta minha, exatamente quando o *professeur* Wakefield estava definindo os parceiros de laboratório. Então, o professor pensou que ele estava sentado perto de mim, e agora St. Clair é meu parceiro de laboratório durante o ano todo.

Foi a melhor coisa que aconteceu o dia todo.

Também comento com a Bridge sobre a misteriosa aula de Vida, *La Vie*, porque ela e eu passamos o verão todo especulando sobre isso. (Eu: "Aposto que discutiremos sobre o big-bang e o significado da Vida". Bridge: "Cara, eles provavelmente vão te ensinar técnicas de respiração e como converter alimento em energia".) Tudo o que fizemos hoje foi nos sentar em silêncio e fazer a nossa lição. Que pena.

Passei um período lendo o primeiro romance escolhido para a aula de inglês. E, uau, se eu ainda não tivesse percebido que estava na França, teria percebido agora. Isso porque *Like water for chocolate* tem muito sexo. Muito sexo. O desejo de uma mulher literalmente põe um prédio em chamas, e então um soldado joga seu corpo nu em um cavalo e eles fazem sexo enquanto galopam para outro lugar. Jamais teria lido esse romance no Cinturão Bíblico. O mais sensual a que chegamos foi em *A Letra Escarlate*.

Tenho de contar à Bridge sobre esse livro.

É quase meia-noite quando eu termino o *e-mail*, mas o corredor ainda está barulhento. Os juniores e os seniores têm bastante liberdade porque, supostamente, somos maduros o suficiente para lidar com isso. Eu sou, mas tenho sérias dúvidas a respeito dos meus colegas de sala. O garoto do outro lado do corredor já tem uma pilha de garrafas de cerveja montada na sua porta porque, em Paris, você pode beber cerveja e vinho com 16 anos de idade. Você tem de ter 18 para beber destilados.

Não que eu não tenha visto nenhum destilado por aqui.

Imagino se minha mãe tinha alguma ideia de que seria legal eu ficar bêbada quando ela concordou com isso. Ela pareceu bem surpresa quando eles mencionaram isso no Seminário de Habilidades para a Vida, e ouvi um sermão sobre responsabilidade naquela noite no jantar. Mas não planejo ficar bêbada. Sempre achei que cerveja cheira a urina.

Há alguns estudantes que trabalham meio período na entrada, mas somente um mora no Résidence Director. Seu nome é Nate, e seu apartamento fica no primeiro andar. Ele faz graduação em alguma escola por aqui. SOAP deve pagar muito para ele morar aqui conosco.

Nate tem uns 20 anos, é baixo, pálido e tem a cabeça raspada. Soa estranho, mas ele é, na verdade, atraente. Tem a fala mansa e parece ser um bom ouvinte, mas o seu tom exala responsabilidade e atitude do tipo não-se-meta-comigo. Meus pais o adoraram. Ele também tem uma tigela de camisinhas perto de sua porta.

Imagino se meus pais viram isso.

Os calouros e os alunos do segundo ano estão em outro dormitório. Eles têm de dividir quartos, os seus andares são separados por sexo e eles são severamente supervisionados. Eles também têm toque de recolher. Nós não. Só temos de assinar um livro sempre que entramos ou saímos à noite; com isso, o Nate sabe que estamos vivos. *Yeah*. Tenho certeza de que ninguém nunca tira vantagem dessa alta segurança.

Arrasto-me pelo corredor para ir ao banheiro. Pego um lugar na fila — tem uma fila, mesmo à meia-noite — atrás da Amanda, a garota que atacou St. Clair no café da manhã. Ela olha maliciosamente o meu jeans desbotado e a minha camiseta da Orange Crush.

Eu não sabia que ela morava no meu andar. Ótimo.

Não nos falamos. Percorro o papel floral da parede com os dedos. Résidence Lambert é uma peculiar mistura de refinamento parisiense e praticidade adolescente. Luzes fixas de cristal dão ao corredor dos dormitórios um brilho dourado, mas as luzes fluorescentes zunem nos nossos quartos. Os andares são de carvalho polido, mas cobertos de tapetes de caráter industrial. Flores frescas e lamparinas Tiffany embelezam a sala de espera; no entanto, as cadeiras são ninhos de amor de ratos e as mesas estão gravadas com iniciais e xingamentos.

— Então você é a nova Brandon — Amanda diz.

— Como é?

— Brandon. Número 25. Ele foi expulso da escola no ano passado, uma vez que os professores encontraram cocaína na sua mochila. — Ela me olha novamente e franze a testa. — De qualquer forma, de onde você é? — Mas eu sei o que ela está de fato perguntando. Ela quer saber por que eles aceitaram alguém como eu para tomar o lugar de Brandon.

— Atlanta.

— Ah — ela diz. Como se isso explicasse a minha total e extrema grosseria. Dane-se ela. É uma das maiores cidades na América.

— Então, você e St. Clair pareceram bem amigos no café da manhã...

— Humm. — Ela está se sentindo ameaçada por mim?

— Eu não me iludiria se fosse você — ela continua. — Você nem é bonita o suficiente para roubar a namorada dele. Eles estão juntos há uma eternidade.

Aquilo foi um elogio? Ou não? O fato de ela enfatizar o tempo todo está me dando nos nervos (meus nervos).

Amanda boceja falsamente como que enfadada. — Cabelo legal.

Eu o toco conscientemente. — Obrigada. Minha amiga o descoloriu. — Bridge fez esta mecha no meu cabelo a semana passada. Normalmente, mantenho a mecha atrás da orelha, mas esta noite fiz um rabo de cavalo.

— Você gosta dessa mecha? — ela pergunta. Linguagem universal de biscate para: "Eu acho que está horrível".

Retiro a minha mão. — Sim, foi por isso que a fiz.

— Sabe, eu não a teria feito dessa forma. Você parece um gambá.

— Pelo menos, ela não fede como um. — Rashimi aparece atrás de mim. Ela estava visitando Meredith; ouvi suas vozes abafadas pela minha parede. — Perfume adorável, Amanda. Usa um pouco mais da próxima vez. Não sei se conseguem sentir o seu cheiro em Londres.

— Bonitos óculos — Amanda rosna.

— Essa é boa — Rashimi age com indiferença, mas observo que ela os ajusta mesmo assim. Suas unhas são de um azul metálico, a mesma cor da armação. Vira-se para mim. — Moro dois andares acima, quarto seis-zero-um, se você precisar de qualquer coisa. Te vejo no café da manhã.

Então ela não me detesta! Ou talvez odeie mais a Amanda. De qualquer forma, estou grata e digo até logo enquanto se afasta. Ela acena e se dirige às escadarias enquanto Nate desce. Ele se aproxima de nós de modo calmo, amigável.

— Indo para a cama em breve, senhoritas?

Amanda sorri adoravelmente. — Claro.

— Ótimo. Teve um primeiro dia legal, Anna?

É tão peculiar como todos aqui já sabem meu nome. — Sim, obrigada Nate.

Ele concorda como se eu tivesse dito algo que vale a pena pensar; então, se despede e se dirige aos garotos do outro lado do corredor.

— Odeio quando ele faz isso — diz Amanda.

— Faz o quê?

— Fica nos checando. Que imbecil! — A porta do banheiro se abre e uma menina pequena de cabelos ruivos desvia de Amanda, que fica parada como se fosse a rainha do pedaço. A menina deve ser novata. Não a reconheço do círculo de carteiras na aula de inglês do último ano. — Deus, você caiu aí? — Amanda pergunta. A pele clara da garota fica rosa de vergonha.

— Ela só estava usando o banheiro — eu digo.

Amanda saltita pelo piso, seus chinelos roxos felpudos batendo contra os calcanhares. Ela empurra a porta.

— Eu pareço preocupada, "garota gambá"?

Capítulo 6

Uma semana na escola e estou afundada em Educação Internacional da Imaginação.

O currículo da *professeur* Cole está livre do tradicional Shakespeare e Steinbeck, pelo contrário, estamos focando em trabalhos de tradução. Toda manhã ela comanda a discussão de *Like water for chocolate* como se nós fôssemos um clube do livro e não uma aula chata e necessária.

Então, inglês está excelente.

Por outro lado, minha professora de francês é claramente iletrada. De que outra forma explicar o fato de que, apesar do nome do nosso livro — *Level one french* —, *professeur* Gillet insiste em falar somente em francês? Ela também me chama uma dezena de vezes por dia. Nunca sei a resposta.

Dave a chama de Madame Guillotine. Isso é excelente.

Ele já fez essas aulas antes, o que ajuda bastante, mas, obviamente, nem tanto já que falhou na primeira vez. Dave tem o cabelo todo desgrenhado, lábios grossos e a peculiar combinação de pele bronzeada com sardas. Várias garotas o paqueram. Ele também está na minha aula de História. Estou com os mais novos porque os mais velhos tomam as rédeas, e já estudei isso. Então, sento-me entre o Dave e o Josh.

Josh é quieto e reservado em sala de aula; no entanto, fora dela, seu senso de humor é semelhante ao de St. Clair. É fácil entender por que são tão bons amigos.

Meredith diz que ambos se idolatram; Josh em razão do carisma nato de St. Clair, e este pelo fato de Josh ser um artista assombroso. Raramente vejo Josh sem o seu pincel chinês e seu caderno de esboços. Seu trabalho é incrível — traços grossos e minúsculos detalhes requintados — e seus dedos estão sempre manchados de tinta.

Mas o aspecto mais notável da minha educação é o que acontece fora da sala de aula. Aquele nunca mencionado nos livretos lustrosos. E é este: ir a um internato é como morar dentro de uma escola secundária. Não consigo fugir dela. Mesmo quando estou no meu quarto, meus ouvidos são destruídos por música *pop*, pugilismo nas máquinas de lavar e dança de bêbados no *hall* das escadas. Meredith me disse que isso se acalma assim que a novidade passar para os novatos, mas ainda estou prendendo a minha respiração.

Entretanto...

É noite de sexta-feira, e o Résidence Lambert está vazio. Meus colegas de sala estão nos bares e eu tenho paz pela primeira vez. Se fechar os olhos, quase consigo acreditar que estou novamente em casa. Exceto pela ópera. A Diva da Ópera canta na maioria das noites no restaurante, do outro lado da rua. Para alguém com uma voz tão grave, ela é surpreendentemente pequena. Também é uma daquelas pessoas que raspam as sobrancelhas e depois as desenham com lápis. Parece uma figurante do *The rocky horror picture show.*

Bridge liga enquanto estou assistindo ao *Rushmore* no conforto da minha minicama. É o filme que lançou Wes Anderson. Wes é incrível, um verdadeiro escritor envolvido em todos os aspectos da produção, com uma marca reconhecida em qualquer quadro — melancólico e peculiar, indiferente e obscuro. *Rushmore* é um dos meus favoritos. É sobre um cara chamado Max Fischer, que é obcecado, entre outras coisas, pela escola da qual foi expulso. Como seria a minha vida se eu fosse tão apaixonada pela EAP como Max é pela Rushmore Academy. Como uma novata, eu provavelmente não estaria sozinha no meu quarto coberta de creme para acne.

— Annnnn-uhhhhhh — Bridge diz. — Eu odeiooo eleeessss.

Ela não conseguiu ser líder de uma seção da banda. O que é a maior furada porque todo mundo sabe que ela é a melhor baterista na escola. O instrutor de percussão a deu a Kevin Quiggley, porque ele acredita que os garotos na linha de bateria não iriam respeitar Bridge como líder — porque é uma garota.

Yeah, bem, agora eles não vão mesmo. Idiota!

Então a Bridge odeia a banda, o instrutor e Kevin, que é um imbecil com um ego desproporcionalmente grande.

— Espere — eu digo. — Em breve você será a próxima Meg White ou Sheila E., e Kevin Quiggley vai se gabar sobre como ele a conheceu naquela época. E, então, quando ele se aproximar de você após um grande show, esperando um tratamento especial e um passe livre para os bastidores? Você pode saltitar na frente dele sem dar muita bola, somente uma olhada de relance.

Posso ouvir o sorriso aborrecido em sua voz. — Por que você se mudou mesmo, Banana?

— Porque meu pai é feito de maldade.

— Do mais puro estilo, cara.

Conversamos até as 3 horas da manhã, por isso durmo até o início da tarde. Apresso-me para chegar à cantina antes que feche. Fica aberta somente para um *brunch* aos sábados e domingos. A cantina está quieta na hora em que chego, mas Rashimi, Josh e St. Clair estão sentados na mesa de sempre.

A pressão aumenta. Atormentaram-me a semana toda porque tenho evitado qualquer coisa que requeira ser pedida. Inventei desculpas ("Sou alérgica a carne de vaca", "Nada tem gosto melhor do que pão", "Ravioli é superestimado"), mas eu não posso evitar para sempre. *Monsieur* Boutin está trabalhando no balcão de novo. Eu agarro uma bandeja e prendo a respiração.

— *Bonjour,* uh... sopa? *Sopa? S'il vous plâit?*

"Olá" e "por favor". Aprendi palavras polidas primeiro, na esperança de que o francês me perdoará por trucidar o restante da bela língua deles. Aponto para a tina de sopa laranja-avermelhada. Abóbora, eu acho. O cheiro é extraordinário, como sálvia e outono. É início de setembro e o clima ainda está quente. Quando chega o outono em Paris?

— Ah! *Soupe* — ele gentilmente me corrige.

— Sim, *soupe*. Quer dizer, *oui. Oui!* — Minhas bochechas enrubescem. — E, hum..., o hum..., salada-de-frango-de-grão-verde?

Monsieur Boutin ri. É um riso contente, tipo tigela-cheia-de-geleia, tipo Papai Noel.

— Frango e *haricots verts, oui*. Sabe, você pode falar "inglêees" comigo. Entendo muito bem.

Minha vermelhidão diminui. É claro que fala inglês em uma escola americana. E eu vivendo de estúpidas peras e baguetes por cinco dias. Ele me dá uma tigela de sopa e um pequeno prato de salada, e meu estômago ronca com a visão de comida quente.

— *Merci* — eu digo.

— *De rien.* De nada. E espero que você não pule mais as refeições para me evitar! — Ele coloca a mão sobre o peito, como se estivesse com o coração partido. Sorrio e balanço a cabeça em negativa. Eu posso fazer isso. Eu posso...

— Então não foi tão ruim, foi, Anna? — St. Clair se contorce do outro lado da cantina.

Eu me viro e mostro o dedo para ele, esperando que *monsieur* Boutin não veja. St. Clair responde sorrindo de orelha a orelha e me dando a versão inglesa, o sinal em V com seus dois primeiros dedos. *Monsieur* Boutin discorda atrás de mim de modo amável. Pago a minha refeição e me sento ao lado de St. Clair.

— Obrigada. Esqueci de trocar pelo inglês. Usarei o gesto correto da próxima vez.

— O prazer é meu. Sempre feliz em educar. — Ele está usando as mesmas roupas de ontem, *jeans* e uma camiseta surrada com a silhueta de Napoleão. Quando perguntei sobre ela, ele me disse que Napoleão era seu herói. — Não porque era um cara decente. Ele era um pé no saco. Mas era pouco pé no saco, como eu.

Imagino se ele passou a noite no quarto de Ellie. Talvez seja por isso que não trocou de roupa. Ele vai de metrô para a universidade dela toda noite, eles saem lá. Rashimi e Mer estão chateadas, como se Ellie pensasse que agora é boa demais para elas.

— Sabe Anna — Rashimi diz —, a maioria dos parisienses entende inglês. Você não tem de ser tão tímida.

Yeah. Obrigada por dizer isso agora.

Josh coloca suas mãos atrás da cabeça e inclina a cadeira para trás. Sua camiseta sem mangas sobe e revela a tatuagem de um crânio e ossos cruzados na parte superior do braço direito. Posso dizer pelos traços grossos que é uma de suas próprias criações. A tinta preta é escura comparada a sua pele clara. É uma tatuagem incrível, embora meio cômica no seu braço magro e longo.

— É verdade — ele diz. — Mal falo uma palavra e consigo me virar.

— Isso não é algo de que me gabaria. — Rashimi franze o nariz, e Josh volta rapidamente para sua cadeira para beijá-la.

— Cristo, lá vão eles de novo. — St. Clair coça a cabeça e olha em outra direção.

— Eles sempre foram assim? — pergunto, baixando a voz.

— Não. No ano passado eram piores.

— Uau! Estão juntos há bastante tempo então?

— Hum, inverno passado?

— É bastante tempo.

Ele dá de ombros e eu paro, me questionando se quero saber a resposta para a minha próxima pergunta. Provavelmente não, mas pergunto da mesma forma. — Há quanto tempo você e Ellie namoram?

St. Clair pensa por um momento. — Quase um ano agora, acho. — Ele toma um gole de café. Todo mundo parece tomar isso por aqui. E então bate a xícara com tanta força que surpreende Rashimi e Josh. — Ah, desculpe — ele diz. — Isso os incomodou?

Vira-se para mim e arregala os olhos castanhos com raiva. Engoli minha respiração. Mesmo quando está chateado, é bonito. Compará-lo ao Toph é impossível. St. Clair é um outro tipo de rapaz atraente, uma espécie completamente diferente.

— Mudando de assunto. — Ele aponta o dedo para mim. — Achava que as beldades do sul tinham sotaque sulista.

Movo a cabeça. — Só quando falo com minha mãe. Então sai, porque ela também tem sotaque. Muitas pessoas em Atlanta não têm. É bastante urbanizada. Muitas pessoas falam a linguagem dos gângsteres — acrescento em tom de brincadeira.

— Claro, mano — ele responde em seu polido sotaque inglês.

Esguicho a sopa laranja-avermelhada do outro lado da mesa. St. Clair dá uma risada tipo "a-há" e eu rio também, um riso do tipo que provoca câimbras abdominais. Ele me passa um guardanapo para eu enxugar o queixo.

— Claro. Mano — ele repete solenemente.

Tosse, tosse. — Por favor, nunca pare de repetir isso. É muito — eu arfo. — Muito.

— Você não deveria ter dito isso. Agora terei de guardá-la para ocasiões especiais.

— Meu aniversário é em fevereiro. — Tosse, engasgo, chiado. — Por favor, não esqueça.

— E o meu foi ontem — ele diz.

— Não, não foi.

— Sim, foi sim. — Ele limpa o resto do meu almoço cuspido da toalha. Tento pegar os guardanapos para eu mesma limpar, mas ele tira a minha mão.

— É verdade — Josh diz. — Eu esqueci, cara. Feliz aniversário atrasado!

— Não foi seu aniversário mesmo, foi? Você teria dito algo.

— É sério. Ontem foi meu aniversário de 18 anos. — Ele dá de ombros e arremessa os guardanapos na sua bandeja vazia. — Minha família não é daquelas de festas e chapéus.

— Mas você tem de ter um bolo de aniversário — digo. — São as regras. É a melhor parte. — Lembro-me do bolo *Star Wars* que minha mãe e eu fizemos para Sean no verão passado. Era de limão e tinha o formato da cabeça do Yoda. Bridge até trouxe algodão-doce.

— É por isso que eu nunca trago o assunto à tona, sabe.

— Mas você fez algo especial ontem à noite, certo? Quero dizer, Ellie o levou para sair?

Ele pega o café e o põe de volta na mesa sem bebê-lo. — Meu aniversário é só mais um dia. E estou bem assim. Não preciso de bolo, juro.

— OK, OK. Tudo bem. — Ergo minhas mãos me rendendo. — Eu não vou te desejar feliz aniversário, nem mesmo feliz sexta-feira atrasada.

— Oh, você pode me desejar feliz sexta-feira. — Ele sorri novamente. — Eu não tenho quaisquer objeções a sextas-feiras.

— Falando nisso — Rashimi diz para mim. — Por que você não saiu com a gente ontem à noite?

— Tinha planos. Com a minha amiga, Bridgette.

Todos os três ficam me olhando, esperando uma explicação.

— Planos pelo telefone.

— Mas você saiu esta semana? — St. Clair pergunta. — Você deixou o *campus* de verdade?

— Claro. — Porque eu tive de deixar. Para chegar a outras partes do *campus*.

St. Clair levanta sua sobrancelha. — Você é tão mentirosa.

— Deixe ver se entendi. — Josh junta as mãos como se fosse rezar. Seus dedos são finos e delicados, como o resto do corpo, e tem uma mancha de tinta no dedo indicador. — Você está em Paris há uma semana e ainda não conheceu a cidade? Nenhuma parte dela?

— Saí com meus pais no fim de semana passado. Vi a Torre Eiffel. De longe.

— Com seus pais, brilhante. E seus planos para hoje à noite? — St. Clair pergunta. — Lavar umas roupas, talvez? Limpar o banheiro?

— Ei. Limpar está fora de moda.

Rashimi franze as sobrancelhas. — O que você vai comer? A cantina estará fechada. — A preocupação dela é tocante, mas percebo que não está me convidando para me juntar a ela e ao Josh. Não que eu quisesse sair com eles. Quanto ao jantar, tinha planejado fazer um cruzeiro pelas máquinas de guloseimas e bebidas. Não são muito bem abastecidas, mas posso fazer dar certo.

— Foi o que pensei — St. Clair diz quando não respondo. Ele balança a cabeça. Seu cabelo negro desgrenhado tem alguns cachos hoje. É de tirar o fôlego, na verdade. Se existisse uma competição olímpica para cabelos, St. Clair venceria sem algum esforço. Nota dez. Medalha de ouro.

Dou de ombros. — Faz só uma semana. Não é grande coisa.

— Vamos repassar os fatos mais uma vez — Josh diz. — Esta é a sua primeira semana longe de casa?

— Sim.

— Sua primeira semana sem a supervisão de seus pais?

— Sim.

— Sua primeira semana sem a supervisão dos seus pais em Paris? E você quer passá-la no seu quarto? Sozinha? — Josh e Rashimi trocam olhares de pena. Olho para St. Clair buscando ajuda, mas o encontro olhando para mim, com a cabeça inclinada para o lado.

— O quê? — pergunto irritada. — Tem sopa no meu queixo? Ervilha nos meus dentes?

St. Clair sorri para si mesmo. — Eu gosto da sua mecha — diz finalmente. Ele estica a mão e a toca levemente. — Você tem um cabelo perfeito.

Capítulo 7

O pessoal que curte festa já tinha deixado o dormitório. Mastigo salgadinhos das máquinas e atualizo minha página na internet. Até agora já experimentei: uma barra de Bounty, que acabou provando ser a mesma coisa que Mounds, e um pacote de madeleines, bolinhos em formato de concha que estavam velhos e me deram sede. Juntos, eles aumentaram a quantidade de açúcar no meu sangue, o que me deixou com bastante disposição.

Já que eu não tenho nenhum novo filme para criticar para a Femme Film Freak (uma vez que fui cortada de tudo de bom, puro e maravilhoso sobre a América — o cinema), mexo no *layout*. Crio uma nova faixa. Edito uma crítica antiga. À noite, Bridge me manda um *e-mail*:

> Fui com Matt e Cherrie M (de meretriz) ao cinema ontem à noite. E adivinha? Toph perguntou de você!! Eu disse que você está bem, mas ansiosa pela sua visita em dezembro. Acho que ele entendeu a dica. Falamos sobre a banda dele por um minuto (nada de shows ainda, claro), mas Matt ficava fazendo caras e bocas o tempo todo, então tivemos de ir. Você sabe como ele se sente com relação ao Toph. Oh! E a Cherrie tentou nos convencer a ver o último melodrama do pai dela. Eu sei.
> Você é muito má. Venha para casa.
> Bridge

Meretriz. Notoriamente atraente, mas sem valor ou desonesta. Sim! Isso é a cara da Cherrie. Só espero que a forma como Bridge falou não tenha me colocado em posição de desespero, apesar da minha ânsia por um *e-mail* dele. E não posso acreditar que o Matt ainda está estranho com ele, ainda mais agora que não estamos mais namorando. Todos gostam do Toph. Bem, às vezes ele enche o saco do gerente, mas isso é porque ele tende a esquecer os horários de trabalho. E a dizer que está doente.

Leio o *e-mail* novamente, esperando aparecerem as palavras: "Toph diz que está perdidamente apaixonado por você e que a esperará eternamente". Sem sorte. Então dou uma olhada na minha página de recados para ver o que estão dizendo do novo filme do meu pai. As críticas para *The decision* não são boas, apesar do que as bilheterias dizem. Alguém do clockworkorange88 disse isto: "Um puxa-saco. Puxa-saco sujo. Tipo eu corri uma milha em julho usando calça de couro".

Parece uma boa.

Depois de algum tempo eu me canso e faço uma pesquisa sobre *Like water for chocolate*. Quero me certificar de que não perdi nenhum tópico antes de escrever o meu ensaio. Não ficará pronto em duas semanas, mas tenho bastante tempo. Tipo, a noite toda.

Blah, blah, blah. Nada de interessante. Estou quase verificando novamente meu *e-mail* quando esta página surge na tela. "Ao longo do romance, o calor é um símbolo para o desejo sexual. Tita pode controlar o calor dentro de sua cozinha, mas o fogo dentro de seu corpo é uma força de poder e destruição".

— Anna? — Alguém bate à minha porta e pulo na cadeira.

Não. Não é *alguém*. É St. Clair.

Estou vestindo uma camiseta velha da Mayfield Dairy, com o logo marrom e amarelo da vaca, e calça de pijama de flanela rosa coberta de morangos gigantes. Nem estou de sutiã.

— Anna, sei que você está aí. Consigo ver a luz acesa.

— Espera um pouco! — digo sem pensar. — Já vou. — Pego meu moletom preto e fecho cobrindo a cara da vaca antes de abrir a porta com um solavanco.

— Olá, me desculpe pela demora. Entre!

Escancaro a porta, mas ele fica lá por algum tempo me olhando. Não consigo decifrar a expressão em seu rosto. Então dá um sorriso brincalhão e passa por mim.

— Morangos legais.

— Cala a boca.

— Não, é verdade. Uma graça.

E, mesmo que ele não queira dizer "eu quero largar a minha namorada e começar a namorar você, gracinha", algo vibra dentro de mim. A "força do poder e da destruição", que Tita de la Garza conhecia tão bem. St. Clair fica parado no meio do meu quarto. Coça a cabeça e sua camiseta levanta de um lado, mostrando parte da sua barriga nua.

Foomp! Meu fogo interno se acende.

— É muito... hum... limpo — ele diz.

Fizz. Chamas se extinguem.

— É mesmo? — Sei que meu quarto é organizado, mas ainda não comprei um limpador de janela apropriado. Quem quer que tenha limpado por último a minha janela não tem a menor ideia de como usar Windex. O segredo é espirrar um pouco de cada vez. Muitas pessoas espirram muito e escorre para os cantos, que são difíceis de limpar sem deixar vestígios ou pedaços do pano...

— Sim. Assustadoramente limpo.

St. Clair move-se pelo quarto, pegando e examinando as coisas como fiz no quarto de Meredith. Inspeciona a coleção de bananas e elefantes alinhada na minha cômoda. Ergue um elefante de vidro e levanta as sobrancelhas negras como se questionando.

— É meu apelido.

— Elefante? — Ele balança a cabeça. — Desculpe, mas eu não acho que combina com você.

— Anna Oliphant. Banana Elefante. Minha amiga coleciona os meus e eu coleciono pontes de brinquedo e sanduíches para ela. O nome dela é Bridgette Saunderwick — acrescento.

St. Clair coloca o elefante no lugar e vai até a escrivaninha. — Então, qualquer pessoa pode chamá-la de Elefante?

— Banana Elefante. E não. Nem todo mundo.

— Desculpe — ele diz. — Não era minha intenção.

— O quê? Por quê?

— Você está recolocando todas as coisas que eu coloco no lugar. — Ele aponta para minhas mãos, que estão arrumando o elefante. — Não foi educado de minha parte entrar e começar a tocar as suas coisas.

— Ah, tudo bem — digo rapidamente, deixando de lado o personagem. — Você pode tocar em qualquer coisa minha que quiser.

Ele congela. Um olhar malicioso passa pelo seu rosto antes que eu perceba o que acabei de dizer. Não quis dizer isso daquela maneira.

Não que aquilo seria muito ruim.

Mas eu gosto do Toph, e St. Clair tem uma namorada. E, mesmo que a situação fosse diferente, Mer ainda tem direito. Nunca faria isso com ela depois da forma como foi legal comigo no meu primeiro dia. E no segundo. E em todos os outros dias desta semana.

Além do mais, ele é só mais um garoto atraente. Nada demais. Quero dizer, as ruas da Europa estão repletas de garotos bonitos, certo? Garotos com aparência legal, cortes de cabelo adequados e casacos elegantes. Não que eu tenha visto alguém tão remotamente atraente como monsieur Étienne St. Clair. Mas mesmo assim.

— Este é seu namorado? — Ele aponta para o meu descanso de tela, uma foto dos meus colegas de trabalho e eu parecendo boba. Ela foi tirada antes da estreia da última adaptação para filme de romance fantasioso. A maioria de nós estava vestida como elfos ou magos. — Aquele com os olhos fechados?

— *O* quê? — Ele acha que eu namoraria um cara como o Hercules? Hercules é gerente assistente. É dez anos mais velho que eu e, sim, este é o nome real dele. E, mesmo que seja doce e saiba mais sobre filmes de terror japoneses do que qualquer pessoa, ele usa rabo de cavalo.

Rabo de cavalo.

— Anna, eu estou brincando. Este aqui. Costeletas. — E aponta para o Toph, a razão pela qual gosto tanto da foto. Nossas cabeças estão voltadas uma para outra e nós sorrimos secretamente, como se estivéssemos compartilhando uma piada particular.

— Ah. Uh... não! Não mesmo. Quer dizer, Toph era quase meu namorado. Eu fui embora antes... — disfarço, desconfortável. — Antes que muita coisa acontecesse.

St. Clair não diz nada. Após um silêncio constrangedor, coloca a mão nos bolsos e balança a cadeira apoiando os calcanhares no chão. — Fornecemos tudo.

— O quê? — Estou surpresa.

— *Tout pourvoir*. — Ele aponta para um travesseiro na minha cama. As palavras estão bordadas em cima da figura de um unicórnio. Foi um presente dos meus avós e o lema é para o clã Oliphant. Há muito tempo, meu avô se mudou para a América para se casar com a minha avó, mas ele ainda é devotado a todas as coisas irlandesas. Ele está sempre comprando coisas para mim e para o Sean decoradas com o xadrez do clã (xadrez azul e verde com linhas pretas e brancas). Por exemplo, a colcha da minha cama.

— Sim, eu sei o que é que significa. Mas como você sabia?

— *Tout pourvoir.* É francês.

Excelente. O lema do clã Oliphant, colocado na minha cabeça desde a infância, é francês e eu nem sabia disso. Como se eu já não parecesse imbecil. Mas como poderia supor que um lema irlandês seria francês? Pensei que eles odiassem a França. Ou são só os ingleses que odeiam?

Argh, eu não sei! Sempre achei que era latim ou qualquer outra língua morta.

— Seu irmão? — St. Clair aponta para a parte de cima da minha cama, onde pendurei uma única foto. Sean está sorrindo de orelha a orelha e apontando para uma das tartarugas de pesquisa da minha mãe, que está erguendo a cabeça e ameaçando arrancar o dedo dele. Minha mãe está fazendo uma pesquisa sobre os hábitos do período reprodutivo de tartarugas mordedoras e visita a ninhada no Chattahoochee River várias vezes por mês. Meu irmão adora ir com ela, enquanto prefiro ficar na segurança do nosso lar. Tartarugas mordedoras são más.

— Sim. Aquele é o Sean.

— É um nome pouco irlandês para uma família com colchas xadrez.

Sorrio. — É um ponto fraco. Minha mãe adorava o nome, mas meu avô, o pai do meu pai, praticamente morreu quando ficou sabendo. Ele estava esperando por Malcolm, Ewan ou Dougal.

St. Clair ri. — Quantos anos ele tem?

— Sete. Está no ensino fundamental.

— É uma grande diferença de idade.

— Bem, pode ter sido um acidente ou a última tentativa para salvar um casamento falido. Nunca tive coragem de perguntar qual das duas opções.

Uau! Eu não consigo acreditar como simplesmente disse tudo aquilo.

Ele se senta na ponta da minha cama. — Seus pais são divorciados?

Sento-me na cadeira da escrivaninha porque não posso me sentar perto dele na cama. Talvez, quando estiver mais acostumada com a presença dele, seja capaz de dar esse passo. Mas ainda não. — Sim, meu pai foi embora seis meses depois que o Sean nasceu.

— Desculpe. — St. Clair disse, e posso dizer que ele realmente foi sincero. — Os meus são separados também.

Arrepio-me e coloco as mãos embaixo dos braços. — Então, sinto muito também. Isso é muito ruim.

— Tudo bem. Meu pai é um idiota.

— O meu também. Quer dizer, obviamente ele é, uma vez que nos deixou quando Sean era um bebê. Mas também é culpa dele eu estar presa aqui. Em Paris.

— Eu sei.

Ele sabe?

— Mer me disse. Mas eu garanto que meu pai é pior. Infelizmente, é ele quem está aqui em Paris, enquanto minha mãe está sozinha a milhares de quilômetros de distância.

— Seu pai mora aqui? — Estou surpresa. Sei que o pai dele é francês, mas não consigo imaginar alguém mandando o filho para um internato quando mora na mesma cidade. Isso não faz sentido.

— Ele é dono de uma galeria de arte aqui e outra em Londres. Divide o tempo entre as duas.

— Com que frequência você o vê?

— Nunca, se eu puder. — St. Clair se zanga, e percebo que não tenho nem ideia do porquê de ele estar aqui. Já falei demais.

— Eu não disse? — ele se levanta. — Ah. Bem. Eu sabia que, se alguém não viesse e a arrastasse para fora deste quarto, você nunca sairia. Então, nós vamos sair.

Uma estranha agitação acontece no meu estômago.

— Hoje à noite?

— Hoje à noite.

— Certo — eu paro. — E Ellie?

Ele cai de costas e agora está deitado na minha cama. — Nossos planos não deram certo. — Ele diz isso com um vago aceno de mão, de modo a evitar que eu pergunte qualquer outra coisa.

Mostro a minha calça de pijama. — Não estou vestida adequadamente.

— Vamos lá, Anna, temos de repassar tudo de novo?

Lanço um olhar duvidoso para ele, e o travesseiro de unicórnio voa em direção à minha cabeça. Jogo de volta e ele ri, escorrega da cama e me joga com toda a força. Eu tento agarrá-lo, mas não consigo, e ele me bate com o travesseiro mais duas vezes antes que eu consiga pegá-lo. St. Clair ri mais ainda e eu o acerto nas costas. Ele tenta reaver o travesseiro, mas eu o seguro e nós ficamos puxando até que desiste. À força me lanço na cama, tonta e suando.

St. Clair deita-se ao meu lado, respirando pesadamente. Está deitado tão perto que o seu cabelo toca o lado do meu rosto. Nossos braços quase se tocam. Quase. Tento respirar, mas parece que não sei mais como fazê-lo. E então me lembro que não estou usando sutiã.

E agora estou paranoica.

—OK. — Ele está ofegante. — Este é o plano.

Não quero me sentir assim perto dele. Quero que as coisas sejam normais. Quero ser sua amiga, não outra garota estúpida agarrando-se a algo que nunca acontecerá. Obrigo-me a levantar. Meu cabelo está todo bagunçado e eletrificado por causa da guerra de travesseiro, então pego um elástico da cômoda e o prendo.

— Coloca uma calça — ele diz. — E eu vou te mostrar Paris.

— É isso então? É este o plano?

— A coisa toda.

— Uau. "A coisa toda". Sofisticado!

St. Clair grunhe e joga o travesseiro em mim. Meu telefone toca. Provavelmente é minha mãe; ela me ligou todos os dias esta semana. Pego o meu celular de cima da escrivaninha e estou a ponto de colocar no silencioso quando um nome aparece. Meu coração para.

Toph.

Capítulo 8

— Eu espero que esteja usando uma boina. — É assim que Toph atende. Já estou rindo. Ele ligou! Toph ligou!

— Ainda não. — Ando pelo pequeno espaço no meu quarto. — Mas posso levar uma para você se quiser. Com o seu nome gravado. Pode usá-la em vez do crachá com seu nome.

— Eu arrasaria com uma boina. — Há um riso em sua voz.

— Ninguém arrasa com uma boina. Nem mesmo você.

St. Clair ainda está deitado em minha cama. Ele apoia a cabeça nas mãos para me observar. Eu sorrio e aponto para a foto no meu *laptop*. — Toph — murmuro.

St. Clair balança a cabeça.

Costeletas.

"Ah," ele murmura de volta.

— Então, sua irmã apareceu aqui ontem. — Toph sempre se refere a Bridge como minha irmã. Somos da mesma altura, com a mesma forma miúda, e nós duas temos cabelo comprido, longo e liso, embora o dela seja loiro e o meu castanho. E, como as pessoas que passam muito tempo juntas, até falamos do mesmo jeito, embora ela use palavras mais requintadas. E os braços dela são torneados por causa da bateria. Tenho um espaço entre os dentes, enquanto ela usa aparelho. Em outras palavras, ela é como eu, mas mais bonita, mais inteligente e mais talentosa.

— Eu não sabia que ela era baterista — ele diz. — Ela é boa?

— A melhor.

— Você está dizendo isso porque ela é sua amiga ou porque é boa de verdade?

— Ela é a melhor — repito. Pelo canto do olho observo St. Clair olhando o relógio na minha cômoda.

— Meu baterista abandonou o barco. Acha que ela se interessaria?

No verão passado, Toph formou uma banda *punk*, os Penny Dreadfuls. Muitas mudanças de membros e discussões sobre o conteúdo lírico surgiram, mas nenhum show de fato. O que é muito ruim. Aposto que o Toph fica uma graça atrás da guitarra.

— Na verdade, acho que ela se interessaria. O imbecil do instrutor de percussão dela acabou de perder a chance de tê-la como líder de seção e ela tem muita ira para botar para fora. — Eu passo o número dela para ele. Toph repete enquanto St. Clair bate no pulso apontando para um relógio imaginário. São só nove horas, por isso não estou muito certa do porquê de toda essa pressa. Até eu sei que ainda é cedo para os padrões parisienses. Ele pigarreia alto.

— Ah, desculpe. Eu preciso desligar.

— Tem alguém aí com você?

— Hum..., sim. Meu amigo. Ele vai me levar para sair hoje.

Um pulsar. — Ele?

— Ele é só um amigo. — Eu me viro para St. Clair. — Ele tem namorada. — Eu aperto os olhos. Devia ter dito isso?

— Então você não vai se esquecer da gente? Quero dizer... — Ele pausa. — Nós aqui em Atlanta? Trocar a gente por alguns franceses e nunca mais voltar?

Meu coração pulsa. — Claro que não. Eu volto no Natal.

— Bom. OK, Annabel Lee. De qualquer forma, eu tenho de voltar ao trabalho. Hercules deve estar furioso porque eu não estou cobrindo a entrada. *Ciao*.

— Na verdade — eu digo. — É *au revoir*.

— O que quer que seja. — Ele ri e nós desligamos.

St. Clair se levanta da cama. — Namorado ciumento?

— Eu te disse. Ele não é meu namorado.

— Mas você gosta dele.

Eu enrubesço. — Bem... sim.

A expressão de St. Clair é indecifrável. Talvez chateado. Ele acena em direção à porta. — Você ainda quer ir?

— O quê? — Estou confusa. — Sim, claro. Deixe eu me trocar primeiro. — Eu o deixo do lado de fora e, cinco minutos depois, estamos indo na direção norte. Coloquei minha camisa favorita, um achado gracioso do brechó que marca nos lugares certos, *jeans* e tênis preto de lona. Sei que tênis não são muito franceses — deveria estar usando botas pontudas ou saltos temerosos —, mas pelo menos eles não são brancos. É verdade o que eles dizem sobre tênis. Somente turistas americanos os calçam.

É uma noite bonita. As luzes de Paris são amarelas, verdes e laranja. O ar quente rodopia com as conversas das pessoas nas ruas e o tilintar das taças de vinho nos restaurantes. St. Clair voltou a agir como antes e está detalhando os aspectos mais horríveis da biografia de Rasputin que ele terminou esta tarde.

— Então os outros russos deram a ele uma dose de cianeto no jantar, letal o suficiente para matar cinco pessoas, certo? Mas não acontece coisa alguma, então, Plano B: eles atiram pelas costas com um revólver. O que ainda não o mata. De fato, Rasputin ainda tem energia suficiente para estrangular um deles, e atiram nele mais três vezes. E ele ainda fica lutando para se levantar! Então, eles o acertam com um taco, o enrolam em um lençol e o jogam em um rio congelado. Mas sente só...

Seus olhos cintilam. É o mesmo olhar de minha mãe quando está falando sobre tartarugas, ou de Bridge quando está falando sobre pratos.

— Durante a autópsia, eles descobriram que a verdadeira causa da morte foi hipotermia. Por causa do rio! Não foi o envenenamento, os tiros ou a pancada. Mãe Natureza. E não é só isso. Seus braços foram encontrados erguidos, congelados como se ele estivesse tentando cavar o caminho para fora do gelo.

— O quê? Não...

Alguns turistas alemães estão posicionados em frente à fachada de uma loja cujo nome está em letras douradas descascadas. Nós passamos por trás deles para não estragar a foto.

— Fica melhor — ele diz. — Quando cremaram seu corpo, ele se sentou. Sim, ele fez isso mesmo! Provavelmente porque o cara que preparou o corpo esqueceu de cortar os tendões, então eles encolheram quando foi cremado...

Aceno a cabeça mostrando apreço pelo que acabo de ouvir. — Que horror, mas legal. Continue.

— ... o que fez com que suas pernas e corpo dobrassem, mas ainda assim... — St. Clair sorri triunfante. — ... todos ficaram loucos quando viram.

— E quem disse que história é chato? — Sorrio de volta e tudo parece perfeito. Quase. Porque nesse momento passamos a entrada da SOAP e agora eu estou mais distante da escola do que nunca. Meu sorriso vacila conforme volto para o meu estado normal: nervosa e estranha.

— Sabe, obrigado. Os outros sempre me mandaram calar a boca muito antes — ele percebe a minha mudança de atitude e para. — Você está bem?

— Estou.

— Sim, e alguém já te disse que você é uma péssima mentirosa. Horrível. A pior.

— É que... — hesito, envergonhada.

— Siiimmm?

— Paris é tão... estrangeira. — Luto pela palavra adequada. — Intimidadora.

— Que nada — rapidamente me contradiz.

— É fácil para você dizer isso. — Nós passamos por um senhor distinto abaixando-se para recolher as fezes do seu cão, um *basset hound*. Meu avô me avisou que as calçadas da França eram sujas com minas de dejetos caninos, o que não é o caso até agora. — Você tem se familiarizado com Paris a sua vida toda — continuo. — Você fala francês fluentemente, você se veste como europeu...

— Como é que é?

— Você entendeu. Roupas legais, sapatos legais.

Ele ergue o pé direito, enfiado em algo gasto e desengonçado. — Você está falando disto?

— Bem, não. Mas você não usa tênis. Eu me destaco facilmente. E não falo francês e tenho medo do *métro* e provavelmente deveria estar usando salto, mas odeio salto...

— Fico feliz que você não esteja usando salto — St. Clair me interrompe. — Senão você ficaria mais alta do que eu.

— Sou mais alta do que você.

— Pouco.

— Por favor. Sou uns sete centímetros mais alta que você. E você está usando botas.

Ele me acotovela com os ombros e abro um sorriso. — Relaxa — ele diz. — Você está comigo. Sou praticamente francês.

— Você é inglês.

Ele sorri. — Sou americano.

— Um americano com sotaque inglês. Isso não é duas vezes pior para que os franceses o odeiem?

St. Clair revolve os olhos. — Você tem de parar de ouvir estereótipos e começar a formar suas próprias opiniões.

— Não estou estereotipando.

— Verdade? Por favor, então esclareça. — Ele aponta para os pés de uma garota andando a nossa frente. Ela está falando ao celular. — O que exatamente é aquilo?

— Tênis — sussurro.

— Interessante. E o senhor logo ali, do outro lado da rua. Você se importaria de explicar o que o da esquerda está vestindo? Aquelas bugigangas peculiares amarradas aos pés?

São tênis, claro.

— Mas, espere aí. Vê aquele cara do lado de lá? — Aponto em direção a um homem de *short jeans* e uma camiseta da Budweiser. — Sou tão previsível assim?

St. Clair foca no homem. — Previsível como? Calvo? Acima do peso? Sem sal nem açúcar?

Ele suspira melodramático. — Honestamente, Anna. Você tem de superar isso.

— Só não quero ofender ninguém. Ouvi dizer que eles se ofendem facilmente.

— Você não está ofendendo ninguém, exceto a mim neste momento.

— O que você me diz dela? — Eu aponto para uma mulher de shorts cáqui e blusa de crochê com estrelas e listras. Ela tem uma máquina amarrada à cinta e está discutindo com um homem com chapéu de pescador. O marido dela, eu acho.

— Extremamente ofensivo.

— Quero dizer, sou tão previsível como ela?

— Levando em consideração que ela está vestindo a bandeira americana, eu me arriscaria a dizer não para aquela lá. — Ele morde o dedão. — Ouça. Acho que tenho uma solução para o seu problema, mas você terá de esperar por isso. Só prometa que vai parar de me pedir para compará-la a mulheres cinquentonas, e tomo conta de tudo.

— Como? Com o quê? Um passaporte francês?

Ele bufa. — Eu não disse que a tornaria francesa. — Abro a boca para protestar, mas ele me corta. — Combinado?

— Combinado — digo desconfortável. Não ligo para surpresas. — Mas é melhor que seja bom.

— Ah, é bom. — E St. Clair parece tão convencido, que eu estou quase chamando sua atenção, quando percebo que não consigo mais ver a nossa escola. Não acredito nisso. Ele me distraiu completamente.

Leva alguns minutos para eu reconhecer os sintomas, mas meus calcanhares estão pulando e meu estômago, palpitando. Estou muito empolgada por ter saído.

— Então, aonde vamos? — Não posso evitar o entusiasmo em minha voz. — Para o Sena? Sei que é por aqui. Vamos nos sentar à beira do rio?

— Não vou dizer. Continue andando.

Eu deixo passar. O que há de errado comigo? É a segunda vez em um minuto que o deixo me manter em suspense. — Ah, você tem de ver isso primeiro. — Ele agarra meu braço e me puxa para o outro lado da rua.

— Espere, o que.. — E então eu fico sem ar.

Nós estamos parados em frente a uma catedral absolutamente monstruosa. Quatro grossas colunas erguem uma fachada gótica de estátuas imponentes, janelas em forma de rosáceas e gravuras intrigantes. Uma torre fina que abriga um sino se ergue pela escuridão do céu noturno.

— O que é isso? — sussurro. — É um lugar famoso? Eu deveria conhecer?

— É a minha igreja.

— Você vem aqui? — Estou surpresa. Ele não parece do tipo que vai à igreja.

— Não. — Ele aponta para um cartaz de pedra, indicando para que eu o leia.

— Saint-Étienne du Mont. Hey! Santa Étienne.

Ele sorri. — Sempre fui um pouco possessivo quanto a ela. Minha mãe costumava me trazer aqui quando eu era pequeno. Vínhamos com uma cesta de piquenique e comíamos aqui mesmo nas escadarias. Às vezes ela trazia seu livro de esboços e desenhava os pombos e os táxis.

— Sua mãe é artista?

— Pintora. Seus trabalhos estão em Nova York, no MoMA. — Ele parece orgulhoso, e eu me lembro de que Meredith me disse uma vez que St. Clair admirava Josh porque ele desenhava muito bem. E que o pai de St. Clair é dono de duas galerias de arte. E que St. Clair está fazendo aulas de arte em estúdio este semestre. Imagino em voz alta se ele também é um artista.

Ele dá de ombros. — Não mesmo. Eu queria ser. Minha mãe não me passou esse talento particular, somente a apreciação. Josh é muito melhor. Assim como Rashimi, nesse quesito.

— Você se dá bem com ela, não é? Sua mãe?

— Amo a minha mãe. — Ele diz isso sem demonstrar emoções, sem traço algum de vergonha adolescente.

Ficamos parados em frente à porta dupla da catedral e olhamos para o alto, para o alto e para o alto. Vejo a minha própria mãe, digitando dados sobre tartarugas no computador de casa, sua atividade noturna usual. Exceto pelo fato de não ser noite em Atlanta. Talvez ela esteja fazendo compras na mercearia. Caminhando no rio Chattahooche. Vendo *The empire strikes back* com Sean. Não tenho ideia do que está fazendo e isso me incomoda.

Pelo menos St. Clair quebra o silêncio. — Vamos lá então, há muita coisa para ver.

Quanto mais longe vamos, mais cheia fica Paris. Ele fala sobre sua mãe, como ela faz panquecas com lascas de chocolate para o jantar e macarrão de atum no forno. Como pintou todos os cômodos do seu apartamento com as diferentes cores do arco-íris. Como coleciona os erros de grafia do seu nome que vem na correspondência. Não fala nada sobre o pai dele.

Passamos por outra estrutura enorme, esta parecida com as ruínas de um castelo medieval.

— Deus, há história em todo lugar — digo. — O que é aquele lugar? Podemos entrar?

— É um museu. E podemos entrar. Mas não hoje à noite. Acho que está fechado — ele acrescenta.

— Ah, sim. Claro. — Tento não mostrar como fiquei desapontada.

St. Clair está distraído. — É só a primeira semana de aula. Temos todo o tempo do mundo para visitar o seu museu.

Nós. Por alguma razão meu interior se contorce. St. Clair e eu. Eu e St. Clair.

Não muito tempo depois, entramos em uma área muito mais turística do que a nossa própria vizinhança, lotada de restaurantes animados, lojas e hotéis. Vendedores de rua em todos os lugares gritam em inglês: — Cuscuz! Vocês gostam de cuscuz? — E as ruas são tão estreitas que os carros não conseguem passar. Descemos pelo meio da rua e através da multidão que se acotovela. Parece carnaval.

— Onde estamos? — Queria não ter de fazer tantas perguntas.

— Entre a *Rue* St. Michel e a *Rue* St. Jacques.

Lanço um olhar.

— *Rue* significa rua. E ainda estamos no Latin Quartier?

— Ainda? Mas a gente está andando há...

— Dez? Quinze minutos? — ele provoca.

Humph. Com certeza, londrinos, parisienses ou o que quer que eles sejam não estão acostumados à glória de ter um carro. Sinto falta do meu, mesmo que ele dê trabalho para ligar. E não tenha ar-condicionado. E tenha um alto-falante quebrado. Digo isso e ele sorri.

— Não traria vantagem alguma se você tivesse um aqui. A idade mínima para dirigir é 18 anos.

— Você poderia dirigir para nós.

— Não, eu não poderia.

— Você disse que foi seu aniversário! Eu sabia que você estava mentindo, ninguém...

— Não foi isso que quis dizer — St. Clair ri. — Eu não sei dirigir.

— Você está falando sério? — Eu não consigo evitar o sorriso maldoso no meu rosto. — Você quer dizer que tem algo que sei como fazer e você não sabe?

Ele sorri de volta. — Chocante, não é mesmo? Mas eu nunca precisei. Os sistemas de trânsito aqui, em São Francisco, em Londres... Eles são bons o bastante.

— Bons o bastante?

— Cala a boca. — Ele ri de novo. — Ei, você sabe por que eles chamam este quarteirão de Latin Quartier?

Ergo uma sobrancelha.

— Séculos atrás, os alunos da Sorbonne... Era lá atrás. — Ele mostra com a mão. — É uma das universidades mais antigas do mundo. De qualquer maneira, os alunos eram ensinados e falavam uns com os outros em latim. E o nome pegou.

Um momento de pausa. — É isso? A história toda?

— Claro. Deus, você está certa. Essa explicação é muito ruim.

Passo por outro vendedor agressivo de cuscuz. — Ruim?

— Ruim. Porcaria. Uma droga.

Ruim. Ah, meu Deus, que gracinha.

Viramos uma esquina e — lá está ele — o rio Sena. As luzes da cidade movem-se para cima e para baixo nas ondulações da água. Prendo a respiração. É lindo. Casais andam pela margem do rio. E vendedores alinharam caixas sujas de papelão de livros de bolso e revistas velhas para expor. Um homem de barba ruiva dedilha uma guitarra e canta uma triste canção. Ouvimos por um minuto e St. Clair joga alguns euros dentro da caixa da guitarra.

E, então, conforme voltamos a nossa atenção para o rio, eu a vejo: Notre-Dame. Reconheço-a de fotografias, claro. Mas se Saint-Étienne é uma catedral, então não é nada, nada comparada a Notre-Dame. O prédio é como um grande navio a todo o vapor pelo rio. Monumental. Monstruoso. Majestoso. É iluminada de forma que lembra a Disneylândia, mas é muito mais mágica do que qualquer coisa que Walt possa ter sonhado. Há videiras encostadas nas paredes que chegam até o rio, completando o conto de fadas.

Expiro vagarosamente.

— É linda! E nunca vi nada assim! Eu não sei mais o que dizer.

Temos de cruzar uma ponte para chegar até ela. Não tinha percebido que era construída em uma ilha. St. Clair me diz que estamos andando para a *Île de La Cité*, a Ilha da Cidade, e esse é o distrito mais antigo de Paris. O Sena brilha abaixo de nós, profundo e verde, e um longo barco adornado de luzes desliza por debaixo da ponte. Debruço-me sobre o parapeito.

— Olhe, aquele cara está tão bêbado. Ele vai cair do bar... — Olho de volta e encontro St. Clair cambaleando pela via, a vários metros de distância do parapeito da ponte.

Por um momento, fico confusa. Então, me toco.

— O quê? Você não tem medo de altura, tem?

St. Clair mantém o olhar voltado para a frente, na imagem iluminada de Notre-Dame.

— Não consigo entender por que alguém ficaria no peitoril de uma ponte quando há espaço exatamente ao lado dela.

— Ah, é uma questão de espaço para caminhar então?

— Para com isso ou eu vou perguntar sobre Rasputin ou conjugação verbal em francês.

Pendo sob um lado da ponte e finjo cambalear. St. Clair fica pálido.

— Não, não faça isso. — Ele estica o braço como se para me salvar, e então aperta o estômago como se, em vez disso, fosse vomitar.

— Desculpe. — Afasto-me do peitoril. — Desculpe, eu não achei que fosse tão ruim.

Ele balança a mão, gesticulando para eu parar de falar. A outra mão ainda agarrada ao estômago nauseado.

— Vamos. — St. Clair parece irritado, como se fosse eu quem estivesse nos atrasando. Ele gesticula para Notre-Dame. — Não foi para isso que te trouxe aqui.

Não consigo ver nada melhor que Notre-Dame. — Não vamos entrar?

— Fechada. Bastante tempo para vê-la mais tarde, lembra-se? — Ele me leva até o pátio e aproveito a oportunidade para admirar o seu bumbum. *Callipygian*. Tem algo melhor que Notre-Dame.

— Aqui — ele diz.

Temos uma vista perfeita da entrada — centenas e mais centenas de minúsculas imagens entalhadas nos três arcos colossais. As estátuas parecem bonecas de pedra, separadas e individualizadas.

— Elas são incríveis — sussurro.

— Não aí. Aqui. — Ele aponta para o meu pé.

Olho para baixo e me surpreendo ao me encontrar no meio de um pequeno círculo de pedra. No centro, diretamente entre meus pés, há um octógono de cobre-bronze com uma estrela. Palavras estão gravadas na pedra ao redor deste: *Poin zero des routes de France.*

— *Mademoiselle* Oliphant. É traduzido como "Ponto zero das estradas da França". Em outras palavras, é o ponto no qual todas as outras distâncias da França são medidas. — St. Clair limpa a garganta. — É o início de tudo.

Eu olho de volta. Ele está sorrindo.

— Bem-vinda a Paris, Anna. Estou feliz por você ter vindo.

Capítulo 9

St. Clair enfia a ponta dos dedos nos bolsos e chuta os paralelepípedos com a ponta das botas. — E então? — ele finalmente pergunta.

— Obrigada. — estou impressionada. — Foi muito gentil de sua parte me trazer aqui.

— Ah, bem. — ele se estica e dá de ombros, aquele dar de ombros "corpo todo" francês que ele faz tão bem, e reassume seu costumeiro estado confiante de ser. — Tem de se começar por algum lugar. Agora, faça um pedido.

— Ahn? — Eu tenho tanto jeito com as palavras. Eu deveria escrever poesia épica ou *jingles* para comerciais de comida de gato.

Ele sorri. — Coloque os seus pés na estrela e faça um pedido.

— Ah! OK, claro. — Junto os meus pés e fico parada no centro. — Eu desejo...

— Não diga em voz alta! — St. Clair precipita-se em minha direção como se para impedir as palavras com o corpo e meu estômago salta violentamente. — Você não sabe nada sobre fazer pedidos? Você só tem um número limite na vida. Estrelas cadentes, cílios, dentes-de-leão...

— Velas de aniversário.

Ele ignora a lembrança. — Exatamente. Então você tem de tirar vantagem deles quando surgem, e a superstição diz que, se você fizer um pedido naquela estrela, ele se realizará. — Faz uma pausa antes de continuar. — Que é melhor do que o outro que ouvi antes.

— Que eu morrerei uma morte dolorosa por envenenamento, tiro, pancada e afogamento?

— Hipotermia, não afogamento. — St. Clair ri. Ele tem um riso maravilhoso de moleque. — Mas não. Ouvi que se alguém pisa aqui está destinado a retornar a Paris algum dia. E, pelo que entendi, um ano para você já é muito, certo?

Fecho os olhos. Minha mãe e Sean aparecem na minha frente. Bridge. Toph. Eu concordo.

— Tudo bem então. Mantenha os olhos fechados. E faça um pedido.

Respiro profundamente. A umidade fria das árvores enche meus pulmões. O que eu quero? Essa é uma pergunta difícil.

Quero ir para casa, mas tenho de admitir que gostei desta noite. E se esta for a única vez em toda a minha vida que visitei Paris? Sei que acabei de dizer a St. Clair que não quero estar aqui, mas tem uma parte de mim — minúscula, muito pequena — que está curiosa. Se meu pai ligasse amanhã e me mandasse para casa, ficaria desapontada. Ainda não vi a Mona Lisa, não fui ao topo da Torre Eiffel e nem andei por baixo do Arco do Triunfo.

Então, o que mais eu quero?

Quero sentir os lábios de Toph novamente. Quero que ele espere. Mas tem outra parte de mim, uma parte que eu verdadeiramente, realmente, odeio, que sabe que, mesmo que essas coisas aconteçam, eu me mudarei de qualquer forma no ano que vem para a universidade. Então, eu os veria neste Natal e no verão seguinte, e então... seria isso?

E tem outra coisa.

A coisa que estou tentando ignorar. A coisa que não devia querer, que não posso ter.

E ele está parado na minha frente agora.

Então, o que peço? Algo que não tenho certeza de que quero? Alguém que não tenho certeza de que preciso? Ou alguém que sei que não posso ter?

Que se dane. Deixe os fatos decidirem.

Eu desejo o que é melhor para mim.

Que tal para uma generalização? Abro os olhos e o vento está soprando mais forte ainda. St. Clair tira uma mecha dos meus cabelos dos seus olhos.

— Deve ter sido um bom pedido — ele diz.

No caminho de volta, ele me leva para comer um sanduíche em um barzinho que fica aberto até tarde. O cheiro de levedo é de dar água na boca e meu estômago ronca por antecipação. Pedimos panini, sanduíches prensados em uma chapa. St. Clair pede o seu com recheio de salmão defumado, ricota e cebolinha. Peço o meu com presunto Parma, queijo Fontina e sálvia. Ele chama isso de fast-food, mas o que recebemos não se parece em nada com os sanduíches capengas do Subway.

St. Clair me ajuda com o euro. Ainda bem que euros são fáceis de entender. Notas e centavos vêm em denominações fáceis. Pagamos e descemos a rua, curtindo a noite, mastigando o pão crocante e deixando que o queijo morno e grudento escorresse pelo nosso queixo.

Gemo de prazer.

— Você teve um "orgasmo-mida"? — ele pergunta, limpando a ricota dos lábios.

— Por onde você esteve? — pergunto para o belo panini. — Como é possível nunca ter comido um sanduíche tão gostoso assim?

Ele dá uma grande mordida. — Mmmph grmpha mrpha — ele diz, sorrindo. O que assumo que deve ser traduzido como algo do tipo: — Porque comida americana é uma porcaria.

— Mmmph grmpha mrpha — respondo. Que é traduzido como: — Concordo, mas os nossos hambúrgueres são muito bons.

Lambemos o papel no qual nossos sanduíches estavam envoltos antes de jogá-los fora. Felicidade. Estamos quase chegando ao dormitório e St. Clair está contando sobre quando ele e Josh foram detidos por terem jogado goma de mascar no teto que acabara de ser pintado — eles estavam tentando colocar um terceiro mamilo em uma das ninfas —, quando, de repente, meu cérebro começa a processar algo. Algo estranho.

Acabamos de passar pelo terceiro cinema no mesmo quarteirão.

Satisfeita, esses são cinemas pequenos. Provavelmente, cinemas com uma só tela. Mas três deles em apenas um quarteirão! Como não percebi isso antes?

Ah. Certo. O garoto bonito.

— Algum desses são em inglês? — interrompo.

St. Clair parece confuso. — Como assim?

— Os cinemas. Tem algum aqui por perto que exibe filmes em inglês?

Ele levanta uma sobrancelha. — Não me diga que você não sabe.

— O quê? Não sei o quê?

Ele está radiante por saber algo que não sei. O que é chato, levando-se em consideração que ambos sabemos que ele sabe tudo sobre a vida parisiense, ao passo que eu tenho a sabedoria de um *croissant* de chocolate. — E estava com a impressão de que você era algum tipo de viciada em cinema.

— O quê? Não sei o quê?

St. Clair gesticula com exagero, claramente adorando a situação. — Paris... é a capital... que mais aprecia... cinema... no mundo.

Paro petrificada. — Você está brincando?

— Não estou. Você nunca encontrará uma cidade que ama mais cinema. Há centenas, talvez até milhares de cinemas aqui.

Sinto como se meu coração estivesse caindo dentro do meu peito. Estou tonta. Isso não pode ser verdade.

— Mais de uma dezena só na nossa vizinhança.

— O quê?

— Você realmente não percebeu?

— Não, não percebi. — Como assim ninguém me disse isso? Quer dizer, isso deveria ter sido mencionado no Dia Um, Seminário de Habilidades para a Vida. Essa é uma informação muito importante aqui! Retomamos a caminhada e minha cabeça se move em todas as direções para ler os pôsteres e as marquises. Por favor esteja em inglês. Por favor esteja em inglês. Por favor esteja em inglês.

— Achei que você sabia. Teria dito algo. — Ele parece culpado. — É considerada arte maior aqui. Há uma série de cinemas que trabalham com lançamentos, mas, além disso, existem aqueles cinemas que se dedicam aos clássicos. Passam os clássicos e programas dedicados aos diferentes diretores, gêneros, atrizes brasileiras com pouca importância ou qualquer outra coisa.

Respire Anna, respire. — E eles estão em inglês?

— Pelo menos um terço deles, acho.

Um terço deles! De centenas — talvez até milhares! — de cinemas.

— Alguns filmes americanos são dublados em francês, mas na maioria das vezes são aqueles infantis. O resto é em inglês mesmo, com legendas em francês. Aqui, segura. — St. Clair arranca uma revista chamada *Pariscope* de uma banca de revistas e paga a um animado senhor com nariz de tucano. Ele atira a revista para mim. — Sai toda quarta. "VO" significa *version originale*. "VF" significa *version française*, o que significa que eles são dublados. Então fique atenta aos "VO". As listagens também estão on-line, ele acrescenta.

Folheio a revista e meus olhos ficam vitrificados. Nunca vi tantas listagens de filmes na minha vida.

— Deus, se eu soubesse que só era preciso isso para fazê-la feliz, não teria nem me preocupado com o resto.

— Eu amo Paris — digo.

— E tenho certeza de que Paris a ama também.

Ele ainda está falando, mas não estou ouvindo. Tem uma maratona Buster Keaton esta semana. E outra de filmes de mortes de adolescentes. E todo um programa dedicado às perseguições de carros dos anos 70.

— O quê? — Percebo que ele está esperando por uma resposta para uma pergunta que nem ouvi. Como ele não responde, olho novamente para as listagens. Seu olhar está petrificado em alguém que acaba de sair do nosso dormitório.

A garota tem mais ou menos a minha altura. Seu cabelo comprido é pouco estilizado, mas tem um toque fashionista parisiense. Está usando um vestido curto prata que brilha sob a luz da lâmpada e um casaco vermelho. Suas botas de couro estalam e clicam na calçada. Está olhando para trás em direção ao Résidence Lambert com expressão desconfiada, então ela se vira e vê St. Clair. Todo o seu ser se acende.

A revista afrouxa em minhas mãos. Só pode ser ela.

A garota começa a correr e se lança nos braços de St. Clair. Eles se beijam e ela enlaça os dedos no cabelo dele, seu cabelo bonito e perfeito. Meu estômago cai e desvio o olhar para não ver o espetáculo.

Eles se afastam e ela começa a falar. Sua voz é surpreendentemente baixa — sensual —, mas ela fala rápido.

— Sei que não íamos nos ver hoje à noite, mas estava na vizinhança e pensei que talvez você quisesse ir àquele clube de que te falei. Sabe, aquele que Matthieu recomendou? Mas você não estava, então eu encontrei a Mer e fiquei conversando com ela por uma hora. Onde você estava? Liguei no seu celular três vezes, mas foi direto para a caixa de mensagens.

St. Clair parece desorientado. — Hum..., Ellie, esta é a Anna. Ela não saía do dormitório fazia uma semana, então pensei em mostrar a...

Para meu espanto, Ellie dá um largo sorriso. Estranhamente, neste momento, percebo que, apesar de sua voz sensual e do seu traje parisiense, ela é tipo... normal. Mas amigável.

O que não significa que goste dela.

— Anna! De Atlanta, certo? Aonde vocês foram?

Ela sabe quem sou eu? St. Clair descreve a nossa noite, enquanto contemplo o estranho desenrolar. Ele falou sobre mim para ela? Ou foi a Meredith? Eu espero que tenha sido ele, mas, mesmo que tenha sido, não é como se ele tivesse dito qualquer coisa que ela tenha achado ameaçadora. Não parece alarmada que eu tenha passado as três últimas horas com o muito atraente namorado dela. Sozinha.

Deve ser muito legal ter esse tipo de confiança.

— OK, querido. — Ela o interrompe. — Você pode me contar o resto depois? Você está pronto para ir?

Ele disse que ia com ela? Eu não me lembro, mas ele concorda com a cabeça.

— Sim, sim, deixe-me pegar meu, hum... — Ele olha para mim, e então para a entrada do nosso dormitório.

— O quê? Você já está vestido para sair. Você está ótimo. Vamos. — Ela puxa seu braço, unindo-o ao dela. — Foi um prazer conhecê-la, Anna.

Eu encontro minha voz. — Sim. Prazer em conhecê-la também. — Viro-me para St. Clair, mas ele nem me olha direito. Tudo bem. O que quer que seja. Abro para ele o meu melhor sorriso eu-não-me-importo-que-você-tenha-uma-namorada e um animado tchau!

Ele não reage. OK, hora de ir. Saio como um raio e pego a minha chave. Mas, quando destranco a porta, não consigo evitar de olhar de volta para St. Clair e Ellie caminhando na escuridão de braços dados, e ela ainda falando.

De lá, vejo que St. Clair volta-se para mim. Só por um momento.

Capítulo 10

É melhor assim. É mesmo.

Conforme os dias passam, percebo que fico feliz que tenha conhecido a namorada dele. É na verdade um alívio. Há poucas coisas piores do que alimentar sentimentos por alguém que você não deveria, e não gosto de onde os meus pensamentos estavam me levando. E certamente não quero me tornar outra Amanda Spitterton-Watts.

St. Clair é amigável. A escola toda gosta dele — os *professeurs*, os alunos populares, os alunos não tão populares —, e por que não gostariam? Ele é inteligente, engraçado e educado. E, sim, totalmente atraente. Entretanto, mesmo sendo tão querido, não sai com muitas pessoas. Somente com nosso pequeno grupo. E, uma vez que seu melhor amigo está sempre distraído por causa de Rashimi, ele resolveu sair com, bem... comigo.

Desde a noite em que saímos, ele tem sentado do meu lado após as refeições. Provoca-me por causa dos tênis, pergunta sobre meus filmes prediletos e me ajuda nas minhas tarefas de francês. E me defende. Por exemplo, na semana passada, quando Amanda me chamou de *la moufette* de modo grosseiro e levantou o nariz quando passei por sua carteira, St. Clair a mandou "cair fora" e ficou jogando pequenos pedacinhos de papel no seu cabelo durante o resto da aula.

Procurei pela palavra depois e significa "gambá". Tão original!

Então, assim que começo a sentir aquelas agulhadas novamente, ele desaparece. Fico olhando pela janela após o jantar, observando os trabalhadores recolhendo o lixo, quando o vejo surgir e desaparecer em direção ao *métro*.

Em direção à Ellie.

Na maioria das noites estou estudando no saguão com o resto dos nossos amigos quando ele chega em casa. Senta-se ao meu lado e solta uma gozação sobre um novato bêbado que está paquerando a garota da recepção. (Tem sempre algum novato bêbado paquerando a garota da recepção). E é minha imaginação ou o cabelo dele está mais desgrenhado do que antes?

Só de pensar em St. Clair e Ellie fazendo coisas, fico com mais ciúme do que posso admitir. Toph e eu trocamos *e-mails*, mas o conteúdo das mensagens não passa de amigável. Não sei se isso significa que ainda está interessado em mim ou se quer dizer que não está, mas sei que mandar *e-mails* não é o mesmo que beijar ou fazer coisas.

A única que entende a situação de St. Clair é Mer, mas não posso dizer nada a ela. Algumas vezes, tenho medo de que esteja com ciúme de mim. Por exemplo, vejo-a nos observando durante o almoço, e, quando peço a ela para me passar um guardanapo, ela meio que o joga em vez de passá-lo. Ou, quando St. Clair fica desenhando bananas e elefantes nas margens das minhas tarefas, percebo que ela fica em silêncio e nem se move.

Talvez esteja fazendo um favor a ela. Sou mais forte do que ela por não conhecê-lo há tanto tempo, por saber que ele está fora de cogitação. Quero dizer, pobre Mer. Qualquer garota que tenha atenção diária de um garoto maravilhoso com uma graça de sotaque e cabelo perfeito estaria sob grande pressão em não sentir uma grande, ardente, dolorosa, interminável atração por ele.

Não que isso esteja acontecendo comigo.

Como digo: é um alívio saber que isso não acontecerá. Torna as coisas mais fáceis. A maioria das garotas ri exageradamente dos seus gracejos e encontra desculpas para apertar seu braço. Tocar seu braço. Em vez disso, argumento e reviro os olhos para agir com indiferença. E, quando toco o braço dele, me afasto porque é isso que os amigos fazem.

Além do mais, tenho coisas mais importantes em mente: filmes.

Estou na França há um mês e, embora tenha subido o elevador da Torre Eiffel (Mer me levou enquanto St. Clair e Rashimi esperaram lá embaixo na grama — St. Clair porque tem medo de cair e Rashimi por se negar a fazer qualquer coisa turística), embora tenha caminhado sobre a plataforma de observação do Arco do Triunfo (Mer me levou de novo, claro, enquanto St. Clair ficou lá embaixo ameaçando empurrar Josh e Rashimi no tráfego circular insano), ainda não fui ao cinema.

Na verdade, ainda nem saí do *campus* sozinha. Meio constrangedor isso.

Mas tenho um plano. Primeiro, vou convencer alguém a ir ao cinema comigo. Não deve ser tão difícil; todo mundo gosta de filmes. E então vou anotar tudo o que fazem ou dizem e assim vai estar tudo bem quando for sozinha, porque já saberei o que dizer. E um cinema é melhor do que nenhum.

— Rashimi, o que você vai fazer hoje à noite?

Estamos esperando pelo início de *La Vie*. Na semana passada, aprendemos sobre a importância de ingerir alimentos cultivados nas proximidades e, antes disso, a como escrever um formulário de requerimento universitário. Sabe-se lá o que eles nos ensinarão hoje. Meredith e Josh são os únicos que não estão aqui, Josh porque é novato e Mer por estar fazendo um curso de língua estrangeira extra: espanhol avançado. Por diversão. Loucura.

Rashimi bate a caneta no caderno. Há duas semanas ela vem elaborando seu formulário para a Brown. É uma das únicas universidades que oferece formação em egiptologia e a única que ela vai requerer. — Você não entende — disse quando perguntei por que ela ainda não tinha acabado de preencher o requerimento. — A Brown nega cerca de 80% dos candidatos.

Mas duvido de que ela tenha qualquer problema. Não teve notas menores que A este ano, e a maioria foi A sem erro algum. Já enviei meus formulários. Vai demorar um pouco para receber a resposta, mas não estou preocupada. As faculdades que escolhi não são as mais requisitadas.

Estou tentando ser amigável, mas é complicado. Na noite passada, enquanto fazia carinho no coelho dela, Isis, Rashimi me lembrou duas vezes de não dizer nada sobre ela porque as leis do dormitório são contra a permanência de animais. Como se eu fosse fazer fofoca. Além do mais, não é como se Isis fosse segredo para alguém. O cheiro de xixi de coelho do lado de fora do seu dormitório não deixa dúvida.

— Nada, eu acho — ela diz, respondendo à minha pergunta sobre o que fará hoje à noite.

Respiro fundo para acalmar os nervos. É ridículo como é difícil fazer uma pergunta quando a resposta significa tanto. — Quer ir ao cinema? Está passando

It happened one night no Le Champo. — Só porque não tenho saído muito, não significa que não me debrucei sobre a *Pariscope*.

— Eles estão passando o quê? E não vou te dizer quão horrivelmente você assassinou o nome daquele cinema que você pronunciou.

— *It happened one night*. Clark Gable e Claudette Colbert. Ganhou cinco Oscar. Foi muito bom.

— Em que século?

— Rá- rá. Honestamente, você vai gostar. Ouvi dizer que é ótimo.

Rashimi esfrega a testa. — Eu não sei. Não gosto muito de filmes antigos. A atuação é tão: "Ei, cara, velho amigo. Vamos colocar os nossos chapéus e nos desentender".

— Ah, larga mão disso. — St. Clair olha por cima de um grosso livro sobre a Revolução Americana. Ele se senta do meu outro lado. É estranho acreditar que ele sabe mais história americana do que eu. — Não é esse o encanto? Os chapéus e os desentendimentos?

— Então, por que você não vai com ela?

— Porque ele vai sair com Ellie — digo.

— Como você sabe o que eu vou fazer hoje à noite? — ele pergunta.

— Por favor. — Eu imploro. — Por favorrrr? Você vai gostar, prometo. Assim como Josh e Mer também gostarão.

Rashimi abre a boca para protestar no exato momento em que o professor entra. Toda semana é alguém novo — às vezes da administração, às vezes um *professeur*. Desta vez, fico surpresa ao ver Nate. Acredito que toda a equipe de funcionários tem de participar. Esfrega a cabeça raspada e sorri agradavelmente à sala.

— Como você sabe o que vou fazer hoje à noite? — St. Clair repete.

— Por favorrr — digo para ela.

Ela faz uma careta conformada. — Tudo bem. Mas eu escolho o próximo filme.

— Oba!

Nate pigarreia, Rashimi e St. Clair olham para a frente. É isso o que eu gosto nos meus novos amigos. Eles respeitam os professores. Fico louca quando os alunos continuam conversando ou os ignoram, porque a minha mãe é professora. Não gostaria que ninguém fosse rude com ela. — Tudo bem, pessoal, já basta. Amanda, já basta. — De forma tranquila, mas firme, Nate a faz ficar quieta. Ela joga o cabelo e suspira com um olhar direcionado a St. Clair.

Ele a ignora. Rá.

— Tenho uma surpresa para vocês — Nate diz. — Já que o tempo está mudando, e assim teremos mais dias quentes, consegui que vocês passassem a semana fora.

Vamos sair para ganhar pontos extras. Eu amo Paris!

— Eu organizei uma caça ao tesouro. — Nate levanta uma pilha de papéis. — Há 200 itens nesta lista. Vocês serão capazes de encontrá-los, todos, em nossa vizinhança, mas talvez precisem pedir ajuda aos moradores.

Ai que inferno!

— Vocês tirarão fotos desses itens e trabalharão em duas equipes.

Ufa! Alguma outra pessoa poderá falar com os moradores.

— O time vencedor será determinado de acordo com os itens encontrados, mas eu terei de encontrar fotos nos celulares ou câmera de todo mundo se quiserem ganhar créditos.

Nãooo!

— Haverá uma premiação. — Nate sorri novamente, agora que conseguiu a atenção de todos. — A equipe que encontrar o maior número de itens até quinta-feira... não precisa vir à aula na sexta.

Agora, sim, pode valer a pena. A sala explode em assovios e palmas. Nate escolhe os capitães das equipes com base naquele que pede mais alto. Steve Carver — o garoto de cabelo de surfista falsificado — e a melhor amiga de Amanda, Nicole, são os escolhidos. Rashimi e eu lamentamos em um momento raro de camaradagem. Steve comemora dando um soco no ar. Que besta!

A seleção começa e Amanda é escolhida primeiro. Claro. E depois o melhor amigo de Steve. Claro. Rashimi me cutuca.

— Aposto cinco euros com você que vou ser escolhida por último.

— Aceito porque com certeza serei eu e não você.

Amanda se vira na cadeira em minha direção e abaixa a voz:

— É uma aposta segura, Garota Gambá. Quem a escolheria para a equipe?

Minha mandíbula range estupidamente.

— St. Clair! — A voz de Steve me surpreende. Já era esperado que St. Clair seria escolhido primeiro. Todos olham para ele, mas ele está olhando para Amanda. — Eu... — ele diz, respondendo à pergunta dela. — Quero Anna na minha equipe e você terá sorte em tê-la.

Ela enrubesce e rapidamente se vira, mas não antes de me enviar um olhar mortal. O que foi que fiz para ela?

Mais nomes são chamados. Mais nomes que não são o meu. St. Clair tenta chamar minha atenção, mas eu finjo não perceber. Não consigo olhar para ele. Estou muito humilhada. Logo, a seleção está entre mim, Rashimi e um cara magricela que, por qualquer que seja a razão, é chamado Cheeseburger. Cheeseburger está sempre com uma expressão de surpresa, como se alguém tivesse acabado de chamar seu nome e ele não sabe de onde vem a voz.

— Rashimi — Nicole diz sem hesitar.

Meu coração para. Agora está entre mim e alguém chamado *Cheeseburger*. Concentro a atenção na minha carteira, no desenho que Josh fez de mim anteriormente na aula de história. Estou vestida como uma camponesa medieval (estamos estudando a Peste Negra) e minha expressão é tão carrancuda segurando um rato.

Amanda sussurra no ouvido de Steve. Vejo-a sorrir com desdém para mim e meu rosto queima.

Steve pigarreia. — Cheeseburger.

Capítulo 11

— Você me deve cinco euros — eu digo.

— Vou comprar o seu ingresso. — Rashimi sorri.

Pelo menos estamos na mesma equipe. Nicole dividiu a lista de Nate, e então Rashimi e eu fizemos nossa parte sozinhas. A semana não seria tão ruim. Por causa de Rashimi, vou ganhar pontos extras. Ela me deixa tirar algumas fotos — uma estátua de um cara chamado Budé e um grupo de crianças jogando futebol na rua —, mesmo que tenha sido ela quem encontrou ambos os itens.

— Sinto falta do futebol. — Meredith faz beicinho à medida que contamos a nossa história. Até mesmo seus cachos elásticos parecem murchos e tristes hoje à noite.

Uma brisa varre a larga avenida e nós apertamos as nossas jaquetas e nos arrepiamos. Uma poeira de folhas marrons é esmagada pelos nossos pés conforme Paris flutua na chegada do outono. — Não há nenhuma liga à qual você possa se juntar? — Josh pergunta, colocando os braços em volta de Rashimi, ela se aconchega nele. — Eu vejo as pessoas jogando por aqui o tempo todo.

— Boo! — Uma cabeça com cabelos desgrenhados aparece entre mim e Mer. Pulamos como gatos assustados.

— Jesus! — diz Mer. — Quer que eu tenha um ataque do coração? O que você está fazendo aqui?

— *It happened one night* — St. Clair diz. — Le Champo, correto?

— Você não tem planos com Ellie? — Rashimi pergunta.

— Não sou convidado? — Ele abre caminho entre mim e Meredith.

— Claro que você é convidado — Mer diz. — Simplesmente achamos que estaria ocupado.

— Você está sempre ocupado — Rashimi retruca.

— Eu não estou sempre ocupado.

— Está sim — diz ela. — E você sabe o que é mais estranho? Mer é a única que viu Ellen este ano. Ela agora é muito boa para ficar com a gente?

— Ah, larga mão disso. De novo, não.

Ela dá de ombros. — Só estou dizendo.

St. Clair balança a cabeça, mas não deixamos de perceber que ele não nega tal fato. Ellie pode parecer amigável o bastante, mas está claro que ela não precisa mais dos seus amigos da SOAP. Até mesmo eu posso ver isso.

— O que vocês fazem toda noite? — As palavras saem da minha boca sem querer.

— Isso — diz Rashimi. — Eles fazem isso. Ele está nos ignorando.

St. Clair enrubesce. — Sabe, Rash, você é tão grosseira como aqueles novatos estúpidos do meu andar. Dave como-é-o-nome-dele e Mike Reynard. Deus, eles são uns babacas.

Mike Reynard é o melhor amigo de Dave-da-França-e-história. Não sabia que eles moravam perto dele.

— Olha lá o que você fala, St. Clair — diz Josh. Há algo diferente na sua conduta normalmente tranquila.

Rashimi bate no rosto de St. Clair. — Você está me chamando de babaca?

— Não, mas se você não se afastar é bem capaz que eu a chame.

Percebe-se a tensão em seus corpos, como se estivessem a ponto de atracar a galhada como em um documentário sobre a natureza. Josh tenta puxar Rashimi de volta, mas ela se desvencilha.

— Deus, St. Clair, você não pode ser todo amigável durante o dia e nos ignorar toda noite! Você não pode voltar quando bem quer e fingir que está tudo bem.

Mer tenta dissuadi-los. — Ei, ei, ei...

— Está tudo bem! O que há de errado com você?

— Ei! — Mer faz uso da sua altura considerável e força para tentar separá-los. Para minha surpresa, ela começa a suplicar para Rashimi. — Eu sei que você sente falta de Ellie. Sei que era sua melhor amiga e que dói ela ter seguido em frente, mas você ainda tem a nós. E St. Clair... ela está certa. Dói não ver você mais. Quero dizer, fora da escola. — Ela soa como se estivesse a ponto de chorar. — Costumávamos ser tão próximos.

Josh coloca os braços em volta de Mer e ela o abraça apertado. Ele olha para St. Clair pelos cachos de Mer. *Isso é culpa sua. Conserte.*

St. Clair suspira. — Sim. OK, você está certa.

Não é exatamente um pedido de desculpas, mas Rashimi concorda. Mer respira aliviada. Josh delicadamente a afasta e vai para perto de Rashimi novamente. Caminhamos em silêncio. Então, Rashimi e Ellie costumavam ser melhores amigas. É duro o bastante estar separada de Bridge, mas não posso imaginar como seria horrível se ela me ignorasse completamente. Sinto-me culpada. Não me surpreende que Rashimi seja assim tão amarga.

— Desculpe Anna — St. Clair diz após um longo período de silêncio. — Sei que você estava empolgada com o filme.

— Tudo bem. Não é da minha conta. Meus amigos brigam também. Quer dizer... meus amigos lá em Atlanta. Não que vocês não sejam meus amigos. Só estou dizendo que... todos os amigos brigam.

Argh. Que angustiante!

A tristeza nos envolve como uma névoa grossa. Retomamos o silêncio e os meus pensamentos começam a girar. Queria que Bridge estivesse aqui. Queria que St. Clair não estivesse com Ellie, que Ellie não tivesse magoado Rashimi e que Rashimi fosse mais parecida com Bridge. E queria que Bridge estivesse aqui.

— Ei — Josh diz. — Você. Olha só para isso.

E então a escuridão dá passagem a uma luz branca. Uma fonte de *art déco*, queimando na noite, anuncia a nossa chegada ao Cinema Le Champo. As letras me diminuem. Cinema. Alguma vez já existiu palavra mais bonita? Meu coração vibra à medida que passamos pelos pôsteres de filmes coloridos e pelas brilhantes portas de vidro. O saguão é menor do que o que eu estou acostumada e, embora esteja faltando o cheiro forte de manteiga e pipoca, há algo no ar que eu reconheço, algo tão mofado quanto reconfortante.

Fiel à palavra, Rashimi paga meu ingresso. Aproveito a oportunidade para tirar um pedaço de papel que tinha escondido na minha jaqueta, com um propósito. Mer é a próxima da fila e transcrevo o seu discurso foneticamente.

Oon ploss see voo play.

St. Clair se debruça sobre o meu ombro e sussurra. — Você soletrou errado.

Minha cabeça se move de vergonha, mas ele está sorrindo. Abaixo a cabeça e assim o meu cabelo cobre minhas bochechas. Elas enrubescem mais por causa do seu sorriso do que qualquer outra coisa.

Seguimos as luzes azuis ao longo do corredor do cinema. Imagino se elas são todas azuis por aqui, ao contrário do amarelo dourado dos cinemas americanos.

Mesmas cadeiras. Mesma tela. Mesmas paredes.

Sinto-me em casa pela primeira vez em Paris.

Sorrio para os meus amigos, porém Mer, Rashimi e Josh estão distraídos, discutindo sobre algo que aconteceu durante o jantar. St. Clair me vê e sorri de volta. — Bom?

Eu aceno. Ele parece satisfeito e se senta. Sempre me sento quatro fileiras acima do centro e temos lugares perfeitos hoje à noite. As cadeiras são vermelhas clássicas. O filme começa, e o título aparece na tela.

— Nós temos de ficar sentados durante os créditos? — Rashimi pergunta. Eles passam primeiro os créditos, como nos filmes antigos.

Eu os leio rapidamente. Adoro os créditos. Adoro tudo sobre cinema.

O cinema é escuro, exceto pelo piscar preto, branco e cinza na tela; Clark Gable finge estar dormindo e coloca a mão no centro de um assento vazio no ônibus. Após alguns momentos de irritação, Claudette Colbert cautelosamente a coloca de lado e senta-se. Gable sorri para si mesmo, e St. Clair ri.

É estranho, mas eu me pego distraída o tempo todo pelo branco dos seus dentes na escuridão, por uma parte encaracolada do seu cabelo fora do lugar, pelo suave aroma do seu desodorante. Ele me cutuca devagarzinho oferecendo o descanso de braço, mas eu o recuso e ele o toma para si. Seu braço está próximo ao meu, um pouco erguido. Olho para suas mãos. As minhas são pequenas, comparadas às suas mãos grandes, ossudas.

E, de repente, sinto vontade de tocá-lo.

Não um empurrão ou até mesmo um abraço amigável. Quero sentir as dobras em sua pele, ligar suas sardas com linhas invisíveis, passar os dedos no seu pulso. Ele se move. Tenho a estranha sensação de que ele me percebe da mesma forma. Não consigo me concentrar. Os personagens do filme estão brigando, mas, embora tente, não sei o porquê. Por quanto tempo não prestei atenção?

St. Clair tosse e se move de novo. Sua perna encosta na minha. E ficam lá. Estou paralisada. Eu deveria movê-la; parece tão artificial. Como ele pode não notar que sua perna está tocando a minha? Pelo canto do olho, vejo o perfil do queixo e do nariz dele e — oh, meu Deus — a curva dos lábios.

Aí está. Ele olhou para mim. Eu sei que olhou.

Mantenho os olhos na tela, tentando ao máximo mostrar que estou verdadeiramente interessada no filme. St. Clair enrijece, mas não move a perna. Ele está prendendo a respiração? Acho que sim. Eu estou prendendo a minha. Respiro e me encolho — é tão alto e artificial.

De novo. Outra olhada. Desta vez eu me viro automaticamente no momento em que ele está virando de volta. É uma dança, e agora há um sentimento no ar como se um de nós devesse dizer alguma coisa. Concentre-se, Anna. Concentre-se.

— Você gosta? — sussurro.

Ele faz uma pausa.

— Do filme?

Agradeço que as sombras escondam meu rubor.

— Gosto muito — ele diz.

Arrisco um olhar e St. Clair me olha fixo. Profundamente. Nunca tinha olhado para mim desse jeito. Viro-me antes, e então sinto-o virar algum tempo depois.

Sei que ele está rindo, e meu coração acelera.

Capítulo 12

Para: Anna Oliphant <bananaelephant@femmefilmfreak.net>
De: James Ashley <james@jamesashley.com>
Assunto: Lembrança Carinhosa

Olá querida. Faz algum tempo desde que nos falamos. Você verificou a sua caixa de mensagens de voz? Liguei várias vezes, mas acredito que você esteja ocupada explorando Paris. Bem, esta é apenas uma lembrança carinhosa para você ligar para seu velho pai e contar como andam os estudos. Já está dominando o francês? Provou *foie gras*? Quais museus empolgantes você já visitou? Falando sobre empolgantes, tenho certeza de que você já ouviu as boas notícias. *The incident* estreou como número um no *NY Times*! Parece que ainda tenho aquele toque mágico. Estou indo em um *tour* pelo sudeste na semana que vem, então verei seu irmão em breve e mandarei lembranças. Mantenha-se focada como um *laser* na escola, vejo VOCÊ no Natal.

Josh apoia o corpo magro no meu ombro e tenta olhar no meu *laptop*.

— Sou eu ou aquele você é um tanto ameaçador?

— Não. Não é só você — digo.

— Pensei que seu pai fosse escritor, que porcaria é essa de focada como *laser* e lembrança carinhosa?

— Meu pai é fluente em clichê. Obviamente, você nunca leu um dos seus romances. — Eu paro. — Não posso acreditar que ele disse que vai mandar lembranças para o Sean.

Josh balança a cabeça com repugnância. Meus amigos e eu estamos passando o fim de semana na sala de visitas porque está chovendo de novo. Ninguém nunca menciona isso, mas Paris acaba sendo tão chuvosa quanto Londres. De acordo com St. Clair, esse é o nosso único ponto fraco. Ele foi a algum evento de fotografia na escola de Ellie. Na verdade, já era para ele ter voltado.

Ele está atrasado. Como de costume.

Mer e Rashimi estão encolhidas em um dos sofás da sala de visitas lendo nossa última tarefa, *Balzac e a pequena costureira chinesa*. Eu me volto para o *e-mail* de meu pai.

Lembrança carinhosa... sua vida é muito ruim.

Lembranças desta semana — sentar perto de St. Clair no escuro do cinema, sua perna contra a minha, o olhar que trocamos — me inundam de vergonha. Quanto mais penso nisso, mais me convenço de que nada aconteceu.

Porque nada aconteceu.

Quando saímos do cinema, Rashimi anunciou: — O final foi muito repentino. Não deu para ver nada de bom. — E, na hora em que tinha acabado de defender o meu ponto de vista, já tínhamos voltado ao dormitório. Queria conversar com St. Clair, ver um sinal de que alguma coisa entre nós tinha mudado, mas Mer interrompe e se despede dando boa-noite. E, uma vez que não posso abraçá-lo sem expor meu coração que bate estrondosamente, fico para trás.

E então nós nos despedimos com muita frieza.

E então eu fui para cama, confusa como nunca.

O que aconteceu? Por mais emocionante que tenha sido, devo ter exagerado os acontecimentos na minha mente porque ele não agiu de maneira diferente no café da manhã no dia seguinte. Tivemos uma conversa amigável, como sempre. Além do mais, ele tem Ellie. Não precisa de mim. Tudo o que consigo supor é que devo ter projetado minhas frustrações em relação ao Toph em St. Clair.

Josh me examina cautelosamente. Decido fazer uma pergunta a ele antes que me faça uma. — Como está indo a sua tarefa? — Minha equipe em *La Vie* ganhou (não graças a mim), então Rashimi e eu não tivemos de ir à aula na sexta.

Josh matou a última aula para passar um tempo conosco. Isso resultou em detenção e várias páginas de tarefa adicional.

— Hum... — Ele se senta na cadeira ao meu lado e pega seu caderno de esboços. — Eu tenho coisas mais importantes a fazer.

— Mas... você não vai ter mais problemas se não fizer a tarefa? — Nunca matei aula. Não entendo como ele pode simplesmente deixar tudo de lado.

— Provavelmente. — Josh dobra a mão e geme de dor.

Eu franzo a testa. — Qual é o problema?

— Cãibra — ele diz. — De desenhar. Tudo bem, é sempre assim.

Estranho. Nunca tinha pensado que arte machucava. — Você é muito talentoso. É isso que você quer fazer? Da vida, quero dizer.

— Estou trabalhando em um romance gráfico.

— Sério? Isso é legal. — Empurro meu *laptop*. — É sobre o quê?

Ele dá um sorriso furtivo com o canto da boca. — Um cara forçado a ir para um internato porque seus pais não o querem mais por perto.

Eu bufo. — Já ouvi essa antes. O que seus pais fazem?

— Meu pai é político. Eles estão trabalhando na campanha de reeleição. Não converso com o Senador Wasserstein desde que as aulas começaram.

— Senador? Tipo senador mesmo?

— Infelizmente.

De novo. O que meu pai estava pensando? Mandar-me para uma escola com filhos de senadores dos EUA?

— Todo mundo tem um péssimo pai? — pergunto. — Esse é um requisito para o comparecimento?

Ele acena em direção a Rashimi e Mer. — Não, não tem, mas o pai do St. Clair é único.

— Ouvi dizer. — A curiosidade controla meu comportamento e baixo a voz. — Qual é o problema dele?

Josh dá de ombros. — Ele é um idiota. Mantém rédea curta com St. Clair e sua mãe, mas é realmente amigável com qualquer outra pessoa. De certa forma, isso torna tudo pior.

De repente me distraio com um gorro de crochê vermelho e roxo entrando na sala de visitas. Josh se vira para ver o que estou olhando. Meredith e Rashimi percebem seu movimento e tiram os olhos dos livros que estão lendo.

— Oh, Deus — Rashimi diz. — Ele está usando o gorro.

— Eu gosto do gorro — diz Mer.

— Previsível — diz Josh.

Meredith olha feio para ele. Viro-me para olhar melhor para o gorro e me surpreendo ao perceber que está exatamente atrás de mim. E está na cabeça de St. Clair.

— Então, o gorro está de volta — diz Rashimi.

— Sim... — ele responde. — Eu sei que vocês sentiram faltam dele.

— Há uma história por trás do gorro? — pergunto.

— Só que a mãe dele fez o gorro para ele no inverno passado e todos concordamos que era o acessório mais horrível de Paris — diz Rashimi.

— Oh, sim? — St. Clair o tira e o soca na cabeça de Rashimi. Suas duas tranças saem por baixo. — Parece ótimo em você. Muito encantador.

Ela se enraivece e o joga de volta e então alisa o cabelo. Ele o coloca de volta no seu cabelo desarrumado e acabo concordando com Mer. É na verdade bem bonitinho. Parece quente e penugento, como um urso de pelúcia.

— Como foi o show? — Mer pergunta.

Ele dá de ombros. — Nada espetacular. O que vocês têm feito?

— Anna está compartilhando a lembrança carinhosa de seu pai — diz Josh.

St. Clair faz cara de nojo.

— Prefiro não entrar em detalhes novamente. — Fecho meu *laptop*.

— Se estiver pronta, tenho algo para você — diz St. Clair.

— O quê? Quem, eu?

— Lembra-se de que prometi que a tornaria menos americana?

Eu sorrio. — Você tem meu passaporte francês? — Eu não tinha esquecido a promessa dele, mas achei que ele tivesse, essa conversa foi há semanas. Estou surpresa e lisonjeada que ele se lembre.

— Melhor. Chegou pelo correio ontem. Vamos lá, está no meu quarto. — E com isso ele põe as mãos nos bolsos do casaco e caminha em direção à escadaria.

Coloco o computador na bolsa, atiro-a aos ombros e os encolho em sinal de indiferença para os outros. Mer parece magoada, e por um momento me sinto culpada. Mas não é como se eu estivesse roubando-o dela. Sou amiga dele também. Sigo-o por cinco lances de escada e ele me guia pelo corredor. Estou nervosa e empolgada. Nunca vi o quarto dele. Sempre nos encontramos na sala de visitas ou no meu andar.

— Lar, doce lar. — Ele tira um chaveiro escrito "Eu deixei meu ♥ em São Francisco". Outro presente de sua mãe, suponho. Grudado à porta tem um desenho dele usando um chapéu de Napoleão. Trabalho de Josh.

— Ei, 508! Seu quarto é exatamente acima do meu. Você nunca me disse.

St. Clair sorri. — Talvez eu não quisesse que você me culpasse por mantê-la acordada à noite com minhas botas barulhentas.

— Cara, você faz barulho.

— Eu sei. Desculpe. — Ele ri e abre a porta para mim. Seu quarto é mais organizado do que eu esperava. Sempre imagino garotos com quartos nojentos — montanhas de cuecas encardidas, camisetas manchadas de suor, camas desarrumadas com lençóis que não são trocados há semanas, pôsteres de garrafas de cerveja e mulheres em biquínis de néon, latas de refrigerante vazias, saquinhos de salgadinhos, partes aleatórias de aeromodelos e *video games* deixados de lado.

O quarto de Matt é assim. Sempre me deu nojo. Nunca sabia quando ia me sentar em um pacote da Taco Bell.

Mas o quarto de St. Clair é arrumado. Sua cama é feita e tem só uma pilha de roupas no chão. Não há pôsteres cafonas, somente um mapa do mundo antigo grudado sobre a escrivaninha e duas pinturas a óleo sobre a cama. E livros. Nunca vi tantos livros em um só quarto. Eles estão arranjados ao longo das paredes como torres — grossos livros de história e livros de bolso esfarrapados e... um OED. Como o de Bridge.

— Não acredito que conheço duas pessoas loucas o suficiente para terem o OED!

— Ah, sim! E quem é a outra?

— Bridge. Deus, o seu é novo? — A lombada é nítida e reluzente. O de Bridgette é algumas décadas mais velho e suas lombadas estão arranhadas e despedaçando.

St. Clair parece sem jeito. Seu *The Oxford English Dictionary* é milhares de dólares mais novo e, mesmo que nós nunca tenhamos falado nisso, ele sabe que não tenho dinheiro para ficar gastando como o resto dos nossos colegas de sala. Fica claro quando peço o que tem de mais barato no cardápio toda vez que saímos para comer fora. Meu pai pode querer me dar uma educação pomposa, mas não está preocupado com os meus gastos diários. Já pedi duas vezes para ele um aumento na minha mesada, mas ele recusou dizendo que preciso aprender a viver com o que tenho. O que é difícil quando ele não me dá meios suficientes para que eu possa começar.

— O que foi que aconteceu com ela e aquela banda? — ele pergunta, mudando de assunto. — Ela vai se tornar a baterista?

— Sim, o primeiro ensaio deles é esta semana.

— É a banda daquele cara... Costeletas, certo?

St. Clair sabe o nome de Toph. Está tentando encher o saco, então, ignore. — Sim. E então, o que você tem para mim?

— Está bem aqui. — Ele me entrega um envelope amarelo acolchoado da sua escrivaninha e meu estômago dança como se fosse meu aniversário. Rasgo o envelope. Um pequeno pedaço de pano cai no chão. É a bandeira canadense.

Eu a pego. — Humm... Obrigada?

Ele atira o gorro sobre a cama e esfrega o cabelo. Este voa em todas as direções. — É para a sua mochila, assim as pessoas não vão pensar que você é americana. Os europeus são muito mais compreensivos com os canadenses.

Eu rio. — Então eu a adoro. Obrigada.

— Você não está ofendida?

— Não, é perfeita.

— Eu tive de pedir pela internet, é por isso que demorou tanto. Não sabia onde podia encontrar uma em Paris, desculpe. — Ele vasculha a gaveta da escrivaninha e pega um alfinete. Pega a pequena bandeira com a folha de ácer e cuidadosamente a prende no bolso da minha mochila. — Pronto. Você é oficialmente canadense. Tente não abusar de seu novo poder.

— O que quer que seja. Certamente vou sair hoje à noite.

— Bom — ele relaxa. — Você deveria.

Estamos ambos parados. Ele está tão perto de mim. Seu olhar está preso no meu e meu coração bate dolorosamente no peito. Afasto-me e olho em outra direção. Toph. Gosto do Toph, não do St. Clair. Por que tenho de ficar lembrando disso? St. Clair está desconfortável.

— Você pintou esses quadros? — Eu estou desesperada para mudar o clima. — Aqueles em cima da sua cama? — Olho de volta e ainda está olhando fixamente para mim.

Ele morde a unha do polegar antes de responder. Sua voz está estranha. — Não. Minha mãe pintou.

— Verdade? Uau, eles são bons! Muito, muito... bons.

— Anna...

— Isso é aqui em Paris?

— Não, é a rua em que eu cresci. Em Londres.

— Oh.

— Anna...

— Hum? — Fico em pé de costas para ele, tentando examinar as pinturas. Elas são muito boas. Demonstro não conseguir me concentrar. Claro que não é Paris. Eu deveria saber...

— Aquele cara. Costeletas. Você gosta dele?

Minhas costas se contorcem. — Você já me perguntou isso antes.

— O que quero dizer é — ele diz, afobado. — Seus sentimentos não mudaram? Desde que você chegou?

Leva algum tempo para eu considerar a pergunta. — Não é uma questão de como eu me sinto — digo finalmente. — Eu estou interessada, mas... não sei se ele ainda está interessado em mim.

St. Clair move-se para mais perto. — Ele ainda te liga?

— Sim. Quero dizer, não com muita frequência. Mas sim.

— Certo. Certo, bem — ele diz, piscando. — Aí está sua resposta.

Desvio o olhar. — Eu devia ir. Tenho certeza de que você deve ter planos com Ellie.

— Sim. Quer dizer, não. Quero dizer, não sei. Se você não for fazer...

Abro a porta. — Então, te vejo mais tarde. Obrigada pela cidadania canadense. — Bato na bandeira na minha bolsa.

St. Clair parece estranhamente magoado. — Sem problemas. Feliz em servir.

Desço dois degraus de cada vez até o meu andar. O que acabou de acontecer? Em um minuto estávamos bem e no outro foi como se eu não conseguisse sair o mais rápido possível. Preciso sair daqui. Preciso sair do dormitório. Talvez não seja uma americana corajosa, mas acho que posso ser uma canadense corajosa. Agarro o *Pariscope* de dentro do meu quarto e corro escada abaixo.

Vou conhecer Paris. Sozinha.

Capítulo 13

— *Un place s'il vous plâit.*

Um lugar, por favor. Chequei minha pronúncia duas vezes antes de me dirigir até a bilheteria e desembolsar os meus euros. A vendedora nem pisca, simplesmente rasga meu bilhete na metade e me entrega a outra parte. Aceito-o graciosamente e balbucio obrigada. Dentro do cinema, a lanterninha examina meu bilhete. Ela o rasga parcialmente, e sei por observar meus amigos que tenho de lhe dar uma gorjeta por essa tradição inútil. Toco minha bandeira canadense para dar sorte, mas não preciso disso. A jogada é fácil.

Eu consegui. Eu consegui!

Meu alívio é tão profundo que mal noto meus pés trinchando o caminho até a minha fileira favorita. O cinema está quase vazio. Três garotas mais ou menos da minha idade estão nos fundos e um casal de velhos senta-se à minha frente, dividindo uma caixa de balas. Algumas pessoas têm preconceito sobre ir ao cinema sozinhas, mas eu não. Porque quando as luzes se apagam, a única relação que ainda existe na sala é entre mim e o filme.

Afundo na cadeira de molas e me perco nas pré-estreias. Comerciais franceses se misturam a elas e me divirto tentando adivinhar do que eles são antes que o produto apareça. Dois homens perseguem um ao outro na Grande Muralha da China para anunciar roupas. Uma mulher pouco vestida se esfrega contra um pato grasnindo para vender móveis. Uma batida techno e uma silhueta dançante querem que eu faça o quê? Vá à boate? Fique bêbada?

Eu não tenho ideia.

E então *Mr. Smith goes to Washington* começa. James Stewart faz o papel de um homem ingênuo e idealista que é mandado para o Senado, onde todos acreditam que podem tirar vantagem dele. Acham que ele falhará e será mandado embora, mas Stewart mostra para todos que é mais forte do que acreditavam, mais forte do que eles. Gosto disso.

Eu penso em Josh. Imagino que tipo de senador o pai dele é.

O diálogo é traduzido em amarelo ao longo do rodapé da tela. O cinema está em silêncio, respeitável até a primeira piada. Os parisienses e eu rimos juntos. Duas horas passam voando e então me encontro sob um poste relampejante, perdida em um torpor reconfortante, pensando sobre o que verei amanhã.

— Indo para o cinema hoje de novo? — Dave verifica o número da página em que estou e abre o seu livro de francês no capítulo sobre família. Como sempre, nós nos juntamos em pares para um exercício sobre habilidades conversacionais.

— Sim. *The Texas chain saw massacre*. Você sabe, para entrar no espírito do feriado. — O Halloween é neste fim de semana, mas não vejo decoração alguma aqui. Deve ser uma coisa americana.

— O original ou a refilmagem? — *professeur* Gillet passa pelas nossas carteiras e Dave rapidamente acrescenta — *Je te présente ma familie. Jean-Pierre est... l'oncle.*

— Hum. O quê?

— *Quoi* — *professeur* Gillet corrige. Eu a espero parar, mas ela segue em frente. Ufa.

— Original, claro. — Mas estou impressionada que ele saiba que houve uma refilmagem.

— Isso é engraçado, não pensaria que você é fã de filme de terror.

— Por que não? — Irrito-me com a implicação. — Aprecio qualquer filme bom.

— Sim, mas a maioria das garotas tem medo desse tipo de coisas.

— O que significa isso? — Minha voz se eleva e Madame Guillotine ergue a cabeça. — *Marc est mon... frère* — eu digo, falando a primeira palavra em francês que vejo. Irmão. Marc é meu irmão. Opa. Desculpe, Sean.

Dave coça o pescoço cheio de sardas. — Você sabe. A garota sugere um filme de terror para o namorado e então fica com medo e se agarra nele.

Suspiro. — Por favor. Eu já vi tantos namorados medrosos saírem na metade do filme como namoradas medrosas...

— E quantos filmes serão esta semana, Oliphant? Quatro? Cinco?

Seis, na verdade. Vi dois no domingo. Tenho seguido uma rotina: escola, tarefas, jantar, cinema. Estou traçando meus caminhos aos poucos ao longo da cidade, cinema por cinema.

Dou de ombros, não querendo admitir para ele.

— Quando você vai me convidar, hein? Talvez eu goste de filmes assustadores também.

Finjo estar estudando a árvore genealógica no meu livro. Não é a primeira vez que ele diz uma coisa dessas. E Dave é uma gracinha, mas não gosto dele desse jeito. É difícil levar um cara a sério quando ele ainda fica balançando a cadeira para trás só para chatear um professor.

— Talvez goste de ir sozinha. Talvez me dê tempo para pensar sobre as minhas críticas. — O que é verdade, mas eu me contenho em dizer que geralmente não estou sozinha. Às vezes Meredith vai comigo, outras vezes Rashimi, e algumas vezes St. Clair.

— Claro. Suas críticas. — Ele arranca meu caderno espiral que está embaixo do livro *Francês Nível Ums*.

— Ei! Devolve isso!

— Qual é a sua página de novo? — Dave passa pelas páginas e tento agarrar o caderno. Não tomo notas enquanto assisto; prefiro esperar até mais tarde, quando tenho tempo para pensar sobre o filme. Mas gosto de escrever minhas primeiras impressões depois disso.

— Como eu disse. Devolve isso.

— De qualquer forma, qual é o lance? Por que você não vai ao cinema como uma pessoa normal, só por diversão?

— É divertido. E te disse antes, é uma prática boa. Além do mais, não consigo ver clássicos como esses em casa. — Sem mencionar que não consigo assistir em silêncio tão glorioso. Em Paris, ninguém fala durante o filme. Deus proteja a pessoa que trouxer um pacote barulhento ou papel-celofane amassado.

— Por que você precisa praticar? Não é tão difícil assim.

— Ah é? Gostaria de ver você escrever uma crítica com 600 palavras assim: "Eu gostei. Foi legal. Houve explosões." — Tento apanhar meu livro, mas ele o tem sobre a cabeça.

Ele ri. — Cinco estrelas para as explosões.

— Devolve aquilo!

Uma sombra se forma sobre nós. Madame Guillotine observa de cima, esperando que continuemos. O resto da sala está nos olhando fixamente. Dave solta o caderno e eu me encolho.

— Hum... *très bien,* David — eu digo.

— Quando tiverem terminado essa fascinante discussão, por favor, retornem à atividade. — Seus olhos se apertam. — E duas páginas sobre *vos famillies, en français, pour lundi matin.*

Nós concordamos encabulados e seus saltos batem em retirada. — Para *lundi matin*? Que droga significa isso? — sussurro para Dave.

Madame Guillotine não interrompe suas passadas. — Segunda pela manhã, *Mademoiselle* Oliphant.

No almoço, lanço minha bandeja sobre a mesa. A sopa de lentilha sai pelo canto da minha tigela e minha ameixa sai rolando. St. Clair a pega.

— O que está acontecendo com você? — ele pergunta.

— Francês.

— Não está indo bem?

— Não está indo bem.

Ele coloca a ameixa de volta na minha bandeja e sorri. — Você vai pegar o jeito.

— Fácil para você dizer isto, Senhor Bilíngue.

Seu sorriso desaparece. — Desculpe. Você está certa, foi injusto. Eu me esqueço às vezes.

E mexo minhas lentilhas agressivamente. — *Professeur* Gillet sempre me faz sentir uma estúpida. Não sou estúpida.

— Claro que você não é. Seria loucura se alguém esperasse fluência. Leva tempo para aprender qualquer coisa, principalmente línguas.

— Só estou tão cansada de ir lá fora — indico as janelas — e me sentir totalmente desamparada.

St. Clair fica surpreso com a minha fúria. — Você não está desamparada. Você sai toda noite, geralmente sozinha. Você está muito diferente do que quando chegou. Não seja tão dura consigo mesma.

— Humph.

— Ei! — Ele chega mais perto. — Lembra-se do que *professeur* Cole disse sobre a falta de romances traduzidos na América? Ela disse que é importante nos expormos a uma nova cultura, novas situações. E é exatamente isso que você está fazendo. Você está saindo e tentando algo novo. Tem de estar orgulhosa de si mesma. Danem-se as aulas de francês, isso não quer dizer nada.

Tento um sorriso diante do seu anglicismo. Falando em tradução. — Sim, mas *professeur* Cole estava falando de livros, não da vida real. Existe uma grande diferença.

— Existe? Que tal filmes? Você não é uma daquelas que está sempre se referindo ao cinema como uma reflexão sobre a vida? Ou foi algum outro crítico famoso que conheço?

— Cala a boca. É diferente.

St. Clair ri, sabendo que me convenceu. — Viu só? Você deveria passar menos tempo se preocupando com o francês e mais tempo... — Sua voz vai desaparecendo, algo atrás de mim chama sua atenção. Sua expressão é de crescente repulsa.

Viro-me e encontro Dave, ajoelhado na cantina à nossa frente. Sua cabeça está curvada e ele lança um pequeno prato no ar na minha frente. — Permita-me presenteá-la com uma bomba de chocolate em sinal das minhas mais humildes desculpas.

Meu rosto queima. — O que você está fazendo?

Dave olha para cima e sorri. — Desculpe pela tarefa extra. Foi minha culpa.

Estou sem palavras. Como não pego a sobremesa, ele se levanta e a coloca na minha frente com grande pompa. Todos estão olhando. Ele pega uma cadeira da mesa detrás da nossa e se posiciona entre mim e St. Clair.

St. Clair não consegue acreditar. — Sinta-se em casa, David.

Dave parece não ouvi-lo. Enfia o dedo na grossa camada de chocolate e o lambe. As mãos dele estão limpas?

— Então. Hoje à noite. *Texas chain saw massacre*. Nunca vou conseguir acreditar que você não tem medo de filmes de terror se você não me deixar levá-la ao cinema.

Ai meu Deus, não acredito que Dave está me convidando para sair na frente de St. Clair. Ele odeia o Dave; eu me lembro de ele ter dito isso antes de assistirmos a *It happened one night*. — Hum... desculpe! — Busco uma desculpa. — Mas eu não vou. Não vou mais. Apareceu outra coisa.

— Vamos lá. Nada pode ser tão importante em uma sexta à noite. — Ele belisca meu braço e eu olho desesperada para St. Clair.

— Projeto de física — ele interrompe, olhando para a mão de Dave. — De última hora. Muita coisa para fazer. Nós somos parceiros.

— Você terá o fim de semana todo para fazer. Relaxa, Oliphant. Viva um pouco.

— Na verdade — diz St. Clair —, parece que Anna tem bastante tarefa extra para fazer neste fim de semana. Graças a você.

Dave finalmente se vira e encara St. Clair. Trocam olhares zangados.

— Desculpe — digo. De verdade. Sinto-me terrível por rejeitá-lo, principalmente na frente de outra pessoa, ele é um cara legal, apesar do que St. Clair diz.

Mas Dave olha novamente para St. Clair. — Legal — ele diz após um momento. — Entendi.

— O quê? — Eu estou confusa.

— Eu não percebi... — Dave aponta para mim e St. Clair.

— Não! Não. Não existe nada. É verdade, nós vamos ao cinema em outra oportunidade. Só estou ocupada hoje. Com o projeto de física.

Dave parece chateado, mas dá de ombros. — Sem problemas. Ei, vocês vão à festa amanhã à noite?

Nate está dando uma festa de Halloween para o Résidence Lambert. Eu não tinha intenção de ir, mas minto para fazer com que ele se sinta melhor. — Sim, provavelmente. Vejo você lá.

Ele se levanta. — Legal. Estou contando com você.

— Claro. Certo. Obrigada pela bomba! — digo.

— De nada, gracinha.

Gracinha. Ele me chamou de gracinha! Mas espera aí. Não gosto do Dave. Eu gosto do Dave?

— Babaca — diz St. Clair, assim que ele fica fora de alcance.

— Não seja rude.

Ele olha para mim com uma expressão impenetrável. — Você não estava reclamando enquanto arrumava uma desculpa para você.

Empurro a bomba. — Ele me jogou no holofote, é só isso.

— Você deveria me agradecer.

— Obrigada — digo sarcasticamente. Sei que os outros estão olhando para nós. Josh pigarreia e aponta para a minha sobremesa com um buraco de dedo.

— Você vai comer isso? — pergunta.

— Sinta-se à vontade.

St. Clair levanta-se tão repentinamente que sua cadeira cai no chão.

— Onde você está indo? — Mer pergunta.

— Lugar nenhum. — Ele sai deixando-nos em silêncio. Depois de algum tempo, Rashimi se curva. Ela levanta as sobrancelhas escuras.

— Sabe, Josh e eu os vimos brigando há algumas noites.

— Quem? St. Clair e Dave? — Mer pergunta.

— Não, St. Clair e Ellie. É por isso, sabe?

— É? — pergunto.

— Sim, ele tem estado no limite a semana toda — diz Rashimi.

Eu considero a informação. — É verdade. Ouvi-o caminhar pelo quarto. Ele não costuma fazer isso. — Não é que eu faça questão de ouvir, mas agora que sei que St. Clair mora no quarto acima do meu, não posso evitar, e noto suas idas e vindas.

Josh me olha estranho.

— Onde você os viu? — Mer pergunta a Rashimi.

— Em frente ao Cluny *métro*. Íamos dizer olá, mas quando vimos suas expressões, mudamos de direção, fomos pelo outro lado. Definitivamente, não era uma conversa que eu quisesse interromper.

— Sobre o que brigavam? — Mer pergunta.

— Sei lá. Não consegui ouvi-los.

— É ela. Ela está tão diferente agora.

Rashimi franze a testa. — Ela acha que é tão melhor que nós, agora que está na Parsons.

— E o jeito como se veste — diz Mer, com um tom amargo. — Como se ela achasse que fosse verdadeiramente parisiense.

— Ela sempre foi daquele jeito — Rashimi bufa.

Josh ainda está em silêncio. Ele limpa a bomba, limpa o creme dos dedos e retira o seu livro de esboços. O modo como ele se concentra, desviando a atenção da conversa de Meredith e Rashimi, é... proposital. Tenho a sensação de que sabe mais sobre a situação de St. Clair do que está deixando transparecer. Garotos conversam sobre essas coisas uns com os outros? Seria possível?

St. Clair e Ellie estão terminando?

Capítulo 14

— Vocês todos não acham que piquenique no cemitério no Dia de Halloween é clichê demais?

Nós cinco — Mer, Rashimi, Josh, St. Clair e eu — estamos passeando pelo Cimetière du Père-Lachaise que fica em uma ladeira com vista para Paris. É como uma cidade em miniatura. Corredores largos funcionam como as ruas através das vizinhanças de tumbas elaboradas. Elas lembram pequenas mansões góticas com suas portas arqueadas e janelas esculturais de vitral. Uma parede de pedra com soldados e portões de ferro circundam todo o perímetro. Castanhas maduras esticam seus galhos sobre nossa cabeça e balançam suas últimas folhas douradas.

É uma cidade mais tranquila que Paris, mas não menos impressionante.

— Ei, ouviram a Anna dizer "vocês todos"? — Josh pergunta.

— Oh, meu Deus. Perdi essa.

— Perdeu mesmo — Rashimi diz. Ela ajeita a mochila nas costas e segue Mer por outro caminho. Fico contente que meus amigos saibam andar por aqui porque eu estou perdida. — Eu disse que você tinha sotaque.

— É um cemitério, não uma necrópole — St. Clair explica.

— Tem diferença? — pergunto, agradecida por ter uma oportunidade para ignorar o casal.

— Um cemitério é um pedaço de terra que existe, especificamente, para enterros, ao passo que uma necrópole fica sempre nos jardins de uma igreja. Claro, hoje as palavras são praticamente as mesmas, então não tem muita importância...

— Você sabe muita porcaria inútil, St. Clair. Acho que é tão gracioso — Josh diz.

— Acho interessante — diz Mer.

St. Clair sorri. — Pelo menos cemitério soa mais clássico. E você deve admitir: este lugar é bastante clássico. Ou, me desculpe — ele se vira para mim. — Você preferiria estar na festa de Halloween do Lambert? Ouvi dizer que Dave Higgenbottom ia levar o *bong* de cerveja.

— Higgenbaum.

— Foi isso que eu disse. Higgenbum.

— Oh, deixe-o em paz. Além do mais, na hora em que este lugar fechar teremos bastante tempo para curtir a festa. — Reviro os olhos quando ouço a última palavra. Nenhum de nós tem planos de ir, exceto o que eu disse para o Dave ontem na hora do almoço.

St. Clair me cutuca com uma garrafa térmica. — Talvez você esteja chateada porque ele não terá a oportunidade de paquerar você com o seu estupendo conhecimento sobre rachas.

Rio. — Corta essa.

— E fiquei sabendo que ele tem um requintado gosto para filmes. Talvez a leve para uma sessão à meia-noite de *Scooby-Doo 2*.

Bato em St. Clair com a minha bolsa e ele esquiva-se para o lado.

— Aha! Aqui está! — Mer exclama, após achar um lugar legal. Ela estica um cobertor no pequeno espaço de grama, enquanto eu e Rashimi desembrulhamos sanduíches de presunto e queijos fedorentos das nossas mochilas. Josh e St. Clair correm um atrás do outro ao redor dos monumentos próximos. Eles me fazem lembrar os meninos das séries iniciais das escolas francesas que vejo na nossa vizinhança. Só faltam os suéteres iguais.

Mer coloca café para todos da garrafa térmica de St. Clair e eu o tomo alegremente, apreciando o calor agradável que se espalha pelo meu corpo. Costumava achar que café era amargo e nojento, mas, como todo mundo, tomo várias xícaras por dia. Atacamos a comida, e como em um passe de mágica os garotos estão de volta. Josh cruza as pernas e se senta perto de Rashimi, enquanto St. Clair fica entre mim e Mer.

— Você está com folhas no seu cabelo. — Mer cai na gargalhada e retira uma das folhas dos cachos de St. Clair. Ele pega de volta, amassa-a até virar pó e assopra nos cabelos de Mer. Eles riem e eu sinto uma pontada em meu estômago.

— Talvez você devesse colocar o gorro — digo. Ele me pediu para levá-lo antes de sairmos. Jogo a minha bolsa no seu colo, talvez um pouco forte demais. St. Clair sente que o fiz com força e move-se para a frente.

— Cuidado — Josh morde uma maçã e fala de boca cheia. — Ele tem partes aí que você não tem.

— Oooh, partes — eu digo. — Intrigante. Conta mais sobre isso.

Josh sorri tristemente. — Desculpe. Informação privilegiada. Só pessoas com partes podem saber sobre as partes mencionadas.

St. Clair balança as outras folhas de seu cabelo e coloca o gorro. Rashimi faz uma careta para ele. — Sério? Hoje? Em público? — ela pergunta.

— Todo dia — ele diz. — Desde que você esteja comigo.

Ela bufa. — E então, o que a Ellie está fazendo hoje?

— Hum... Ellie foi a uma festa à fantasia.

— Você não gosta de festas à fantasia?

— Não gosto de fantasias.

— Só de chapéus — Rashimi diz.

— Não percebi que pessoas fora da SOAP estivessem celebrando o Halloween — eu digo.

— Poucas pessoas estão — Josh responde. — Os lojistas tentaram transformar isso em uma coisa comercial alguns anos atrás. Não pegou. Mas dê uma boa chance a uma garota universitária de se vestir como uma enfermeira safada e ela com certeza vai gostar.

St. Clair joga um pedaço de *chèvre* na cabeça de Josh e acerta sua bochecha. — Seu besta. Ela não vai vestida de enfermeira safada.

— Enfermeira normal, então? — eu pergunto inocentemente. — De vestidinho curto e peitos enormes?

Josh e Rashimi caem na risada, e St. Clair puxa o gorro sobre os olhos. — Ah, odeio todos vocês.

— Ei. — Meredith parece magoada. — Eu não disse nada.

— Odeio todos vocês menos a Mer.

Um pequeno grupo de turistas americanos para atrás de nós. Eles parecem confusos. Um cara de barba, por volta dos 20 anos, abre a boca para falar, mas

Rashimi o interrompe. — Jim Morrison é por ali. — Ela aponta para baixo do caminho. O cara barbado sorri aliviado, graças a ela, e eles continuam andando.

— Como você sabia o que ele queria? — pergunto.

— É sempre o que eles querem.

— Quando deveriam estar procurando por Victor Noir — Josh diz. Todos riem.

— Victor Noir. Ele era um jornalista que foi assassinado por Pierre Bonaparte — St. Clair diz como se isso explicasse alguma coisa. Ele tira o gorro dos olhos. — Supõe-se que a estátua no seu túmulo ajuda na... fertilidade.

— Seu pênis é lustrado — Josh elabora. — Para dar sorte.

— Por que estamos falando sobre partes de novo? — Mer pergunta. — A gente não pode falar sobre outra coisa não?

— Verdade? — pergunto. — Pênis lustrado?

— Muito — St. Clair diz.

— Isso é algo que eu tenho de ver. — Engulo o resto do café, limpo os restos de pão da minha boca e me levanto. — Onde está Victor?

— Permita-me. — St. Clair se levanta e sai. Eu o sigo. Ele corta caminho por uma área sem árvores e bato nos galhos atrás dele. Estamos rindo quando chegamos a um caminho e trombamos com um guarda. Ele franze a testa por baixo do chapéu militar. St. Clair me dá um sorriso angelical e um leve dar de ombros. O guarda balança a cabeça, mas nos deixa passar.

St. Clair sempre consegue tudo.

Caminhamos com calma exagerada e ele aponta para uma área com pessoas tirando fotos. Paramos e esperamos a nossa vez. Um gato preto magricela salta detrás de um altar cheio de rosas e garrafas de vinho, e corre em direção aos arbustos.

— Bem, isso foi bastante assustador. Feliz Halloween.

— Você sabia que este lugar é abrigo de 3.000 gatos? — St. Clair pergunta.

— Claro. Está arquivado em meu cérebro sob o nome "Felinos, Paris".

Ele ri. Os turistas se movem para o próximo ponto e ambos estamos sorrindo quando nos aproximamos de Victor Noir. Sua estátua é de tamanho natural e está deitada sobre a tumba. Seus olhos estão fechados e sua cartola, ao lado. E, apesar do fato de a pátina verde-cinza estar coberta, sua calça tem uma protuberância marcante que, de fato, foi bastante lustrada.

— Se tocá-lo tenho direito a outro pedido? — pergunto me lembrando do Point Zéro.

— Não. Victor lida especificamente com fertilidade.

— Vai em frente. Esfregue.

St. Clair se afasta para o outro túmulo. — Não, muito obrigado. — Ele ri de novo. — Não preciso desse tipo de problema. — Minha própria risada fica na garganta quando percebo o que disse. Larga mão disso. Não o deixe perceber quanto isso a incomoda.

— Bom, se você não vai tocá-lo, eu vou. Não corro nenhum perigo quanto a isso — abaixo a minha voz para um sussurro zombeteiro. — Você sabe, ouvi dizer que você tem de fazer sexo de verdade para ficar grávida.

Vejo a pergunta aparecer imediatamente na minha cabeça. Que droga. Talvez eu tenha sido muito precipitada no meu comentário. St. Clair parece meio envergonhado, meio curioso. — Então, hum... você é virgem?

Ai! Eu e minha boca grande.

Meu desejo irresistível é mentir, mas a verdade vem à tona. — Nunca conheci ninguém com quem eu me preocupasse tanto. Quero dizer, nunca namorei ninguém com quem eu me preocupasse tanto. — Enrubesço e esfrego Victor. — Eu tenho uma regra.

— Elabore.

A estátua ainda está quente do visitante anterior.

— Eu pergunto a mim mesma: se o pior acontecesse, se eu ficasse grávida, eu teria vergonha de contar ao meu filho quem era o seu pai? Se a resposta chegar perto de sim, então não tem jeito.

Ele concorda vagarosamente. — É uma boa regra.

Percebo que ainda estou com a mão sobre o "victor" do Victor e a puxo de volta.

— Espere, espere, espere — St. Clair tira o telefone. — Uma vez mais, para a posteridade.

Ponho a língua para fora e mantenho a pose ridícula. Ele tira uma foto. — Brilhante, verei isto todas as vezes que você ligar. — Seu celular começa a tocar. — Assombroso.

— É o fantasma de Victor, querendo saber por que você não quer tocá-lo.

— Sou eu, mãe. Espera aí.

— Wooo, me acaricie, St. Clair.

Ele responde, tentando manter uma cara séria conforme Meredith, Rashimi e Josh chegam caminhando por trás de nós. Estão carregando o resto do nosso piquenique.

— Obrigada por nos excluir — Rashimi diz.

— Dissemos aonde estávamos indo — eu respondo.

Josh agarra as partes da estátua. — Eu acho que são sete anos de azar.

Mer suspira. — Joshua Wasserstein, o que diria sua mãe?

— Ela ficaria orgulhosa de o Instituto de Aprendizagem Requintado para o qual me mandou estar me ensinando modos tão refinados. — Ele se debruça sobre a estátua e a lambe.

Mer, Rashimi e eu fazemos expressão de desgosto.

— Você certamente vai pegar herpes. — Tiro o meu higienizador e espremo um pouco em minhas mãos. — Sério, você devia pôr um pouco disto nos seus lábios.

Josh balança a cabeça. — Você é tão neurótica. Carrega isso para todo lugar?

— Você sabe — Rashimi diz. — Eu ouvi dizer que, se você usa muito dessa coisa, pode na verdade dessensibilizar os germes e ficar mais doente.

Eu congelo. — O quê? Não!

— Ah! — Josh diz.

— Oh, meu Deus, você está bem?

Ao som do alarde de Mer, eu rapidamente viro a cabeça.

St. Clair caiu em uma tumba. É a única coisa que o impede de cair no chão. Nós quatro corremos para o lado dele. Ele ainda está com o telefone na orelha, mas não está mais ouvindo. Falamos todos juntos. — O que aconteceu? Você está bem? O que é isso?

Ele não responde. Não olha para cima.

Trocamos olhares preocupados. Não, aterrorizados. Algo está muito errado. Josh e eu o colocamos no chão antes que ele caia. St. Clair olha para cima, surpreso em nos ver carregando-o.

— Minha mãe.

— O que aconteceu? — pergunto.

— Ela está morrendo.

Capítulo 15

St. Clair está bêbado.

Seu rosto está enfiado entre as minhas pernas. Sob circunstâncias favoráveis, isso seria bastante excitante. Levando-se em conta que acabou de vomitar, é menos atraente ainda. Empurro sua cabeça em direção aos meus joelhos, em uma posição menos constrangedora, e ele reclama. É a primeira vez que toco seu cabelo. É macio, como o de Sean quando era bebê.

Josh e St. Clair apareceram há quinze minutos, cheirando a álcool e cigarro. Uma vez que nenhum deles fuma, certamente estavam em um bar.

— Foi mal. Ele disse que devíamos vir aqui — Josh arrastou o corpo mole de seu amigo para dentro do meu quarto. — Não vai ficar quieto "sobristo". "Sobristo". Ha ha.

St. Clair balbucia desnorteado em uma pronúncia britânica irreconhecível. — Meu pai "ézumiziota". Eu vou matá-lo. Vou matá-lo, eu estou com "zanzaaaaaa" raiva. — Então, sua cabeça rolou para o lado e o queixo bateu violentamente contra o peito. Alarmada, levei-o até a minha cama e o segurei do lado para dar algum suporte.

Josh olhou para a foto de Sean na minha parede. — Aquilo — ele disse.

— Ahhhhh-nãooo, ele é um babaca. Estou falando sério. — St. Clair arregalou os olhos para enfatizar mais ainda o que disse.

— Eu sei, eu sei que ele é. — Mesmo que eu não soubesse. — Você vai parar com isso? — disparo contra Josh. Ele ficou de pé em minha cama com o nariz pressionando a foto de Sean. — Ele está bem?

— A mãe dele está morrendo. Eu "zãoachoqueeleezteja" bem — Josh tropeça e vai em direção ao telefone. — Disse para Rashimi que ia ligar para ela.

— A mãe dele não está você-sabe-o-quê. Como você pode dizer uma coisa dessas? — Eu me viro para St. Clair. — Ela vai ficar bem, sua mãe está bem, você está me ouvindo?

St. Clair arrotou.

— Jesus. Eu não estava preparada para esse tipo de situação.

— Câncer. — Ele levanta a cabeça. — Ela não pode ter câncer.

— Rashimi "zou" eu — Josh diz no telefone. — Mer? Coloca Rashimi na linha. "Zé" uma emergência.

— Não é uma emergência — eu grito. — Eles só estão bêbados.

Segundos depois, Meredith bateu na minha porta e eu a deixei entrar. — Como você sabia que estávamos aqui? — pergunta Josh, espantado, com a cabeça fincada na porta. — Onde está Rashimi?

— Ouvi você através da porta, seu idiota. E você ligou no meu telefone e não no dela. — Ele pega o celular e então liga para Rashimi, que chega um minuto depois. Elas ficaram lá paradas, observando enquanto St. Clair balbuciava e Josh continuava chocado em razão da repentina aparição das duas. Meu pequeno quarto parecia menor ainda com cinco corpos.

Finalmente, Mer se ajoelhou. — Ele está bem? — Ela foi verificar a temperatura de St. Clair, mas ele empurrou sua mão para longe. Ela pareceu magoada.

— Eu estou bem. Meu pai é um idiota e a minha mãe está morrendo. Oh, meu Deus. Estou com tanta raiva. — St. Clair olha para mim novamente. Seus olhos estavam vítreos como bolas de gude negras. — Com raiva, muita, muita.

— Sabemos que você está bravo com seu pai — eu digo. — Tudo bem, você está certo. Ele é um imbecil. — Quer dizer, o que eu deveria dizer? Ele acabou de descobrir que sua mãe está com câncer.

— Com raiva é a palavra britânica para bêbado — diz Mer.

— Oh — eu digo. — Você definitivamente também está bêbado.

Enquanto isso, o casal estava brigando. — Onde você esteve? — Rashimi perguntou. — Você disse que estaria em casa três horas atrás!

Josh revira os olhos — Saímos. Nós saímos. Alguém tinha de ajudá-lo...

— E você atendeu a esse chamado? Ele está completamente bêbado. Catatônico. E você! Deus, você cheira a escapamento e sovaco...

— Ele não podia beber sozinho.

— Você devia estar cuidando dele! E se algo acontecesse?

— Cerveja. Destilado. "Izoque" aconteceu. Não seja tão hipócrita, Rash.

— Dane-se — Rashimi diz. — Sério, Josh, vai se danar!

Ele dá uma guinada e Mer o empurra em minha cama. O peso de seu corpo, ao atingir o colchão, perturba St. Clair, sua cabeça vai para a frente de novo e seu queixo bate no peito em outra pancada. Rashimi saiu furiosa. Uma pequena multidão se formou no corredor e ela grita coisas ainda piores à medida que tenta abrir caminho. Mer a seguiu — Rashimi! Rashimi! —, e minha porta bateu se fechando.

E foi nesse momento que a cabeça de St. Clair veio parar entre as minhas pernas.

Respire, Anna. Respire.

Josh parece estar desmaiado. Bom. Ótimo. Um garoto a menos para eu ter de tomar conta.

Eu devia pegar um pouco de água para St. Clair. Não é isso que se deve dar a alguém que está bêbado? Então eles não ficam intoxicados de álcool ou algo parecido? Eu o tiro do meio das minhas pernas e ele agarra meus pés.

— Eu já volto — digo. — Prometo.

Ele funga. Oh, não. Ele não vai chorar, vai? Porque, mesmo que seja sensível quando um cara chora, eu não estou nem um pouco preparada para isso. Os escoteiros não me ensinaram o que fazer com garotos emocionalmente instáveis. Pego uma garrafa de água do meu refrigerador e me ajoelho. Ergo sua cabeça — é a segunda vez que toco seus cabelos — e coloco a garrafa na frente de seus lábios. — Beba.

Ele balança a cabeça. — Se eu beber mais, vou vomitar.

— Não é álcool, é água — eu viro a garrafa, a água entra em sua boca e escorre pelo queixo. Ele pega a garrafa e então a derruba. Água escorre pelo chão.

— Ohhh não — ele sussurra. — Foi mal, Anna. Foi mal.

— Tudo bem. — Ele parece tão triste que eu me deito ao seu lado. A poça d'água molha meu bumbum. — O que aconteceu?

St. Clair suspira. É um suspiro profundo e exausto. — Ele não me deixa ir visitar a minha mãe.

— O quê? O que você quer dizer?

— É o que meu pai faz, o que ele sempre tem feito. É o jeito dele de estar no controle.

— Eu não enten...

— Ele tem ciúme. Que ela me ame mais do que a ele. Então ele não me deixa visitá-la.

Minha cabeça roda. Isso não faz sentido algum, nenhum. — Como ele pode fazer isso? Sua mãe está doente. Ela precisará de quimioterapia, precisa de você lá.

— Ele não quer que eu a veja até o Dia de Ação de Graças.

— Mas é daqui um mês! Ela pode estar — eu me detenho. Na hora em que termino a frase em minha cabeça, eu me sinto mal. Mas não há outro jeito. Pessoas da minha idade não têm pais que morrem. Ela fará quimioterapia e claro que vai dar certo. Ela ficará bem. — E então, o que você vai fazer? Ir para São Francisco de qualquer jeito?

— Meu pai me mataria.

— E então? — Estou indignada. — Você ainda conseguiria vê-la!

— Você não entende. Meu pai ficaria muito, muito bravo. — A forma deliberada como ele diz isso me arrepia.

— Mas... ela não pediria ao seu pai que o deixasse ir? Nem mesmo quando ela está... doente?

— Ela não vai desobedecer ao meu pai.

Desobedecer. Como se ela fosse uma criança. Está ficando claro por que St. Clair nunca fala do pai. O meu pode ser egocêntrico, mas nunca me deixaria longe da minha mãe. Sinto-me péssima. Culpada. Meus problemas são tão insignificantes comparados aos dele. Quer dizer, meu pai me mandou para a França. Amedrontador.

— Anna?

— Oi?

Ele pausa. — Esquece.

— O quê?

— Nada.

Mas o seu tom não é de nada. Eu me viro para ele e seus olhos estão fechados. Sua pele está pálida e cansada. — O quê? — eu pergunto de novo, me sentando. St. Clair abre os olhos, percebendo que me mexi. Ele luta para conseguir se sentar também, e eu o ajudo. Quando me levanto, ele agarra minha mão.

— Eu gosto de você — ele diz.

Meu corpo fica tenso.

— E não digo como amigo.

Parece que estou engolindo minha língua. — Uh. Humm. E a... — Puxo a minha mão de volta. O nome dela parece pesado e não consigo dizer.

— Não está certo. Não tem estado desde que a conheci. — Seus olhos se fecham de novo e seu corpo balança.

Ele está bêbado. Só está bêbado.

Acalme-se, Anna. Ele está bêbado e está passando por uma crise. Não há meios de ele saber o que está dizendo agora. Então o que eu faço? Oh, meu Deus, o que devo fazer?

— Você gosta de mim? — St. Clair pergunta. E me olha com aqueles grandes olhos marrons, que, tudo bem, estão um pouco vermelhos por causa da bebida e do choro, e meu coração amolece.

Sim, St. Clair. Eu gosto de você.

Mas não posso dizer isso em voz alta porque ele é meu amigo. E amigos não deixam que outros amigos façam declarações quando estão bêbados e esperam que ajam conforme disseram no dia seguinte.

Mas, uma vez mais... é St. Clair. Bonito, lindo, perfeito, maravilhoso...

Ótimo. Isso é simplesmente ótimo.

Ele vomitou em mim.

Capítulo 16

Eu estou limpando a bagunça quando ouço uma batida em minha porta. Abro-a com o cotovelo para evitar que o vômito toque a maçaneta.

É Ellie. Quase derrubo a minha toalha. — Oh!

Enfermeira safada. Eu não acredito nisso. Vestido curto branco, bumbum arrebitado, com uma cruz vermelha nos seios. Decotadíssimo.

— Anna, mil desculpas — St. Clair lamenta atrás de mim e ela corre para o seu lado.

— Oh meu Deus, St. Clair! Você está bem? — Novamente sua voz rouca me surpreende. Como se a vestimenta de enfermeira não fosse o suficiente para me fazer sentir completamente juvenil e inadequada.

— Claro que não está bem — Josh rosna da cama. — Ele acaba de vomitar na Anna.

Josh está acordado?

Ellie bate nos pés de Josh, que estão pendurados no pé da minha cama. — Levanta. Ajude-me a levá-lo para o quarto dele.

— Eu posso me levantar sozinho. — St. Clair tenta se levantar e Ellie e eu o apoiamos. Ela me encara e eu me afasto.

— Como você soube que ele estava aqui? — pergunto.

— Meredith me ligou, mas eu já estava a caminho. Acabei de receber a mensagem dele. Ele me ligou há algumas horas, mas não atendi porque estava me apontando para essa festa idiota. — Ela gesticula para sua fantasia, chateada consigo mesma. — Eu devia estar aqui. — Ela tira o cabelo de St. Clair da testa. — Está tudo bem, querido. Eu estou aqui agora.

— Ellie? — St. Clair parece confuso como se não tivesse percebido sua presença. — Anna, por que a Ellie está aqui? Ela não deveria estar aqui.

Sua namorada me lança um olhar de ódio e eu me encolho envergonhada. — Ele está muito, muito bêbado — eu digo.

Ela bate em Josh novamente e ele rola da cama. — Tudo bem, tudo bem! — Incrivelmente, ele se levanta e levanta St. Clair do chão. Eles o equilibram entre os ombros. — Abra a porta — ela diz agressivamente. Eu a abro e eles saem balançando.

St. Clair olha de volta. — Anna. Anna, desculpe.

— Tudo bem. Eu já limpei. Tudo bem, não é grande coisa.

— Não. Sobre todo o resto.

A cabeça de Ellie volta-se para mim, com raiva e confusa, mas não me importo. Queria que eles o tivessem deixado aqui. Ele dormiria em minha cama; eu poderia ficar com a Mer. Mas eles já o estão levando em direção ao elevador. St. Clair olha para mim com tristeza conforme a porta do elevador se fecha.

— Ela ficará bem! Sua mãe ficará bem!

Eu não sei se ele me ouve. O elevador range. Fico olhando até que ele desaparece.

Domingo, 1º de novembro, Dia de Todos os Santos. Por incrível que pareça, este é o dia de em que os parisienses visitam o cemitério. Disseram que as pessoas se debruçam sobre os túmulos de seus entes queridos e deixam flores e lembranças pessoais.

O pensamento me deixa doente. Espero que St. Clair não se lembre de que hoje é feriado.

Quando acordo, passo pelo quarto de Mer. Ela já esteve no quarto dele, e, das duas uma: ou ele está dormindo ou não está aceitando visitas. Mais propriamente as duas coisas. — É melhor deixá-lo dormir — ela diz. E tenho certeza de que ele está bem, mas não consigo evitar me concentrar nos barulhos do andar de cima. Os primeiros movimentos começam no fim da tarde, mas ainda são abafados. Passadas lentas ou baques árduos.

Ele não vai sair para o jantar. Josh, que está emburrado e cansado, diz que verificou com ele quando vinha para cá — uma pizzaria onde sempre comemos nas noites de domingo — e St. Clair não queria companhia. Josh e Rashimi tinham se reconciliado. Ela parece satisfeita em vê-lo sofrendo, de ressaca.

Minhas emoções estão em conflito. Estou preocupada com a mãe de St. Clair e estou preocupada com St. Clair, mas também estou furiosa com o pai dele e não consigo me concentrar em mais nada por mais de um segundo antes que minha mente volte a isto: St. Clair gosta de mim. Mais do que como amiga.

Senti verdade em suas palavras, mas como posso apagar o fato de ele estar bêbado? Completamente, positivamente, 110% bêbado. E, por mais que eu queira vê-lo com meus próprios olhos para ter certeza de que está vivo, não sei o que iria dizer. Devemos conversar sobre isso? Ou devo agir como se nunca tivesse acontecido?

Ele precisa de amizade agora, não de drama. E é por isso que é uma droga que isso tenha tornado mais difícil para eu me convencer de que a atenção de St. Clair não foi promissora — ou tão bem-vinda — como tem sido.

Toph me liga por volta da meia-noite. Não nos falamos há semanas. É que, com tudo que tem acontecido por aqui, estou distraída o tempo todo. Só quero voltar para a cama. É muito confuso. É tudo tão confuso.

St. Clair não estava presente de novo no café da manhã. E acho que nem vem para a aula hoje (e quem o culparia por isso?). Ele aparece, quinze minutos atrasado. Preocupo-me que a *professeur* Cole irá gritar com ele, mas o departamento deve ter sido notificado a respeito da situação porque ela não diz uma palavra. Só dá um olhar penoso a ele e continua com a aula.

— E então, por que os americanos não se interessam por romances traduzidos? Por que há tão poucos trabalhos publicados em inglês todo ano?

Tento encontrar o olhar de St. Clair, mas ele olha fixamente para seu exemplar de *Balzac and the little chinese seamstress*. Ou talvez olha através dele. Ele está pálido, praticamente translúcido.

— Bem — ela continua. — Geralmente é dito que, como cultura, nós estamos interessados apenas em gratificação imediata. *Fast-food*. *Checkout* automático. Música, filmes e livros que possamos baixar da internet. Café instantâneo, descontos instantâneos, mensagens instantâneas. Perda de peso instantânea! Devo continuar?

A classe ri, mas St. Clair fica em silêncio. Observo-o, apreensiva. Sua barba começa a esconder o rosto. Não tinha percebido que precisa se barbear com tanta frequência.

— Romances estrangeiros são menos orientados pela ação. Eles têm um ritmo diferente; são mais reflexivos. Eles nos desafiam a procurar pela história. *Balzac*, por exemplo. De quem é essa história? Do narrador? Da pequena costureira? Da China?

Minha vontade é esticar a mão, apertar a dele e dizer que tudo ficará bem. Ele não devia estar aqui. Não consigo imaginar o que faria se eu estivesse na sua situação. Seu pai devia tê-lo levado embora. Ele deveria estar na Califórnia.

Professeur Cole bate na capa do romance. — Daí Sijie, criado e nascido na China. Mudou-se para a França. Ele escreveu *Balzac* em francês, mas criou a história em sua terra natal. E então foi traduzido para o inglês. Assim, a quantos passos isso está de nós? É do francês para o inglês? Ou consideramos a primeira tradução, a que o autor fez em sua cabeça, do chinês para o francês? O que perdemos cada vez que a história é reinterpretada?

Eu estou ouvindo-a parcialmente. Depois da aula, Meredith, Rashimi e eu caminhamos em silêncio com St. Clair para a aula de cálculo e trocamos olhares preocupados. Tenho certeza de que ele sabe que estamos fazendo isso, o que me faz sentir pior.

Minhas suspeitas a respeito do departamento são confirmadas quando o *professeur* Babineaux o puxa de lado antes de a aula começar. Não consigo compreender toda a conversa, mas o ouço perguntar se St. Clair não prefere passar uma hora na enfermaria. St. Clair aceita. Assim que sai, Amanda Spitterton-Watts me pergunta. — O que aconteceu com St. Clair?

— Nada — como se eu fosse contar a ela.

Ela mexe o cabelo e eu percebo com satisfação que uma mecha fica presa no seu brilho labial. — Porque Steve disse que ele e Josh estavam muito bêbados no sábado à noite. Eles o viram cambalear pela festa de Halloween e St. Clair estava enlouquecendo por causa do pai dele.

— Bem, ele se enganou.

— Steve disse que St. Clair queria matar o pai.

— Steve só fala porcaria — Rashimi interrompe. — E onde você estava no sábado, Amanda? Tão bêbada que você teve de acreditar nos comentários do Steve?

Isso a faz calar a boca por algum tempo. Na hora do almoço, fica claro que toda a escola sabe. Não sei quem deixou vazar — se foram os professores ou se Steve ou um de seus amigos lembraram de mais alguma coisa que St. Clair disse — mas todo os alunos estão comentando. Quando St. Clair finalmente chega à cantina, é como se fosse uma cena de um filme adolescente ruim. As conversas param imediatamente. Os copos de bebida param na metade dos lábios.

St. Clair para na porta, avalia a situação e vai embora. Nós quatro vamos atrás dele. Nós o encontramos saindo da escola em direção às quadras. — Não quero falar sobre isso — ele diz, de costas para nós.

— Então não vamos falar sobre isso — Josh diz. — Vamos sair para almoçar.

— Crepes? — Mer pergunta. Eles são os favoritos de St. Clair.

— Isso parece ótimo — Rashimi concorda.

— Estou faminto — Josh diz. — Vamos lá. — Seguimos em frente, esperando que ele nos siga. Ele o faz, e isso é tudo o que podemos fazer para não suspirarmos aliviados. Mer e Rashimi vão à frente, enquanto Josh fica para trás com St. Clair. Josh fala sobre bobeiras — a nova caneta que ele comprou para a aula de artes, a música de rap que seu vizinho insiste em tocar e que fala sobre bumbuns suados —, e isso ajuda. Pelo menos, St. Clair mostra sinais de vida. Ele balbucia algo de volta.

Movo-me entre os grupos. Sei que isso é ser bajuladora, mas assim como estou preocupada com St. Clair, também estou preocupada em não ignorar ninguém. Não quero ter problemas. Olho de volta para SOAP e Josh me lança um olhar que diz: "A escola não se importará hoje".

Espero que ele esteja certo.

Nossa *crêperie* favorita fica a alguns quilômetros de distância e o meu medo de perder a aula vai diminuindo quando vejo o cara que faz os crepes com a sua concha despejar a massa na forma. Peço o meu da forma que sempre pedi, apontando para a foto de um crepe de banana e Nutella e dizendo por favor. O homem despeja o chocolate quente de avelã espalhando sobre a massa fina, ao estilo de uma panqueca, coloca a banana dentro e então coloca mais Nutella no topo. Como toque final, adiciona uma bola de sorvete de baunilha. Baunilha de verdade, escurecida com grãos pretos.

Eu gemo quando dou a primeira mordida. Quente, grudento, cheio de chocolate e perfeito.

— Tem Nutella no seu queixo — Rashimi diz, apontando com o garfo.

— Hum... — respondo.

— É uma aparência legal — Josh diz. — Como se fosse uma barbicha.

Enfio o dedo no chocolate e faço um bigode. — Melhorou?

— Talvez se você não se chamar de Hitler — Rashimi diz.

Para minha surpresa, St. Clair bufa. Eu me sinto encorajada. Enfio o dedo de novo no chocolate e faço uma voltinha no bigode de um só lado.

— Você está fazendo errado — Josh diz. — Venha cá. Ele enfia o dedo com cautela no chocolate e faz o outro lado cuidadosamente, com a sua mão firme de artista. Olho para o meu reflexo no vidro do restaurante e me deparo com um bigode enorme, curvado. Eles riem e aplaudem e Mer tira uma foto.

O homem de cachecol todo arrumado na mesa ao lado nos olha com desgosto, então finjo torcer as pontas do meu bigode de Nutella. Os outros estão se matando de rir e, finalmente, finalmente, St. Clair dá o menor dos menores sorrisos.

É um ótimo sinal.

Limpo o chocolate do meu rosto e sorrio de volta. Ele balança a cabeça. Os outros começam uma discussão sobre pelos faciais estranhos — Rashimi tem um tio que uma vez raspou todo o pelo do rosto, exceto os que cresciam nas extremidades — e St. Clair se debruça sobre a mesa para falar comigo. Seu rosto está perto do meu e seus olhos estão vazios. Sua voz está raspando. — Sobre aquela noite...

— Esqueça isso, não foi grande coisa — digo. — Ficou limpinho.

— O que ficou limpinho?

OOOpppaaa. — Nada.

— Quebrei algo? — Ele parece confuso.

— Não, você não quebrou nada. Você só, você sabe... Faço a mímica.

St. Clair abaixa a cabeça e lamenta. — Desculpe, Anna. Sei como você mantém seu quarto limpo.

Eu me viro, envergonhada de ser lembrada por causa disso. — Tudo bem. De verdade.

— Pelo menos vomitei na pia? No seu chuveiro?

— No chão. E nas minhas pernas. Só um pouquinho! — eu acrescento, vendo a expressão de horror no seu rosto.

— Eu vomitei nas suas pernas?

— Está tudo bem! Eu teria feito o mesmo se estivesse na sua situação. — As palavras saem antes que eu perceba. E estava fazendo tanto esforço para não dizer nada. Seu rosto está aflito, mas ele passa para outro tópico ainda mais penoso.

— Eu... — St. Clair olha para os outros, assegurando-se de que eles ainda estão distraídos com pelos faciais. Estão. Ele move a cadeira para mais perto e abaixa a voz. — Eu disse algo em especial a você? Naquela noite?

Uh-oh. — Em especial?

— É que... eu só me lembro vagamente de ter estado no seu quarto. Mas eu poderia jurar que tivemos uma conversa sobre... algo.

Meu coração bate mais rápido e fica difícil respirar. Ele se lembra. Mais ou menos. O que isso significa? O que devo dizer? Ansiosa como sou por respostas, não estou preparada para essa conversa. Aguardo mais um pouco. — Sobre o quê?

Ele parece desconfortável. — Eu disse algo estranho sobre... nossa amizade?

E aí está.

— Ou minha namorada?

E aí está. Olho por um tempo para ele. Olheiras negras. Cabelo sem lavar. Ombros baixos. Está tão infeliz, tão diferente de si mesmo. Não serei eu a acrescentar mais tristeza, não importando quanto quero a verdade. Não posso perguntar para ele. Porque, se ele gosta de mim, não está preparado para começar um relacionamento. Ou para lidar com o término de outro. E se ele não gostar de mim, então provavelmente perderia sua amizade. As coisas ficariam muito estranhas.

E neste momento St. Clair precisa de amizade.

Eu me mantenho inexpressiva, mas sincera. — Não. Conversamos sobre sua mãe. Só isso.

É a resposta adequada. Ele parece aliviado.

Capítulo 17

A *pâtisserie* tem assoalho grosso de carvalho e um lustre coberto de tilintantes cristais de topázio. Eles brilham como gotas de mel. A mulher do outro lado do balcão dispõe bolos extravagantes em caixas listradas de marrom e branco e fecha cada pacote com uma fita turquesa e um sino prateado. Há uma fila enorme, mas todos aqui são pacientes, apreciando o ambiente.

Mer e eu esperamos no meio de mostradores enfileirados tão altos quanto nós. Um deles é uma árvore feita de *macarons*, bolachinhas recheadas, com cascas tão frágeis como as de ovos e recheios tão molhados e saborosos que quase desmaio só de ver. O outro mostra vários bolinhos em miniatura, *gâteaux* cobertos com glacê de amêndoa e prensados a açucaradas flores de amor-perfeito.

Nossa conversa volta-se para St. Clair. Falamos muito sobre ele. — Eu só tenho medo de que eles o expulsem — digo, na ponta dos pés. Estou tentando ver por dentro do balcão na frente da fila, mas um homem com um terno de risca de giz com um cachorrinho rebolando bloqueia minha visão. Há vários cães dentro da loja hoje, o que não é algo incomum em Paris.

Mer balança a cabeça, e seus cachos se movimentam por baixo de seu chapéu de crochê. Diferente de St. Clair, o gorro dela é azul-turquesa e bem respeitável.

Eu gosto mais do dele.

— Ele não vai ser expulso — ela diz. — Josh nunca foi expulso e ele tem cabulado as aulas por muito mais tempo. E a diretora nunca expulsaria alguém cuja mãe está... você sabe.

Ela não está muito bem. Câncer cervical. Estágio 2B. Estágio avançado.

Palavras que nunca quis ouvir associadas a alguém que amo — radioterapia externa, quimioterapia — são agora parte da vida diária de St. Clair. Susan, sua mãe, começou os tratamentos uma semana após o Halloween. Seu pai está na Califórnia, levando-a três vezes por semana para a radioterapia e uma vez para a químio.

St. Clair está aqui.

Eu quero matar o pai dele. Os pais vivem separados há anos, mas o marido não concede o divórcio. E ele tem amantes em Paris e em Londres, enquanto Susan vive sozinha em São Francisco. A cada três ou quatro meses, seu pai a visita. Fica algumas noites. Restabelece o domínio ou o que quer que seja que ele tem sobre ela. E então vai embora de novo.

Mas agora é ele quem está cuidando dela, enquanto St. Clair sofre a cerca de 10 mil quilômetros de distância. Obviamente, St. Clair não tem agido como sempre nestas duas últimas semanas. Tem cabulado aulas e suas notas estão caindo. Não vem mais para o café da manhã e janta sempre com Ellie. Sem contar as aulas e o almoço, quando se senta como uma pedra ao meu lado, as únicas vezes em que o vejo são nas manhãs que eu o acordo para a aula.

Meredith e eu nos revezamos. Se não batermos à sua porta, ele não aparece de forma alguma.

A porta da *pâtisserie* se abre e um vento frio varre a loja. O lustre balança como gelatina. — Sinto-me tão impotente — digo. — Gostaria de pode fazer alguma coisa.

Mer sente um calafrio e esfrega os braços. Seus anéis hoje são feitos de cristal. Eles parecem açúcar dilatado. — Eu sei. Eu também. E ainda não acredito que o pai dele não irá deixá-lo visitar a mãe no dia de Ação de Graças.

— Ele não vai? — Eu estou chocada. — Quando isso aconteceu? — E por que a Mer sabe disso e eu não sei?

— Desde que seu pai ficou sabendo das notas baixas. Josh me contou que a diretora ligou para o pai dele — porque estava preocupada com ele — e, em vez de deixá-lo ir para casa, ele disse que St. Clair não poderia sair de lá até que começasse a agir com responsabilidade novamente.

— Mas não tem como ele focar em coisa alguma até que a veja! E ela precisa dele lá; precisa do seu apoio. Eles deveriam estar juntos.

— Isso é tão típico do pai dele, usar uma situação como essa contra ele.

Minha curiosidade consome o melhor de mim novamente. — Você o conheceu? O pai dele? — Sei que ele mora perto da SOAP, mas nunca o vi. E St. Clair certamente não tem um porta-retratos.

— Sim — ela diz com cautela. — Eu o vi.

— E?

— Ele foi... legal.

— Legal*?* Como ele pode ser legal? O homem é um monstro!

— Eu sei, eu sei, mas ele tem... modos impecáveis pessoalmente. Sorri muito. Muito bonito. — De repente ela muda de assunto. — Você acha que Josh é má influência para St. Clair?

— Josh? Não. Quero dizer, talvez. Eu não sei. Não. — Balanço a cabeça e a fila aumenta ainda mais. Estamos quase perto do balcão. Vejo um lampejo de maçãs douradas *tarte tatins*. A ponta de um *gâteau* brilhante de chocolate e framboesa.

A princípio tudo parecia muito sofisticado para o meu gosto, mas três meses nessa situação e passei a entender por que os franceses são famosos pela sua comida. As refeições aqui são saborosas. Jantares nos restaurantes são medidos em horas, não em minutos. É tão diferente da América. Parisienses andam pelo mercado o dia todo para comprar as melhores frutas e legumes e frequentam lojas diferenciadas para comprar queijo, peixe, carne, frango e vinho. E bolo.

Eu gosto mais das lojas de bolos.

— É que parece que Josh está dizendo a ele que está tudo bem não se importar mais — Mer pressiona. — Eu me sinto como se fosse a vilã. "Levanta. Vá para escola. Faça sua tarefa." Sabe? Enquanto Josh diz "Dane-se cara. Deixa isso de lado".

— É mesmo, mas não acho que está dizendo para St. Clair não se preocupar. Ele simplesmente sabe que St. Clair não é capaz de lidar com as coisas agora. — Mas me contorço um pouco. Gostaria que Josh o ajudasse encorajando-o um pouco mais.

Ela abre a boca para argumentar quando a interrompo. — E o futebol?

— Futebol — ela diz, e seu rosto se ilumina. Meredith está na liga local desde o mês passado e pratica quase toda tarde. Ela me atualiza com as suas últimas aventuras nos exercícios até que conseguimos chegar ao balcão. Ele cintila com fileiras de *tarte citrons* quadradinhas, bolos esponjosos inchados de chocolate derretido, bombas de caramelo como sapatilhas de balé e bolos de frutas vermelhas com morangos selvagens salpicados com açúcar de confeiteiro.

E mais *macarons*.

Caixas e mais caixas de *macarons* de todos os sabores e cores imagináveis. Verdes como a grama, rosa-avermelhados e amarelos como o sol. Enquanto Mer debate sobre bolos, escolho seis.

Rosa. Cassis. Laranja. Figo. Pistache. Violeta.

E então vejo amêndoas confeitadas com canela e quero morrer ali. Engatinhar por sobre o balcão, esmagar os dedos em suas delicadas casquinhas e lamber os recheios perfumados até que não possa mais respirar. Estou tão distraída que levo algum tempo para perceber que o homem de trás está falando comigo.

— Oi? — Eu me deparo com um homem de aparência íntegra com um *basset hound*. Ele está sorrindo para mim e apontando para a minha caixa listrada. O homem parece familiar. Juro que já o vi antes. Ele fala de modo amigável, em francês rápido.

— Uhh. — Eu gesticulo debilmente e encolho os ombros. — *Je ne parle pas...* Eu não falo...

Ele fala mais devagar, mas ainda não tenho ideia do que ele está dizendo. — Mer? Ajuda? Mer?

Ela vem para me socorrer. Eles conversam por algum tempo e os olhos dele estão brilhando até que ela diz alguma coisa que o faz arfar. — *Ce n'est pas possible!* — Eu não preciso falar a língua para reconhecer um — Oh, não! Quando o ouço. Ele me observa tristemente, e então diz adeus. Eu lhe dou um adeus trêmulo. Mer e eu pagamos pelos nossos doces — ela pegou um *millefeuille*, um pastel estufadinho com creme branco — e me leva para fora da loja.

— Quem era aquele? O que queria? O que vocês estavam conversando?

— Você não o reconhece? — Ela fica surpresa. — É o dono daquele cinema na Rue des Écoles, o pequenininho com luzes vermelhas e brancas. Ele leva Pouce para passear em frente ao nosso dormitório o tempo todo.

Pegamos o caminho de volta e passamos por um bando de pombos que não se preocupam se estamos a ponto de pisoteá-los. Arrulham, batem as asas e se chocam no ar.

— Pouce?

— O *basset hound.*

Um poste se apaga. Claro que os vi. — Mas o que ele queria?

— Ele estava perguntando por que não tem visto o seu namorado ultimamente. St. Clair — acrescenta diante da minha expressão confusa. Sua voz é amarga. — Eu imagino que vocês tenham visto alguns filmes lá juntos.

— Assistimos a uma retrospectiva de filmes de caubóis no mês passado. — Eu estou perplexa. Ele achou que St. Clair e eu estávamos namorando?

Ela está quieta. Com ciúme. Mas Meredith não tem razão alguma para ter inveja. Não há nada — nada — acontecendo entre mim e St. Clair. E para mim está tudo bem assim, juro. Estou muito preocupada com St. Clair para pensar nele dessa outra forma. Ele precisa de algo familiar agora, e Ellie é essa pessoa.

Tenho pensado no que é familiar também. Sinto falta de Toph de novo. Sinto falta dos seus olhos verdes e daquelas noites no cinema em que ele me fazia rir tanto que eu até chorava. Bridge diz que ele pergunta por mim, mas não tenho conversado com ele ultimamente porque sua banda está muito ocupada. As coisas estão indo bem para os Penny Dreadfuls. Eles finalmente marcaram seu primeiro show. É exatamente antes do Natal e eu, Anna Oliphant, estarei presente.

Um mês. Mal posso esperar.

Eu deveria vê-los na semana que vem, mas meu pai acha que não vale a pena gastar todo esse dinheiro para um feriado tão curto, e minha mãe não pode bancar a minha passagem. Então vou passar o Dia de Ação de Graças sozinha. Exceto... que não estou mais.

Recordo-me das notícias que Mer deu há alguns minutos. St. Clair não vai para casa no Dia de Ação de Graças também. E todos os outros, incluindo sua namorada, vão voltar para os EUA. O que significa que nós dois estaremos aqui durante os quatro dias de feriado. Sozinhos.

Esse pensamento me distrai ao longo do caminho até o dormitório.

Capítulo 18

— Feliz Dia de Ação de Graças para você! Feliz Dia de Ação de Graças para vocêêê! Feliz Dia de Ação de Graaa-çaaas, St. Clairrr...

Sua porta se abre e ele me olha bem nos olhos. Está vestindo uma camiseta branca e calça de pijama branca com listras azuis. — Pare. De cantar.

— St. Clair! Que bom encontrá-lo aqui! — Eu lhe dou o meu melhor sorriso. — Você sabia que hoje é feriado?

Ele se enfia na cama de novo, mas deixa a porta aberta. — Fiquei sabendo — ele diz emburrado. Entro. Seu quarto está mais bagunçado do que a primeira vez que o vi. Toalhas e roupas sujas aos montes pelo chão. Garrafas de água pela metade. As coisas da mochila estão espalhadas embaixo da cama, papéis amassados e papéis em branco. Dou uma fungada. Abafado. Cheira a lugar úmido.

— Adoro o que você fez com o lugar. Bem chique-universitário.

— Se você está aqui para criticar, pode sair por onde entrou — ele resmunga pelo travesseiro.

— Não. Você sabe como eu sou com bagunças.

Ele suspira. Um suspiro longo e sofrido.

Tiro uma porção de livros da cadeira da escrivaninha e uma série de esboços cai do meio das páginas. São desenhos de corações anatômicos feitos em carvão. Até agora só tinha visto seus rabiscos, nada sério. Tudo bem que seja verdade que Josh é melhor tecnicamente falando, mas estes são lindos. Violentos. Apaixonados.

Eu os pego do chão. — São incríveis! Quando você os desenhou?

Silêncio.

Delicadamente, coloco os papéis dentro do livro de política, com cuidado para não manchá-los mais do que já estão. — Então. Estamos celebrando hoje. Você é a única pessoa que conheço que ficou em Paris.

Um grunhido. — Não há muitos restaurantes servindo peru recheado.

— Eu não preciso de peru, só de um reconhecimento de que hoje é um dia importante. Ninguém lá fora — aponto para a janela mesmo que ele não esteja olhando — tem ideia disso.

Ele puxa mais ainda as cobertas. — Eu sou de Londres. Também não celebro essa data.

— Por favor. Você disse no meu primeiro dia que era americano. Lembra-se? Você não pode mudar de nacionalidade de acordo com a sua necessidade. E hoje o nosso país está empanturrando-se de torta e caçarola e temos de fazer parte.

— Humph.

Isso não está indo conforme o planejado. Hora de mudar de tática. Eu me sento na ponta da cama e sacudo seu pé. — Por favor? Por favorrr?

Silêncio.

— Vamos lá. Eu preciso fazer algo divertido e você precisa sair deste quarto.

Silêncio.

Minha frustração aumenta. — Sabe, hoje é um dia muito chato para nós dois. Você não é o único preso aqui. Daria tudo para estar em casa agora.

Silêncio.

Respiro fundo. — Tudo bem. Você quer sabe qual é o lance? Eu estou preocupada com você. Todos nós estamos preocupados com você. Caramba, este é o máximo que nos falamos em semanas, e sou a única que está mexendo a boca! É ruim o que aconteceu e pior ainda que nem eu nem você podemos fazer, ou dizer, qualquer coisa para mudar. Quero dizer, não há nada que eu possa fazer e isso me deixa louca porque odeio ver você assim. Mas sabe de uma coisa? — Eu me afasto. — Não acho que a sua mãe gostaria de ver você se destruindo por causa de algo que não pode controlar. Ela não gostaria de vê-lo desistindo. E acho que gostaria de ouvir o máximo de coisas boas quando você for para casa no próximo mês...

— Se eu for para casa no mês que vem...

— Quando você for para casa, ela vai querer vê-lo feliz.

— Feliz? — Agora ele está furioso. — Como eu posso...

— Tudo bem, não feliz — digo rapidamente. — Mas ela não vai querer te ver assim também. Não vai querer saber que você parou de ir às aulas. Ela quer ver você se formar, lembra-se? Está tão perto, St. Clair. Não estrague tudo.

Silêncio.

— Tudo bem. — Não é justo, não é racional estar tão brava assim com ele, mas não consigo evitar. — Seja um caroço. Desista. Curta o seu dia miserável na cama. — Eu me dirijo para a porta. — Talvez você não seja a pessoa que pensei que fosse.

— E quem é essa pessoa? — ele retruca acidamente.

— O tipo de cara que sai da cama mesmo quando as coisas estão uma droga. O tipo de cara que liga para sua mãe para desejar um feliz Dia de Ação de Graças, em vez de não fazê-lo por medo do que ela possa dizer. O tipo de cara que não deixa o babaca do seu pai vencer. Mas acho que estou errada. Isto — eu gesticulo ao redor do quarto ainda que ele esteja de costas para mim; ele nem se move — deve estar funcionando para você. Boa sorte com isto! Feliz feriado! Eu vou embora.

A porta está quase se fechando quando eu ouço. — Espere...

St. Clair a abre de novo. Seus olhos estão enevoados, e os braços, tépidos. — Eu não sei o que dizer — finalmente diz.

— Então não diga nada. Tome um banho, coloque umas roupas quentes e me chame. Estarei no meu quarto.

Eu o deixo entrar vinte minutos depois, aliviada em ver que o cabelo está molhado. — Ele tomou banho.

— Venha cá. — Eu o sento em frente à minha cama e pego uma toalha. Esfrego-a no seu cabelo escuro. — Você vai pegar um resfriado.

— Isso é mito, você sabe. — Mas ele não me interrompe. Depois de um ou dois minutos, ele dá um pequeno suspiro, como se aliviado. Vou devagar, metodicamente. — E então, aonde vamos? — ele pergunta quando termino. Seu cabelo ainda está úmido e alguns cachos começam a se formar.

— Você tem um ótimo cabelo — digo, resistindo ao desejo de penteá-lo.

Ele bufa.

— Falo sério. Eu tenho certeza de que as pessoas dizem isso o tempo todo, porque é um cabelo muito bonito.

Não posso ver sua expressão, mas a sua voz fica mais baixa. — Obrigado.

— De nada — digo com formalidade. — E não estou certa sobre aonde vamos. Pensei que poderíamos sair e... saberíamos quando chegássemos lá.

— O quê? — ele pergunta. — Nada de planos? Nada de itinerário?

Bato na parte de trás da sua cabeça com a toalha. — Cuidado. Eu vou fazer um.

— Deus, não. Qualquer coisa, menos isso — acho que ele está falando sério até que se vira com meio sorriso no rosto. Eu o atinjo de novo, mas honestamente estou tão aliviada com aquele meio sorriso que poderia chorar. É mais do que vi em semanas.

Concentre-se Anna. — Sapatos. — Preciso de sapatos. Coloco meus tênis e pego meu casaco de inverno, gorro e luvas. — Onde está seu gorro?

Ele olha de soslaio para mim. — Mer? É você? Eu preciso do meu cachecol? Vai estar frio, mamãe?

— Tudo bem, congele até a morte. Veja se me importo. — Mas ele tira o gorro do bolso do casaco e o soca na cabeça. Desta vez seu sorriso é completo e deslumbrante e me pega desprevenida. Meu coração para.

Fico olhando até que o sorriso some e ele me olha interrogativamente.

Desta vez é a minha voz que sai baixinho. — Vamos.

Capítulo 19

— É isso! Esse é o meu plano.

St. Clair segue o meu olhar para o enorme domo. O céu cor de violeta, o mesmo céu que Paris tem visto todos os dias desde que a temperatura caiu, se subjugou a isso, levou embora o lampejo dourado, mas não estou menos intrigada.

— O Panteão? — ele pergunta cautelosamente.

— Você sabe, estou aqui há três meses e ainda não tenho ideia do que é isso. — Pulo na faixa de pedestres e vou em direção à estrutura gigante.

Ele encolhe os ombros. — É um panteão.

Paro para encará-lo e ele me empurra adiante impedindo que seja atropelada por um ônibus azul de turistas. — Oh, certo. Um panteão. Por que eu não pensei nisso?

St. Clair me encara com o canto dos olhos e sorri. — Um panteão significa um lugar para tumbas de pessoas famosas, pessoas importantes para a nação.

— Só isso? — Fico meio desapontada. Parece que esse lugar deveria pelo menos ter coroado alguns reis ou algo assim.

Ele levanta uma sobrancelha.

— Quero dizer, há tumbas e monumentos em todos os lugares. O que há de diferente aqui? — Subimos os andares, e a proximidade das altas colunas é esmagadora. Nunca estive assim tão perto.

— Eu não sei. Nada. Acho. De qualquer forma, é algo de segunda categoria.

— De segunda categoria. Você deve estar brincando. — Agora estou ofendida. Gosto do Panteão. Não. Eu amo o Panteão. — Quem está enterrado aqui? — pergunto.

— Hum... Rosseau, Marie Curie, Louis Braille, Victor Hugo...

— O cara do *Corcunda de Notre-Dame*?

— Ele mesmo. Voltaire. Dumas. Zola.

— Uau. Viu só? Você não pode dizer que não é algo impressionante. Reconheço os nomes mesmo sem saber o que todos eles fizeram.

— Eu não. — Ele pega a carteira e paga pela entrada. Tento pagar, uma vez que foi minha ideia em primeiro lugar, mas ele insiste. — Feliz Dia de Ação de Graças — ele diz, entregando meu ingresso. — Vamos ver algumas pessoas mortas.

Somos recepcionados por um número inimaginável de domos, colunas e arcos. Tudo é grande e redondo. Enormes afrescos de santos, guerreiros e anjos estão pintados nas paredes. Andamos ao longo do mármore em silêncio respeitoso, exceto quando ele aponta para alguém importante como Joana d'Arc ou Saint Geneviève, a santa padroeira de Paris. De acordo com ele, Saint Geneviève salvou a cidade da fome. Acho que ela existiu de verdade, mas fico com vergonha de perguntar. Quando estou com ele, sempre tomo consciência de quanto não sei.

Uma esfera de bronze balança pendurada no ponto mais alto do domo central. OK, eu não consigo evitar. — O que é aquilo?

St. Clair dá de ombros e busca algum sinal.

— Estou chocada. Achei que você soubesse tudo.

Ele encontra um sinal. — ... o pêndulo de Focault. Oh, claro! — Ele olha para cima em admiração.

O sinal está escrito em francês, então espero por uma explicação. Ela não vem.

— E então?

St. Clair aponta para o anel de medidas no chão. — É uma demonstração da rotação terrestre. Viu só? O plano de balanço do pêndulo faz a rotação a cada hora. Você sabe, é engraçado — ele diz, olhando em direção ao teto —, mas o experimento não precisava ser tão grande para provar isso.

— Que francês!

Ele sorri. — Vamos lá, vamos ver a cripta.

— Cripta? — eu congelo. — Como uma cripta?

— Onde você achou que estavam os corpos?

Tusso. — Tudo bem. A cripta. Vamos lá.

— A menos que você esteja com medo.

— Não tive problema algum no cemitério, tive? — Ele fica tenso, e eu, mortificada. Não acredito que trouxe à tona Père-Lachaise. Distração. Rápido, preciso de uma distração. Digo a primeira coisa que vem à minha mente. — Corra! — E corro em direção à entrada da cripta mais próxima. Meus pés ecoam pelo prédio e todos os turistas olham.

Eu vou morrer de tanta vergonha.

E então ele passa correndo por mim. Rio da surpresa e ganho velocidade. Estamos corpo a corpo, quase lá, quando um guarda, nervoso, pula na nossa frente. Tropeço em St. Clair tentando parar. Ele me freia conforme o guarda grita em francês. Minhas bochechas ficam vermelhas, mas, antes de tentar me desculpar, St. Clair o faz por nós dois. O guarda se tranquiliza e nos deixa ir após ralhar conosco.

É como Père-Lachaise de novo. St. Clair anda todo pomposo.

— Você consegue se safar em qualquer situação.

Ele ri. Não discute porque sabe que é verdade. Mas seu humor muda no momento em que as escadas aparecem. A escada em espiral que termina na cripta é íngreme e estreita. Minha irritação é substituída por preocupação quando vejo o terror em seus olhos. Tinha esquecido que ele tem medo de altura.

— Sabe... não quero muito ver a cripta — eu digo.

St. Clair me lança um olhar e fico quieta. Determinado, ele se agarra nas paredes irregulares e se move vagarosamente em direção à cripta. Degrau. Degrau. Degrau. Não é uma escada longa, mas o processo é penoso. Finalmente chegamos ao fim e uma manada de turistas estoura atrás de nós. Começo a me desculpar — foi tanta estupidez trazê-lo aqui —, mas ele me interrompe.

— É maior do que eu pensava. A cripta. — Sua voz é forçada e apressada. Ele não me olha.

Desvio. Tudo bem. Tomo seu exemplo. — Sabe — digo cuidadosamente —, acabei de ouvir alguém dizendo que a cripta cobre toda a área debaixo do prédio. Estava imaginando catacumbas infindáveis decoradas com ossos, mas isso nem é tão ruim.

— Nenhum crânio ou fêmures, pelo menos — um riso falso.

Na verdade, a cripta é bem iluminada. Está congelando lá embaixo, mas também é limpa, espaçosa e branca. Não é exatamente uma masmorra. Mas St. Clair ainda está agitado e envergonhado. Dou uma guinada em direção a uma estátua. — Ei, olha lá! Aquele é o Voltaire?

Nós nos movemos ao longo dos corredores. Fico surpresa em ver quão vazio é tudo por aqui. Há bastante lugar vazio, lugar para tumbas futuras. Após explorar por algum tempo, St. Clair relaxa novamente e conversamos sobre coisas sem importância, como a prova de cálculo da semana passada e a jaqueta excêntrica que Steve Carver tem usado ultimamente. Não tínhamos tido uma conversa normal há semanas. Parece que conversávamos... antes. E então ouvimos uma voz americana ríspida atrás de nós. — Não ande atrás dele. Nós ficaremos aqui o dia todo.

St. Clair fica tenso.

— Ele deveria ter ficado em casa se tem tanto medo de escadas.

Começo a me virar, mas St. Clair agarra meu braço. — Não. Ele não vale a pena. — Direciona-me para o próximo corredor e estou tentando ler um nome talhado na parede, mas estou tão furiosa que vejo só um borrão. St. Clair está tenso. Tenho de fazer alguma coisa.

Olho de soslaio até que o nome fica mais claro. — Emily Zola. É a segunda mulher que eu vejo aqui. O que há com isso?

Mas, antes que St. Clair responda, a voz ríspida diz: — É Émile. — Nós nos viramos e encontramos um cara presunçoso de camiseta da EuroDisney. — Émile Zola é um homem — ele me corrige.

Meu rosto enrubesce. Procuro o braço de St. Clair para que ele nos leve para outro lugar de novo, mas St. Clair já está cara a cara com ele. — Émile Zola era homem — ele corrige. — E você é um babaca. Por que você não cuida da sua vida e a deixa em paz?

"Deixe-a em paz, em paz, em paz!" Seu grito ecoa na cripta. EuroDisney, alarmado com a repercussão, volta-se para sua esposa, que solta um ganido. Todos os demais ficam olhando, boquiabertos. St. Clair puxa a minha mão e me arrasta até as escadas, e estou nervosa, com medo do que poderá acontecer. A adrenalina o leva escada acima, mas então é como se seu corpo percebesse o que está acontecendo e ele abruptamente para e balança para trás perigosamente.

Seguro-o por trás. — Eu estou aqui.

Ele aperta meus dedos e os agarra firmemente. Gentilmente o levo escada acima, até que chegamos aos domos, colunas, arcos e o espaço aberto do andar principal. St. Clair me solta e desmorona no banco mais próximo. Fica com a cabeça dependurada como se fosse vomitar. Espero-o falar.

Ele não fala.

Sento-me no banco ao lado dele. É um memorial para Antoine de Saint-Exupéry, que escreveu *O pequeno príncipe*. Ele faleceu em um acidente de avião, então suponho que não há resto algum nas tumbas lá embaixo. Vejo as pessoas tirarem fotos dos afrescos. Observo o guarda que gritou conosco momentos antes. Não olho para St. Clair.

Finalmente, ele levanta a cabeça. Sua voz está calma. — Vamos procurar por um peru para jantar?

Levamos horas examinando cardápios antes de encontrarmos algo apropriado. A procura se transforma em um jogo, uma busca, algo em que nos perdemos. Precisamos nos esquecer do cara na cripta. Precisamos nos esquecer que não estamos em casa.

Quando finalmente encontramos um restaurante anunciando um "Jantar americano de Dia de Ação de Graças", nós damos um grito de alegria e eu executo a dança da vitória. O *maître* está alarmado com nosso entusiasmo, mas nos acomoda mesmo assim. St. Clair levanta seu copo de água com gás e sorri.

— Ao sucesso em encontrar um peru para o jantar adequado em Paris.

Eu sorrio de volta. — À sua mãe.

Seu sorriso vacila por um momento e então ele o troca por um mais gentil. — À minha mãe. — Nós brindamos.

— Então, hum... Você não tem de falar sobre isso se não quiser, mas como ela está? — As palavras saem sem que eu perceba. — A radioterapia a está deixando cansada? Ela está comendo bem? Li que, se não passar loção hidratante todas as noites, pode-se ter queimaduras e estava só imaginando... — Disfarço, observando a sua expressão. É como se eu o tivesse perfurado com presas. — Desculpe. Estou me intrometendo, vou me calar...

— Não — ele interrompe. — Não é isso. É só que... você é a primeira pessoa que sabe alguma coisa sobre isso. Como... como...?

— Oh. Hum. Eu só estava preocupada, então fiz uma pesquisa. Você sabe, então eu... saberia — termino meio desconcertada.

Ele fica em silêncio por um momento. — Obrigado.

Olho para o guardanapo no meu colo. — Não é nada...

— Não, isso é alguma coisa. Uma grande coisa. Quando tento falar com Ellie sobre isso, ela não tem ideia do que estou falando. — Ele para de falar como se tivesse falado demais. — Obrigado. De qualquer forma.

Olho de novo para ele, e ele olha de volta maravilhado. — De nada — digo.

Passamos o resto do jantar falando sobre a mãe dele e, quando saímos do restaurante, continuamos a falar dela. Andamos ao longo do Sena. A lua está cheia, e os postes estão acesos, e ele fala até parecer mais leve.

Ele para. — Eu não queria fazer isso.

Respiro profundamente, sentindo o cheiro agradável do rio. — Fico feliz que tenha feito.

Estamos na rua que viramos para chegar ao dormitório. Ele olha para a rua, hesitante, e deixa escapar. — Vamos assistir a um filme. Ainda não quero voltar.

Ele não tem de me perguntar duas vezes. Encontramos um cinema exibindo uma estreia, uma comédia preguiçosa dos EUA, e assistimos a dois pelo preço de um. Não me lembro da última vez que ri tanto, e St. Clair riu mais ainda. São duas da manhã quando voltamos para o dormitório. A recepção está vazia, e as luzes do quarto de Nate estão apagadas.

— Acho que somos os únicos no prédio — ele diz.

— Então ninguém vai reparar quando eu fizer isto! — Subo na mesa e desfilo para a frente e para trás. St. Clair canta uma música e me remexo ao som dela. Quando ele termina, faço uma reverência com toda pompa.

— Rápido! — ele diz.

— O quê? — Salto da mesa. — O Nate está aqui? Ele viu?

Mas St. Clair corre em direção às escadas. Ele abre a porta e grita. O eco faz com que ambos pulemos, e então juntos gritamos o mais alto que conseguimos. É entusiasmante. St. Clair me segue até o elevador e vamos até o topo do telhado. Ele vacila, mas ri quando cuspo para o lado, tentando acertar um anúncio de *lingerie*. O vento está forte, e o meu alvo está longe, então eu desço dois lances de escada. A escadaria é larga e firme, então ele só está a alguns metros de mim. Chegamos ao seu andar.

— Bem — ele diz. Nossa conversa para pela primeira vez em horas.

Eu olho e falo. — Hum... Boa noite!

— Vejo você amanhã? Café da manhã tardio na *crêperie*?

— Seria ótimo.

— A menos que... — ele interrompe.

A menos que o quê? Ele está hesitante, mudando de ideia. O momento passa. Lanço um olhar questionador, mas ele se vira.

— Tudo bem. — É difícil não demonstrar o desapontamento em minha voz. — Vejo você de manhã. — Desço alguns degraus e olho de volta. Ele está me olhando. Levanto a minha mão e aceno. Ele está estranhamente parado. Empurro a porta do meu quarto, balançando a cabeça. Não entendo como as coisas mudam de perfeitas para estranhas entre nós. É como se fôssemos incapazes de estabelecer uma interação humana normal. Esquece isso, Anna.

As portas da escadaria se abrem.

Meu coração para.

St. Clair parece nervoso. — Foi um bom dia. Este foi o primeiro bom dia que tive em muito tempo — ele se aproxima vagarosamente de mim. — Não quero que acabe. Não quero ficar sozinho agora.

— Huh. — Não consigo respirar.

Ele para na minha frente, observando meu rosto. — Tudo bem se eu ficasse com você? Não quero que você se sinta desconfortável...

— Não. Quero dizer... — Minha cabeça gira. Mal posso pensar racionalmente. — Sim, sim, claro, tudo bem.

St. Clair fica parado por um momento, e então concorda.

Tiro meu colar e coloco a chave no trinco. Ele espera atrás de mim. Minhas mãos tremem à medida que abro a porta.

Capítulo 20

St. Clair está sentado no chão do meu quarto. Joga as botas longe e elas atingem a minha porta violentamente. É o primeiro barulho que um de nós faz desde que entramos.

— Desculpe — ele está envergonhado. — Onde as coloco?

Mas, antes que eu responda, ele está tagarelando. — Ellie acha que devo ir para São Francisco. Quase comprei as passagens por diversas vezes, mas não é o que minha mãe gostaria que eu fizesse. Se meu pai não quer que eu vá, ela também não quer. Só pioraria a situação.

Fico surpresa com o desabafo.

— Às vezes imagino se ela, Ellie, se ela, você sabe... — Sua voz silencia. — Quer que eu vá.

Ele nunca fala sobre a namorada. Por que agora? Não acredito que tenha de defendê-la. Eu coloco as botas ao lado da porta para evitar olhar para ele. — Ela provavelmente só está cansada de vê-lo tão triste. Como nós todos — eu acrescento. — Eu tenho certeza de que ela gosta de você como sempre gostou.

— Hum — Ele me observa guardar meus sapatos e esvaziar meus bolsos. — E você? — Ele pergunta após algum tempo.

— E eu?

St. Clair examina seu relógio. — Costeletas. Você o verá no mês que vem.

Ele está se restabelecendo... o quê? Nosso limite? Eu não vou ultrapassar. Não mesmo.

Mas não consigo evitar dizer isso agora que ele mencionou Ellie. — É verdade, mal posso esperar para vê-lo. Ele é um cara engraçado, você ia gostar dele. Eu vou ver a banda dele tocar no Natal. Toph é um cara ótimo, você ia gostar dele. Oh, eu já disse isso, não disse? Mas, você ia. Ele é muito... engraçado.

Cala a boca, Anna. Cala a boca.

St. Clair desabotoa, abotoa e desabotoa a correia do relógio.

— Estou acabada — digo. E essa é a verdade. Como sempre, nossa conversa me deixou exausta. Rastejo para a cama e imagino o que ele vai fazer. Deitar no chão? Voltar para o quarto dele? Mas ele coloca o relógio na minha escrivaninha e pula na minha cama. Deita ao meu lado. Ele está em cima das cobertas e eu embaixo. Ainda estamos completamente vestidos, exceto pelos sapatos, e a situação está para lá de embaraçosa.

Ele se levanta. Estou certa de que ele vai embora e não sei se fico aliviada ou despontada, mas... ele apaga as luzes. Meu quarto está completamente escuro. Ele se arrasta de novo para minha cama e cai sobre ela.

— Ooof — ele diz.

— Ei, tem uma cama lá.

— Obrigado pelo aviso.

— Sem problemas.

— Está congelando aqui. Você tem um ventilador ou alguma ou coisa ligada aqui?

— É o vento. Minha janela não fecha por inteiro. Tem uma toalha socada nela, mas não ajuda muito.

Ele ajeita um lugar na cama e se deita. — Ai — ele diz.

— O que foi?

— Meu cinto. Seria estranho se...

Agradeço por ele não conseguir me ver corar. — Claro que não. — E ouço o desafivelar do cinto conforme ele o tira das calças. Coloca-o no chão de carvalho.

— Humm — ele diz. — Seria estranho se...

— Sim.

— Ah, se liga. Não estou falando da calça. Só quero saber se posso entrar debaixo das cobertas. Aquela brisa é horrível. — Ele entra debaixo das cobertas e agora estamos deitados lado a lado. Na minha cama estreita. Engraçado, mas nunca imaginei a minha primeira noite dormindo com alguém, bem, uma noite dormindo, literalmente, com alguém.

— Tudo o que precisamos agora são *Sixteen candles* e um jogo de verdade ou desafio.

Ele tosse. — O quê?

— O filme, seu pervertido. Só estava pensando que faz tempo que não tenho alguém que durma comigo.

Uma pausa. — Oh.

— ...

— ...

— St. Clair?

— Oi?

— Seu cotovelo está matando minhas costas.

— Caramba. Desculpe. — Ele muda de posição, e depois novamente e novamente, até que ficamos confortáveis. Uma de suas pernas está sobre a minha. Apesar das duas camadas de calça sobre nós, sinto-me nua e vulnerável. Ele se move novamente, e agora toda a minha perna, da panturrilha à coxa, está contra a dele. Sinto o cheiro do cabelo dele. Hum.

Não!

Eu engulo, e bem alto. Ele tosse novamente. Tento não me mexer. Após o que parecem horas, mas tenho certeza de que foram só minutos, sua respiração se acalma e seu corpo relaxa. Finalmente começo a relaxar também. Quero memorizar o seu cheiro, o toque da sua pele, um dos seus braços, agora contra o meu, e a solidez de seu corpo. Não importa o que aconteça, vou me lembrar disso pelo resto da minha vida.

Estudo o seu perfil. Os lábios, o nariz, os cílios. Ele é tão bonito.

O vento bate nas janelas, e as luzes zunem suavemente no corredor. Ele dorme profundamente. Quanto tempo faz desde a última vez que teve uma boa noite de sono? Há outro cutucão desconfortável no meu coração. Por que eu me preocupo tanto com ele e por que não queria me preocupar? Como pode uma pessoa me deixar tão confusa o tempo todo?

O que é isso? É paixão? Ou outra coisa tudo junto? E é possível que me sinta assim por ele sem que os sentimentos sejam recíprocos? Ele disse que gostava de mim. Ele disse. E, mesmo que estivesse bêbado, não teria dito isso se não houvesse, pelo menos, alguma verdade nisso. Certo?

Eu não sei.

Todas as vezes que estou com ele, não sei de coisa alguma. Ele se aproxima de mim durante o sono. Sua respiração é morna contra o meu pescoço. Não sei de coisa alguma. Ele é tão bonito, tão perfeito. Imagino se ele... se eu...

Um raio de luz aparece nos meus olhos e eu os aperto, desorientada. Já é manhã. Os números vermelhos no meu relógio marcam 11h27. Huh. Consegui dormir? Que dia é hoje? E então vejo o corpo na cama, ao meu lado, e eu quase saio do meu corpo.

Então não foi um sonho.

Sua boca está aberta, e as cobertas estão caídas no chão. Uma de suas mãos está sobre o estômago. A camiseta está erguida e posso ver o seu abdômen. Meu olhar está hipnotizado.

Ai, meu Deus! Acabo de dormir com St. Clair.

Capítulo 21

Quer dizer, não dormi com ele. Obviamente. Mas dormi com ele.

Dormi com um garoto! Enfio minha cabeça nos lençóis e sorrio. Mal posso esperar para contar para Bridge. Exceto... e se ela contar ao Toph? E não posso contar para Mer, porque ela ficaria com ciúme, o que significa que não posso contar a Rashimi nem ao Josh. Fica evidente para mim que não tenho ninguém a quem contar. Isso significa que o que fiz foi errado?

Fico na cama o máximo que consigo, mas finalmente minha bexiga ganha. Quando retorno do banheiro, ele está olhando pela janela. Ele se vira e ri. — Seu cabelo. Está arrepiado em todas as direções. — St. Clair pronuncia "dii-reções" e ilustra apontando os dedos sobre sua cabeça como se fossem galhos.

— Olha quem fala.

— Ah, mas o meu faço de propósito. Levei muito tempo para perceber que para conseguir este visual desleixado eu tinha de ignorá-lo completamente.

— Então você está dizendo que em mim fica péssimo? — Olho no espelho e fico alarmada ao ver que pareço uma fera de chifres.

— Não. Gosto dele assim. — Ele sorri e pega o cinto do chão. — Café da manhã?

Entrego-lhe as botas. — Já é de tarde.

— Obrigado. Almoço?

— Vou tomar um banho antes.

Nós nos separamos por uma hora e nos reencontramos em seu quarto. Sua porta está escorada e está tocando *punk rock* francês bem alto no corredor. Fico chocada quando entro em seu quarto e vejo que o arrumou. As pilhas de roupas e toalhas estão organizadas para serem levadas à lavanderia e as garrafas vazias e os saquinhos de salgadinho foram jogados fora.

Ele me olha esperançoso. — Já é um começo.

— Parece ótimo. — E parece mesmo. Sorrio.

Passamos o dia juntos novamente. Assistimos à parte de um festival de cinema de Danny Boyle e demos outra volta às margens do Sena. Eu o ensino a quicar pedras na água; não acredito que não sabe fazer isso. Começa a garoar, e então entramos em uma livraria do outro lado da Notre-Dame. No cartaz amarelo e verde lia-se "Shakespeare and Company".

Lá dentro, somos tomados de surpresa pelo caos. Uma multidão de clientes lota os balcões, e para todos os lugares que me viro vejo livros, livros e mais livros. Mas não é como uma corrente, onde tudo está extremamente organizado nas prateleiras, nas mesas e nos *displays*. Aqui os livros cambaleiam em pilhas vacilantes, caem das cadeiras e despencam das prateleiras. Há caixas de papelão transbordando com livros e um gato preto tira uma soneca ao lado de uma pilha de livros. Mas a coisa mais extraordinária é que todos os livros estão em inglês.

St. Clair percebe minha expressão apavorada. — Você nunca veio aqui?

Balanço a cabeça e ele está surpreso. — É bastante famosa. Ei, olhe! — Ele ergue um exemplar de *Balzac and the little chineses seamstress*. — É familiar, não é?

Vagueio deslumbrada, meio entusiasmada por estar rodeada pela minha própria língua, meio aterrorizada em mexer em alguma coisa. Um toque errado pode pôr abaixo toda a loja. Ela pode ruir e seríamos enterrados em uma avalanche de páginas amareladas.

A chuva bate contra as janelas. Abro caminho entre um grupo de turistas e examino a seção de ficção. Não sei por que estou procurando por ele, mas não consigo evitar. Vou de trás para a frente. Christie, Cather, Caldwell, Burroughs, Brontë, Berry, Baldwin, Auster, Austen, Ashley. James Ashley.

Uma série de livros do meu pai. Seis deles. Pego um exemplar de capa dura de *The incident* da prateleira e me encolho diante da imagem familiar do pôr do sol.

— O que é isso? — St. Clair pergunta. Surpreendo-me. Não percebi que ele estava ao meu lado.

Ele pega o romance da minha mão e seus olhos se abrem diante do reconhecimento. Vira-o, e a foto de meu pai aparece sorrindo para nós. Meu pai está extremamente bronzeado e seus dentes cintilam um branco falso. Ele está vestindo uma camiseta polo cor de alfazema com seus cabelos esvoaçando gentilmente.

St. Clair ergue a sobrancelha. — Eu não vejo a familiaridade. Ele é muito mais bonito.

Gaguejo de nervoso e ele bate em meu braço com o livro. — É pior do que pensava — ele ri. — Ele é sempre assim?

— Sim.

Ele abre o livro e lê a contracapa. Observo seu rosto ansiosamente. Sua expressão fica indecifrável. Vejo-o parar e depois voltar para ler algo novamente. St. Clair olha para mim. — É sobre câncer — ele diz.

Oh, meu Deus!

— Essa mulher tem câncer. O que acontece com ela?

Não consigo me conter. — Meu pai é um idiota. Eu disse para você, é um completo imbecil.

Uma pausa penosa. — Ele vende um monte destes, não vende?

Faço que sim com a cabeça.

— E as pessoas gostam? Elas o acham interessante, não acham?

— Desculpe, St. Clair. Lágrimas brotam nos meus olhos, nunca odiei tanto meu pai como o odeio agora. Como ele pôde? Como ele pôde ganhar dinheiro com algo tão horrível? St. Clair fecha o livro e devolve à prateleira. Pega outro, *The entrance.* O romance da leucemia. Meu pai veste uma camisa com os dois primeiros botões casualmente desabotoados. Seus braços estão cruzados, mas ele mantém aquele mesmo sorriso ridículo.

— Ele é uma aberração — eu digo. — Uma total... aberração.

St. Clair bufa. Ele abre a boca para dizer alguma coisa, mas me vê chorando. — Não, Anna. Anna. Desculpe.

— Eu me desculpo. Você não devia ter visto isso. — Agarro o livro e o enfio de volta na prateleira. Outra pilha de livros tomba e cai no chão entre nós. Nós nos abaixamos para pegá-los e batemos nossas cabeças uma na outra.

— Ow! — eu digo.

St. Clair esfrega a cabeça. — Você está bem?

Arranco com um puxão violento os livros das suas mãos. — Estou bem. Estou bem. — Eu os empilho novamente na prateleira e cambaleio até os fundos da livraria, o mais longe, o mais longe possível do meu pai. Mas, alguns minutos depois, St. Clair está de volta ao meu lado.

— Não é culpa sua — ele diz baixinho. — Você não é igual aos seus pais. Sei disso melhor do que qualquer pessoa, Anna.

— Não quero falar sobre isso.

— É justo. — Ele segura uma coleção de poesia. Pablo Neruda. — Você já leu?

Balanço a cabeça negativamente.

— Bom. Porque acabei de comprar para você.

— O quê?

— Está na nossa lista de inglês para o próximo semestre. Você ia precisar comprar de qualquer maneira. Abra — ele diz.

Confusa, eu abro. Há um selo na primeira página. "Shakespeare and Company", Quilômetro Zero, Paris. Eu pisco. — Quilômetro Zero? Isso é a mesma coisa que Point Zéro? — Lembro-me da nossa primeira volta ao redor da cidade juntos.

— Pelos velhos tempos. — St. Clair sorri. — Vamos, a chuva parou. Vamos sair daqui.

Na rua, ainda estou em silêncio. Cruzamos a mesma ponte que passamos na primeira noite, eu do lado de fora e St. Clair do lado de dentro, e ele mantém a conversa por nós dois. — Já te contei que fui para uma escola na América?

— O quê? Não.

— É verdade, por um ano. Oitavo ano. Foi terrível.

— O oitavo ano é um ano terrível para todo mundo — eu digo.

— Bem, foi pior para mim. Meus pais tinham acabado de se separar e minha mãe se mudou para a Califórnia. Não tinha estado lá desde que era criança, mas eu fui com ela e fui posto em uma escola pública repugnante...

— Oh, não. Escola pública.

Ele me empurra com o ombro. — As outras crianças eram insensíveis. Elas caçoavam de tudo com relação a mim: minha altura, meu sotaque, o jeito que me vestia. Jurei que nunca mais voltaria.

— Mas as garotas americanas adoram sotaque inglês. — Deixo escapar isso sem pensar e depois rezo para que não perceba o meu rubor.

St. Clair pega uma pedra e lança-a no rio. — Não quando se está no ensino médio. Especialmente quando vem de um cara que chega, no máximo, à altura do joelho delas.

Eu rio.

— Então, quando o ano terminou, meus pais encontraram uma nova escola para mim. Queria voltar para Londres, onde meus amigos estavam, mas meu pai insistiu que eu viesse para Paris, e então ele poderia ficar de olho em mim. E foi assim que acabei na School of America.

— Com que frequência você volta para Londres?

— Não com a frequência que gostaria. Ainda tenho amigos em Londres e meus avós, os pais do meu pai, moram lá, então costumava dividir os meus verões entre Londres e São...

— Seus avós são ingleses?

— Meu avô é, mas a minha avó é francesa. E meus outros avós são americanos, claro.

— Uau. Você é um verdadeiro vira-lata.

St. Clair sorri. — As pessoas dizem que pareço mais com meu avô inglês, mas é só por causa do sotaque.

— Não sei. Considero-o mais inglês do que qualquer outra coisa. E você não só soa como um como também se parece com um.

— Pareço? — ele está surpreso.

Eu sorrio. — Sim, é por causa da... pele pálida. E digo isso na melhor das intenções — acrescento à sua expressão alarmada. — Sinceramente.

— Huh. — St. Clair me olha de soslaio. — De qualquer maneira, no verão passado eu não suportava olhar para a cara do meu pai. Então, foi a primeira vez que passei as férias com minha mãe.

— E como foi? Aposto que as garotas não te enchem mais o saco por causa do seu sotaque.

Ele ri. — Não, elas não fazem mais isso. Mas não posso fazer nada quanto à minha altura. Serei sempre baixinho.

— E serei sempre a aberração, assim como meu pai. Todos me dizem que eu pareço com ele. Ele é do tipo... organizado, como eu.

Ele parece genuinamente surpreso. — O que há de errado em ser organizado? E, Anna, nunca conheci o seu pai, mas posso garantir que você não é nem um pouco parecida com ele.

— Como você sabe?

— Bem, porque ele parece um boneco do Ken. E você é bonita.

Eu tropeço e caio na calçada.

—Você está bem? — Seu olhar está evidentemente preocupado.

Olho em outra direção quando ele pega minha mão e me ajuda a levantar.

— Eu estou bem. Bem! — digo, limpando os pedregulhos da minha mão. Oh, meu Deus, eu sou uma aberração.

— Você percebeu o jeito que os homens olham para você, certo? — ele continua.

— Se eles estão olhando é porque eu sempre faço papel de boba. Eu ergo minhas mãos arranhadas.

— Aquele cara lá está olhando para você agora.

— O quê? — Eu me viro e dou de cara com um jovem de cabelos longos me olhando fixamente. — Por que ele está olhando para mim?

— Espero que ele goste do que vê.

Enrubesço e ele continua falando. — Em Paris, é comum perceber alguém atraente. Os franceses não desviam o olhar como outras culturas fazem. Você não notou?

St. Clair acha que sou atraente. Ele me chamou de bonita.

— Humm, não — digo. — Eu não tinha notado.

— Bem, então, abra os olhos.

Mas eu fico olhando para os galhos secos das árvores, para as crianças com bexigas, para o grupo de turistas japoneses. Qualquer lugar menos para ele. Paramos em frente a Notre-Dame de novo. Eu aponto para a estrela já familiar e pigarreio. — Quer fazer outro pedido?

— Você primeiro — ele me olha, intrigado como se estivesse tentando descobrir algo. Morde o dedão.

Dessa vez não posso evitar. O dia todo tenho pensado nisso. Nele. No nosso segredo.

Eu gostaria que St. Clair passasse a noite comigo de novo.

Ele pisa na estrela de cobre e bronze depois de mim e fecha os olhos. Percebo que deve estar pedindo pela sua mãe e me sinto culpada por ela não ter nem passado pela minha cabeça. Meus pensamentos estão em St. Clair.

Por que ele já é comprometido? As coisas seriam diferentes se eu o tivesse conhecido antes de Ellie? Seria diferente se a sua mãe não estivesse doente?

Ele disse que sou bonita, mas não sei se isso foi só um flerte, coisa de St. Clair amigo de todos, ou se veio de algum lugar particular. Vejo o St. Clair que todos veem? Não. Acho que não. Mas posso estar confundindo a nossa amizade com outra coisa, porque eu quero confundi-la com outra coisa.

A preocupação gradualmente some no jantar. Nosso restaurante é coberto de heras e com lareiras aconchegantes. Depois do jantar, caminhamos comendo uma *mousse* de chocolate. — Vamos para casa — ele diz, e a palavra faz meu coração bater.

Casa. Minha casa é a casa dele também.

Ainda não tem ninguém na recepção quando voltamos, mas Nate põe a cabeça para fora do quarto. — Anna! Étienne!

— Ei, Nate — dizemos.

— Vocês tiveram um bom feriado de Ação de Graças?

— Sim. Obrigado, Nate — respondemos.

— Preciso verificar se vocês estarão lá mais tarde? Vocês sabem as regras. Nada de dormir no mesmo quarto.

Meu rosto queima, e as bochechas de St. Clair enrubescem. É verdade. É uma regra. Uma que meu cérebro, meu cérebro movido a amor e tolerância, convenientemente bloqueou na noite passada. Também é algo notoriamente ignorado pelos empregados.

— Não, Nate — dizemos.

Ele balança a cabeça raspada e volta para dentro do apartamento. Mas a porta se abre rapidamente, e uma mão cheia de alguma coisa atira algo em nossa direção antes que a porta se feche novamente.

Camisinhas. Oh, meu Deus, quanta humilhação.

O rosto de St. Clair está agora todo vermelho à medida que pega os pequenos quadrados do chão e os coloca nos bolsos do casaco. Não falamos nem olhamos um para o outro conforme subimos as escadas para o meu andar. Minha pulsação aumenta a cada degrau. Ele vai me seguir para o meu quarto ou Nate acabou com quaisquer chances de isso acontecer?

Chegamos ao corredor e St. Clair coça a cabeça. — Hum...

— Então...

— Vou me trocar para dormir. Tudo bem? — Sua voz é séria e ele observa minha reação cuidadosamente.

— Claro. Eu também. Vou me.... arrumar para dormir também.

— Vejo você em um minuto?

Suspiro aliviada. — Lá em cima ou aqui embaixo?

— Acredite em mim, você não ia querer dormir na minha cama. — Ele ri e tenho de me virar porque eu quero, como eu quero. Mas entendi o que ele quis dizer. É verdade que minha cama é mais limpa. Corro para o meu quarto e coloco o pijama de morangos e uma camiseta de um festival de filme em Atlanta. Não que esteja planejando seduzi-lo.

Como se soubesse como fazer isso.

St. Clair bate na porta alguns minutos mais tarde. Ele está vestindo calça listrada de azul e uma camiseta preta com um logo da banda francesa que ele estava ouvindo antes. Estou tendo problemas para respirar.

— Serviço de quarto — ele diz.

Não consigo pensar em nada. — Há, ha — eu digo.

Ele sorri e apaga as luzes. Nós nos deitamos e isso é completamente, totalmente, absolutamente estranho. Como de costume. Vou para a ponta da cama. Ambos estamos duros, tensos para não tocarmos um no outro. Devo ser masoquista para me colocar nessas situações. Eu preciso de ajuda. Preciso ir a um psiquiatra ou ser presa em uma camisa de força ou em uma cela acolchoada ou algo do tipo.

Após o que parece uma eternidade, St. Clair respira profundamente e muda de posição. Sua perna encosta na minha e eu recuo. — Desculpe — ele diz.

— Tudo bem.

— ...

— ...

— Anna?

— Sim?

— Obrigado por me deixar dormir aqui de novo. A noite passada...

A pressão dentro do meu peito é torturante. O quê? O quê? O quê? O quê?

— Fazia tempo que não dormia tão bem assim.

O quarto está em silêncio. Depois de algum tempo, viro-me de novo. Eu, vagarosamente, estico minha perna até que meu pé toca no seu tornozelo. Sua inspiração é nítida. E então sorrio porque sei que ele não pode ver meu rosto na escuridão.

Capítulo 22

Sábado é outro dia para passear, comer e ir ao cinema, seguido de uma conversa estranha no saguão. Seguido de um corpo quente em minha cama. Seguido de toques hesitantes. Seguido de sono.

Mesmo com uns pequenos inconvenientes, nunca tive um feriado melhor que este.

Mas no domingo pela manhã as coisas mudam. Quando acordamos, St. Clair se espreguiça e acidentalmente bate em meus seios, o que não só dói como também nos envergonha. Então, no café da manhã, ele se distancia de novo. Verifica se há mensagens no celular enquanto estou falando. Olha fixo para o lado de fora das janelas do café. E, em vez de explorar Paris, diz que tem tarefa para fazer no dormitório.

E tenho certeza de que deve ter. Ele não tem se mantido em dia com as tarefas. Mas o seu tom é de que está me evitando, e sei o verdadeiro motivo disso tudo. Josh, Rashimi e Mer estarão de volta neste fim de tarde.

E Ellie também.

Tento não levar para ao lado pessoal, mas isso dói. Até penso em ir ao cinema, mas em vez disso prefiro me concentrar na minha tarefa de história. Pelo menos tento me convencer de que estou fazendo isso. Meus ouvidos estão focados nos movimentos do andar de cima, voltados para a distração. À medida que os alunos vão chegando, Résidence Lambert vai ficando mais barulhenta e se torna difícil perceber os barulhos de cada um. Nem tenho certeza se ele ainda está lá.

Meredith entra de súbito lá pelas oito e vamos jantar. Ela conta sobre o feriado em Boston, mas minha cabeça está em outro lugar. Ele provavelmente está com ela agora. Lembro-me da primeira vez que os vi juntos — o beijo deles, as mãos dela emaranhadas nos cabelos dele — e perco o apetite.

— Você está terrivelmente quieta — diz Mer. — Como foi o seu feriado? Você tirou o St. Clair do quarto dele?

— Um pouco. — Eu não posso contar para ela sobre as nossas noites, mas por alguma razão também não quero contar sobre os dias. Quero guardar as memórias para mim mesma, escondidas. Elas são minhas.

O beijo deles. As mãos dela emaranhadas no cabelo dele. Meu estômago se contorce.

Ela suspira. — E esperava que ele fosse sair da concha. Dar uma volta, tomar um pouco de ar fresco. Sabe, algo "louu-co" como essas coisas.

O beijo deles. As mãos dela emaranhadas...

— Ei — ela diz. — Vocês não fizeram nada demais enquanto estávamos fora, fizeram?

Eu quase engasgo tomando café.

As próximas semanas são bastante confusas. As aulas começam com os *professeurs* ansiosos para chegarem até a metade da programação. Ficamos acordados a noite toda e estudamos para nos prepararmos para os exames finais. Pela primeira vez, noto quão competitiva é a escola. Os alunos aqui levam os estudos a sério, e o dormitório está quase tão silencioso como estava quando eles partiram para o feriado.

As cartas chegam das universidades. Fui aceita em todas as universidades em que me inscrevi, mas quase não tenho tempo para comemorar. Rashimi conseguiu sua vaga na Brown e Meredith conseguiu ser aceita nas melhores para as quais se inscreveu também... uma em Londres e outra em Roma. St. Clair não fala nada sobre universidade. Nenhum de nós sabe onde ele se inscreveu ou se ele se inscreveu, e ele muda de assunto toda vez que surge essa discussão.

Sua mãe já terminou as sessões de quimioterapia e é a sua última semana de radioterapia externa. Na semana que vem, quando chegarmos em casa, ela fará a primeira sessão de radioterapia interna. É preciso ficar três dias no hospital, e agradeço por St. Clair poder estar lá para acompanhá-la. Ele diz que está confiante e que ela está indo bem — tão bem quanto as circunstâncias permitem —, mas ele está impaciente para ver com os próprios olhos.

Hoje é o primeiro dia de Chanucá e, em honra a esse festival, a escola nos deu uma folga quanto às tarefas e provas.

Bem, em honra a Josh.

— O único judeu na SOAP — ele diz revirando os olhos. É compreensível sua chateação porque imbecis como Steve Carver estavam socando seu braço e o agradecendo no café da manhã.

Meus amigos e eu estamos em uma loja de departamentos, tentando fazer algumas coisas já que temos uma tarde sem aulas de verdade. A loja é bonita de uma forma familiar. Fitas brilhantes vermelhas e douradas caem por sobre as guirlandas. Guirlandas verdes e luzes brancas piscando adornam as escadas rolantes e os balcões de perfumes. E músicos americanos cantam nos alto-falantes.

— Falando nisso — Meredith diz para Josh. — Você deveria estar aqui?

— Só no pôr do sol, minha amiguinha católica, pôr do sol. Mas na verdade — ele olha para Rashimi — precisamos ir se quisermos chegar a tempo ao Marais para jantarmos. Estou com desejo de comer *latkes*.

Ela checa a hora no relógio do celular. — Você está certo, é melhor nos apressarmos.

Eles dizem adeus e então ficamos só nós três. Estou contente que Meredith ainda esteja aqui. Desde o feriado, as coisas regrediram entre mim e St. Clair. Ellie é a namorada dele e eu sou só uma amiga e acredito que se sinta culpado por ter ultrapassado os limites. Sinto-me culpada por encorajá-lo. Nenhum de nós mencionou nada a respeito daquele fim de semana e, mesmo que nos sentemos um ao lado do outro nas refeições, existe agora essa coisa entre a gente. A tranquilidade da nossa relação se foi.

Ainda bem que ninguém notou. Eu acho. Uma vez peguei Josh gesticulando alguma coisa para St. Clair e depois apontando para mim. Não sei o que ele disse, mas foi algo que fez St. Clair mover a cabeça como se o tivesse mandado calar a boca. Mas pode ter sido sobre qualquer coisa.

Algo chama minha atenção. — Esta é... a canção-tema de *Looney Tunes*?

Mer e St. Clair sintonizam o ouvido.

— Sim. Acredito que sim — St. Clair diz.

— Eu ouvi *Love shack* alguns minutos atrás — Mer diz.

— É oficial — eu digo. — A América finalmente acabou com a França.

— Então, podemos ir agora? — St. Clair segura uma pequena sacola. — Já terminei.

— Oooh, o que você pegou? — Mer pergunta. Ela pega sua sacola e tira um delicado cachecol. — É para Ellie?

— Caramba.

Mer para. — Você não pegou nada para Ellie?

— Não, é para minha mãe. — Ele passa a mão pelo cabelo. — Vocês se importariam se passássemos pela Sennelier antes de irmos para casa? — Sennelier é um loja maravilhosa de fornecimento de pequenas artes, do tipo que me faz desejar ter uma desculpa para comprar tintas a óleo e pastel. Mer e eu fomos com Rashimi na semana passada. Ela comprou um novo caderno de esboços para Josh de presente de Chanucá.

— Uau! Parabéns, St. Clair — digo. — Vencedor do prêmio de namorado mais puxa-saco. E eu que pensei que Steve era ruim. Vocês viram o que aconteceu na aula de cálculo?

— Você quer dizer, quando a Amanda o pegou mandando mensagens sacanas para Nicole? — Mer pergunta. — Pensei que ela fosse enfiar o lápis no pescoço dele.

— Estive ocupado — St. Clair diz.

Eu olho para ele. — Só estava enchendo o saco.

— Bem, você não precisa ser tão arrogante assim.

— Eu não estava sendo arrogante. Não estava nem sendo babaca ou imbecil ou qualquer outro dos seus malditos anglicismos...

— Larga mão. — Ele puxa violentamente a sacola da mão de Mer e lança um olhar carrancudo para mim.

— Ei! — diz Mer. — É Natal. Ho-ho-ho. Parem de brigar.

— Não estávamos brigando — ele e eu falamos ao mesmo tempo.

Ela balança a cabeça. — Vamos lá, St. Clair está certo. Vamos sair daqui. Este lugar me dá arrepios.

— Eu acho que é um lugar legal — digo. — Além do mais, prefiro ver fitas a coelhos mortos.

— As lebres de novo não — St. Clair diz. — Você é tão ruim quanto Rashimi.

Lutamos através das filas de Natal.

— Consigo entender por que ela estava chateada! Do jeito que eles são desligados, como se tivessem morrido de hemorragia nasal. É horrível. Pobre Isis. — Todos as lojas em Paris se superaram com vitrines elaboradas, e o açougue não é exceção. Passo pelas lebres mortas todas as vezes que vou ao cinema.

— Caso você não tenha notado — ele diz —, Isis está perfeitamente viva e bem no sexto andar.

Emergimos através das portas de vidro e estamos na rua. Compradores correm de um lado para o outro, e por um momento parece que estou visitando meu pai em Manhattan. Mas os postes, bancos e avenidas familiares vão surgindo e a ilusão desaparece. O céu está branco-acinzentado. Parece que está prestes a nevar, mas nunca neva. Tomamos o nosso caminho em meio à multidão e em direção ao *métro*. O ar está frio, mas não cortante, e contaminado com a fumaça das chaminés.

St. Clair e eu continuamos discutindo sobre os coelhos. Eu sei que ele também não gosta do que vê, mas por alguma razão quer discutir. Mer está irritada. — Vocês podem parar de falar nisso? Vocês estão acabando com o meu burburinho de feriado.

— Falando em estraga-feriados. — Olho explicitamente para St. Clair antes de me dirigir a Mer. — Ainda quero ir a uma daquelas rodas-gigantes que eles montaram ao longo do Champs-Élysées. Ou aquela grandona na Place de La Concorde com todas aquelas luzes bonitas.

St. Clair crava os olhos em mim.

— Eu ia pedir a você — digo para ele —, mas sei qual seria sua resposta.

É como seu eu tivesse dado um tapa nele. Oh, Deus. O que há de errado comigo?

— Anna — Mer diz.

— Desculpe — olho para os meus pés horrorizada. — Não sei por que disse isso.

Um homem de bochechas vermelhas em frente a um supermercado pragueja em alto e bom som. Ele está vendendo cestos repletos de ostras no gelo. Suas mãos devem estar congelando, mas eu trocaria de lugar com ele neste momento. Por favor, St. Clair. Por favor, diga alguma coisa.

Ele forçosamente dá de ombros. — Tudo bem.

— Anna, você tem falado com Toph ultimamente? — Mer pergunta, desesperada para mudar o rumo da conversa.

— Sim. Na verdade eu recebi um e-mail dele ontem à noite. — Para ser honesta, parei de pensar em Toph há algum tempo. Mas, desde que St. Clair saiu de cena novamente, meus pensamentos se voltaram para a folga de Natal. Não tenho falado muito com Toph ou Brigde porque eles têm estado muito ocupados com a banda e nós com os exames finais, então foi surpreendente, e empolgante, receber um e-mail dele ontem.

— E o que dizia? — Mer pergunta.

foi mal eu não ter escrito. tem sido insano por aqui com todos os ensaios. foi engraçada aquela de os pombos estarem sendo alimentados com pílulas contraceptivas. parisienses loucos. eles deveriam colocar isso na pizza escolar aqui, tem pelo menos seis grávidas este ano. bridge disse que você vem para o nosso show. aguardo ansiosamente por isso, annabel lee.

nos falamos outra hora. toph.

— Não muito. Mas está ansioso para me ver novamente — acrescento.

Mer sorri. — Você deve estar tão empolgada.

Nós nos assustamos com o som de vidros se quebrando. St. Clair acaba de chutar uma garrafa na sarjeta.

— Você está bem? — ela pergunta para ele.

Mas ele se vira para mim. — Você teve oportunidade de dar uma olhada no livro de poesia que te dei?

Eu fico tão surpresa que levo alguns segundos para responder. — Uh, não. Não temos de lê-lo até o próximo semestre, não é mesmo? — Eu viro para Mer e explico. — Ele comprou o livro do Neruda para mim.

Ela vira a cabeça em direção a St. Clair, que desvia do seu exame detalhado. — Sim, bem. Eu só estava imaginando. Uma vez que você não mencionou nada... — ele silencia, desanimado.

Eu dou uma olhada engraçada para ele e me volto para Mer. Ela também está chateada, e tenho a impressão que perdi alguma coisa. Não, sei que eu perdi alguma coisa. Balbucio para suprir o estranho silêncio. — Estou tão feliz em ir para casa. Meu voo sai às seis da manhã neste sábado, então vou ter de acordar insanamente cedo, mas vale a pena. Devo chegar com tempo de sobra para ver os Penny Dreadfulls.

— O show deles é na noite em que vou chegar — acrescento.

A cabeça de St. Clair lança-se para cima. — Quando sai seu voo?

— Seis da manhã — repito.

— O meu também — ele diz. — Minha conexão é em Atlanta. Aposto que estamos no mesmo voo. Podemos dividir um táxi.

Algo dá um nó dentro de mim. Não sei se quero. É tão estranho num momento estar brigando e no outro não. Estou procurando por uma desculpa quando passamos por um mendigo com a barba desalinhada. Ele está deitado em frente ao *métro* com caixas de papelão ao redor para aquecê-lo. St. Clair revira os bolsos e coloca todos os seus euros na caneca do homem. — *Joyeux Noël*. — Ele se vira para mim. — E então? Um táxi?

Eu olho de volta para o mendigo sem responder. Ele está maravilhado, embasbacado com a quantia de dinheiro em suas mãos. A gélida cobertura em meu coração se quebra.

— A que horas nos encontramos?

Capítulo 23

Um punho bate contra a minha porta. Meus olhos se abrem de sobressalto e meu primeiro pensamento é: *-ai, -as, -a, -âmes, -âtes, -èrent*. Por que estou sonhando com o tempo passado dos verbos terminados em -er? Estou exausta. Tão cansada. “Tantooo” sono — O quê, o quê, o quê? Outra rodada de toques me acorda rapidamente e aperto os olhos para ver que horas são. Quem está batendo à minha porta às quatro horas da manhã?

Espere. Quatro horas? Não tinha algo que deveria esta... ?

Oh, não. Não. Não. Não.

— Anna, Anna, você está aí? Eu estou esperando no saguão há quinze minutos. — Ouço um barulho e St. Clair amaldiçoa o assoalho. — E vejo que a sua luz está apagada. Brilhante. Poderia ter mencionado que você tinha decidido ir sem mim.

Salto da cama. Eu não acordei. Não acredito que não acordei! Como isso pôde acontecer?

St. Clair vai embora batendo as botas no assoalho, e sua pesada mala é arrastada atrás dele. Eu abro a porta. Mesmo estando mais fracas, as luzes das luminárias do corredor me fazem piscar e cobrir os olhos.

St. Clair se vira. Ele está surpreso. — Anna?

— Ajude-me — eu arfo. — Ajude-me.

Ele derruba a mala e corre até mim. — Você está bem? O que aconteceu?

Eu o puxo para dentro e acendo a luz. O quarto está iluminado em sua total bagunça. As malas com os zíperes abertos e roupas empilhadas como acrobatas. Cosméticos espalhados ao redor da pia. Roupas de cama amarradas como cordas. E eu. Tardiamente, lembro-me de que não só meu cabelo está desarrumado e meu rosto coberto de creme para acne como também de que estou usando o pijama do Batman.

— Não acredito — ele está alegre. — Você dormiu e perdeu a hora? Eu acordei você?

Eu caio no chão e freneticamente começo a socar as roupas em minha mala.

— Você ainda não fez as malas?

— Eu ia terminar esta manhã! Você consegue me ajudar? — Puxo um zíper. Ele agarra um símbolo do Batman do meu pijama e grito frustrada.

Nós vamos perder o voo. Vamos perdê-lo e é minha culpa. E quem sabe a que horas é o próximo voo e ficaremos presos aqui o dia todo e nunca vou conseguir chegar a tempo para o show de Bridge e Toph. E a mãe de St. Clair vai chorar quando tiver de ir para o hospital sem ele para sua primeira seção de radioterapia interna porque ele estará preso em um aeroporto do outro lado do mundo, e é tudo minha culpa.

— Tudo bem, tudo bem. — Ele abre o zíper e guarda o meu pijama. Faço um estranho som tipo um gemido e um grunhido. A mala finalmente se fecha e St. Clair coloca as mãos em meus ombros para acalmar-me. — Vista-se. Limpe o rosto. Tomarei conta do resto.

Sim, uma coisa de cada vez. Eu posso fazer isso. Eu posso fazer isso.

Arrrgh!

Ele faz as minhas malas. Não pense nele pegando suas calcinhas e sutiãs. Não pense nele pegando suas calcinhas e sutiãs. Pego a minha roupa de viagem, graças a Deus, separada na noite anterior, e congelo. — Hum.

St. Clair olha para cima e me vê segurando a calça. Ele gagueja. — Eu vou, eu vou sair...

— Vire-se. Vire-se simplesmente, não temos tempo!

Ele se vira rapidamente, e seus ombros se debruçam sobre minha mala para mostrar quão sério ele não está olhando. — Então, o que aconteceu?

— Eu não sei. — Outra espiada para garantir que ele não está espiando e então arranco as minhas roupas em uma investida rápida. Estou agora oficialmente pelada na frente do garoto mais bonito que conheço. Engraçado, mas não foi assim que imaginei este momento.

Não. Não é engraçado. Cem por cento o contrário de engraçado.

— Eu acho que me lembro vagamente de ter apertado o alarme — tagarelo para disfarçar a minha vergonha. — Só se era o botão de desligar. Mas o alarme do meu celular estava armado também, então não sei o que aconteceu.

Roupas de baixo colocadas.

— Você tirou do silencioso ontem à noite?

— O quê? Eu pulo no meu *jeans*, um barulho que ele parece ignorar determinadamente. Suas orelhas estão vermelhas como maçãs.

— Você foi ver um filme, certo? Você não colocou seu celular no silencioso no cinema?

Ele está certo. Eu sou tão imbecil. Se não tivesse levado a Meredith para assistir a *A hard day's night*, um filme dos Beatles que sei que ela adora, eu nunca teria desligado. Já estaríamos em um táxi em direção ao aeroporto. — O táxi! — Eu meto o moletom sobre a minha cabeça e observo que estou em pé em frente ao espelho.

Um espelho que está de frente para St. Clair.

— Está tudo bem — ele diz. — Eu disse para o motorista esperar que viria aqui. Só vamos ter de dar uma gorjeta extra a ele. — Sua cabeça ainda está abaixada. Não acho que viu alguma coisa. Pigarreio, e ele olha para cima. Nossos olhares se cruzam no espelho e ele pula. — Deus! Eu não... quero dizer, somente agora...

— Beleza. Tudo bem. — Eu tento esquecer olhando em outra direção e ele faz o mesmo. Suas bochechas estão flamejantes. Abro caminho passando por ele e enxáguo a crosta branca do meu rosto enquanto ele joga a pasta, o desodorante e a maquiagem na minha bolsa, e então corremos escada abaixo e estamos no saguão.

Graças a Deus o taxista esperou. Um cigarro balança de sua boca e sua expressão não é nada boa. Ele reclama raivosamente em francês e St. Clair diz algo autoritário de volta e rapidamente estamos voando pelas ruas de Paris, passando por sinais vermelhos e em disparada pelos carros. Eu me agarro aterrorizada no assento e fecho os olhos.

O táxi para violentamente e nós também. — Chegamos. Você está bem? — St. Clair pergunta.

— Sim. Ótima — eu minto.

Ele paga o taxista, que sai correndo sem nem contar o dinheiro. Tento dar algum dinheiro a St. Clair, mas ele balança a cabeça e diz que a corrida é por conta dele. Pela primeira vez estou tão histérica que nem discuto. Não antes de termos corrido até o terminal correto, checado nossa bagagem, passado pela segurança e localizado o nosso portão. Ele diz: — Então, Batman, hein?

— Não enche, St. Clair.

Cruzo os braços e me sento em um dos assentos de plástico. Não estou no clima para isso. Ele senta na cadeira ao meu lado e estica o braço sobre o outro assento vazio ao seu lado. O homem na nossa frente está absorto em seu computador e finjo estar também. Bem o contrário disso.

St. Clair cantarola. Como não respondo, ele canta baixinho. — Batem os sinos, Batman cheira mal, Robin deu no pé...

— Tudo bem, ótimo, entendi. Ha ha. Boba eu.

— O quê? É só uma canção de Natal. — Ele sorri e continua um pouco mais alto. — O batmóvel perdeu uma roda na estrada M1, hey!

— Espere — franzo a testa. — O quê?

— O quê o quê?

— Você está cantando errado.

— Não, não estou — ele para. — Como você a canta?

Eu pego meu casaco e verifico se o meu passaporte está lá. Ufa. Ainda está lá. — É assim: Batem os sinos, Batman cheira mal, Robin botou um ovo...

St. Clair bufa. — Botou um ovo? Robin não botou um ovo...

— Batmóvel perdeu uma roda e o Coringa fugiu.

Ele olha para mim por um momento e depois diz com perfeita convicção — Não.

— Claro. Quero dizer, sério, qual é o lance da rodovia?

— Estrada M1. Liga Londres a Leeds.

Eu sorrio com desdém. — Batman é americano. Não pega a estrada M1.

— Quando está de férias, pega.

— Quem disse que o Batman tem tempo para tirar férias?

— Por que estamos discutindo por causa do Batman? — Ele se debruça. — Você está nos tirando do foco principal. O fato de que você, Anna Oliphant, perdeu a hora hoje.

— Obrigada.

— Você — ele cutuca minha perna com o dedo — perdeu a hora.

Concentro-me novamente no cara com o *laptop*. — Sim. Você já disse isso antes.

Ele dá um sorriso torto e contrai os ombros, aquele movimento corporal que o transforma em um legítimo francês. — Ei, nós conseguimos, não conseguimos? Sem problemas.

Pego um livro da minha mochila, *Your movie sucks*, uma coleção das críticas favoritas dos piores filmes, por Roger Ebert. Uma dica visual para ele me deixar em paz. St. Clair morde a isca. Ele desmorona e bate os pés no feio carpete azul.

Sinto-me culpada por ser tão dura. Se não fosse por ele, eu teria perdido o voo. Os dedos de St. Clair inconscientemente batucam no seu estômago. Seu cabelo está extradesarrumado hoje. Tenho certeza de que ele não acordou muito antes de mim, mas como sempre o cabelo desgrenhado fica mais atraente nele. Com uma dor aguda, eu me lembro das outras manhãs que passamos juntos. Dia de Ação de Graças. Sobre o qual nós ainda não conversamos.

Uma mulher entediada começa a chamar as fileiras para o embarque, primeiro em francês, depois em inglês. Eu decido ser legal e guardo o livro. — Onde são as nossas poltronas?

Ele observa o bilhete de embarque. — Quarenta e cinco G. Ainda está com seu passaporte?

Eu passo a mão pelo meu casaco mais uma vez. — Está aqui.

— Bom. — E então, sua mão está dentro do meu casaco. Meu coração acelera, mas ele não nota. Retira o meu passaporte e o abre.

Espere. Por que ele está com meu passaporte?

Suas sobrancelhas se erguem. Tento pegá-lo de volta, mas ele o tira da minha mão. — Por que você está vesga? — Ele ri. — Você fez algum tipo de cirurgia que eu não sei?

— Devolve! — Outra tentativa de retirada e outra decepção. Mudança de tática e eu invisto em direção ao seu casaco. Pego o passaporte dele.

— Não!

Eu o abro e é... o St. Clair bebê. — Cara, quantos anos você tinha nesta foto?

Ele arremessa o meu passaporte e pega o dele de volta. — Eu estava no ensino médio.

Antes que eu possa dizer qualquer coisa, nossa seção é anunciada. Seguramos nosso passaporte contra o peito e vamos para a fila. A atendente entediada passa o cartão de embarque dele por uma máquina que o corta e ele segue em frente. Entrego o meu. — Estas são as fileiras de embarque de 40 a 50. Por favor, sente-se até eu chamar sua fila. — Ela me devolve o cartão de embarque e suas unhas esmaltadas batem contra o papel.

— O quê? Eu estou na 45...

Mas eu não estou. Lá, em negrito, está a minha fila. Vinte e três. Eu me esqueci de que não íamos nos sentar juntos, o que é ridículo, porque, afinal, não fizemos nossas reservas juntos. É uma coincidência estarmos no mesmo voo. St. Clair espera por mim ao longo do corredor. Eu me contraio impotentemente e ergo o meu cartão de embarque. — Fila 23.

Sua expressão é de surpresa. Ele também tinha esquecido.

Alguém rosna para mim em francês. Um empresário com cabelo preto perfeito está tentando entregar o cartão de embarque à atendente. Eu murmuro minhas desculpas e saio do seu caminho. Os ombros de St. Clair se encolhem. Ele acena um adeus e desaparece.

Por que não podemos nos sentar juntos? Qual é o propósito de reservar os assentos? A mulher entediada chama a minha fila e tenho pensamentos horríveis sobre ela enquanto coloca o meu cartão na máquina. O meio e o corredor estão ocupados por mais empresários. Eu pego meu livro novamente, vai ser um voo longo, quando um sotaque inglês educado fala com o homem ao meu lado.

— Desculpe, mas eu estava imaginando se você se importaria de trocar de lugar. Veja só, esta é minha namorada e ela está grávida. E, uma vez que costuma passar mal em aviões, pensei que ela poderia precisar de alguém para segurar o seu cabelo quando... bem... — St. Clair ergue o saquinho que gentilmente é dado àqueles que passam mal durante voos. O papel enruga dramaticamente.

O homem pula do lugar e meu rosto enrubesce. A namorada grávida dele?

— Obrigado. Eu estava na 45 G. — Ele se senta na cadeira vaga e espera que o homem desapareça antes de falar novamente. O cara do outro lado nos olha horrorizado, mas St. Clair não dá a mínima. — Eles me colocaram do lado de um casal com camisetas havaianas idênticas. Não há porque sofrer neste voo sozinho se podemos sofrer juntos.

— Isso é tão reconfortante, obrigada. — Mas eu rio e ele parece satisfeito, até o momento da decolagem, quando gruda nos braços da poltrona e fica da cor de uma torta de limão. Eu o distraio com uma história de quando quebrei meu braço brincando de Peter Pan. St. Clair relaxa assim que estamos acima das nuvens.

O tempo passa depressa para um voo de oito horas.

Não conversamos sobre o que nos espera do outro lado do oceano. Não sobre a mãe dele. Não sobre Toph. Em vez disso, navegamos no *SkyMall*. Brincamos de se-você-tivesse-de-comprar-uma-coisa-de-cada-página. Ele ri quando escolho a torradeira de cachorro-quente e tiro sarro dele quando escolhe o espelho de chuveiro que não embaça e a maior cruzadinha do mundo.

— Pelo menos eles são práticos — ele diz.

— O que você vai fazer com um pôster de uma cruzadinha gigante? "Oh, me desculpe, Anna. Eu não posso ir ao cinema hoje. Eu estou ocupado com a 2.000 na horizontal, apito norueguês para chamar pássaros".

— Pelo menos eu não estou comprando a "grande pedra plástica" para esconder "postes de utilidades indesejáveis". Você percebeu que não tem um gramado?

— Eu poderia esconder outras coisas. Tipo... provas de francês ruins ou equipamentos para a produção de bebidas alcoólicas ilegais. — Ele se contorce de tanto rir com aquele sorriso de menino e eu também. — Mas o que você vai fazer com a bandeja de piscina motorizada para salgadinhos e bebidas?

— Utilizá-la na banheira. — Ele limpa uma lágrima que escorre na bochecha. — Ooo, veja! Uma estátua de jardim Mount Rushmore. Exatamente o que você precisa, Anna. E custa só 40 dólares! Uma pechincha!

Nós ficamos sem palavras na página de acessórios de golfe, então decidimos mudar e começamos a fazer desenhos rudes das pessoas que estão no avião, seguidos de desenhos rudes do cara da EuroDisney. Os olhos de St. Clair cintilam à medida que ele esboça um homem caindo da escada em espiral do Panteão.

Há muito sangue. E orelhas de Mickey Mouse.

Após algumas horas ele adormece. Sua cabeça afunda em meu ombro. Eu não me atrevo a me mexer. O sol está surgindo e o céu está rosa e laranja, o que me faz pensar em sorvete. Cheiro o cabelo dele. Não assim, do nada. É que... está aqui mesmo.

Ele deve ter acordado antes do que pensei, porque seu cabelo cheira a banho. Limpo. Saudável. Hum. Eu durmo e acordo de um sonho tranquilo e a próxima coisa que percebo é a voz falha do capitão. Chegamos.

Eu estou em casa.

Capítulo 24

Eu estou nervosa. É como se a banda animatronic de Chuck E. Cheese estivesse dando uma festa no meu estômago. Eu sempre odiei Chuck E. Cheese. Por que estou pensando em Chuck E. Cheese? Não sei por que estou nervosa. Eu só vou ver minha mãe de novo. E Sean. E Bridge! Bridge disse que viria.

A conexão de St. Clair para São Francisco ainda levará três horas, então embarcamos no trem que corre entre os terminais e ele me acompanha até a área de chegada. Estamos em silêncio desde que saímos do avião. Acredito que estamos cansados. Chegamos ao posto de segurança e ele não pôde ir além. Regulamentações idiotas da TSA. Eu gostaria de poder apresentá-lo a minha família. A banda Chuck E. Cheese se torna mais intensa, o que é estranho, porque não estou nervosa por ter de deixá-lo. Eu o verei novamente em duas semanas.

— Tudo bem, Banana. Acho que agora temos de nos despedir. — Ele agarra as alças da mochila e faço o mesmo.

Este é o momento em que deveríamos nos abraçar, mas por alguma razão eu não consigo fazer isso.

— Diga olá a sua mãe por mim. Quer dizer, não a conheço. Ela só parece ser uma pessoa muito legal. E espero que ela esteja bem.

Ele sorri gentilmente. — Obrigado. Eu direi.

— Você liga?

— Claro, de qualquer jeito. Você estará tão ocupada com a sua amiga Bridge e com o qual-é-o-nome-dele que vai esquecer tudo sobre seu amigo inglês St. Clair.

— Ah! Então você é inglês? — Eu o cutuco no estômago.

Ele agarra minha mão e nós lutamos, rindo. — Eu afirmo... nenhuma... nacionalidade.

Eu me solto. — De qualquer maneira, eu te peguei. Ow! — Um homem de cabelo grisalho e óculos bate com a mala vermelha xadrez em minhas pernas.

— Ei, você! Peça desculpas! — St. Clair diz, mas o cara já está longe para ouvir.

Eu esfrego a canela. — Tudo bem, nós estamos no meio do caminho. Eu preciso ir.

Hora de se abraçar de novo. Por que não podemos fazer isso? Finalmente, dou um passo à frente e envolvo meus braços em seu pescoço. Ele está tenso e é estranho, especialmente com as nossas mochilas no caminho. Sinto o cheiro do cabelo dele de novo. Oh, que paraíso.

Nós nos separamos. — Divirta-se no show hoje à noite — ele diz.

— Eu irei. Tenha uma boa viagem.

— Obrigado. — Ele morde o dedão e então passo pela segurança e começo a descer as escadas. Olho para trás uma última vez. St. Clair pula sem parar acenando para mim. Eu morro de rir e seu rosto se ilumina. A escada desce ainda mais. Ele está fora de visão.

Eu engulo com dificuldade e me viro. E então lá estão eles. Minha mãe está com um sorriso enorme e Sean pula e acena, exatamente como St. Clair.

— Pela última vez, Bridgette pediu desculpas. — Minha mãe paga à mulher mal-humorada na cabine do estacionamento. — Ela tinha de ensaiar para o show.

— Certo. Apesar de não termos nos visto em quatro meses.

— Bridge é uma estrela do rock — Sean diz do banco de trás. A voz repleta de adoração.

Uh-oh. Alguém está apaixonado. — Oh, verdade?

— Ela disse que a banda dela vai estar na MTV um dia, mas não em um canal da MTV qualquer, e sim em um daqueles bacanas que só se consegue assistir se tiver um pacote especial de TV.

Eu me viro. Meu irmão parece estranhamente convencido. — E como é que você sabe sobre pacote de TV a cabo?

Sean balança as pernas. Um dos seus joelhos está coberto com band-aid do *StarWars*. Tipo, sete ou oito deles. — Duh, Bridge me disse.

— Ah. Entendi.

— Ela também me falou sobre louva-deuses. Em como a louva-deus fêmea come a cabeça do louva-deus macho. E me falou sobre Jack, o Estripador e a Nasa, e me ensinou a fazer macarrão com queijo. Do bom, com o pacote de queijo mole.

— Algo mais?

— Muitas outras coisas. — Há uma entonação nessa parte. Como uma ameaça.

— Oh, ei, trouxe algo para você. — Eu abro minha mochila e tiro uma embalagem de plástico. É boneco original do *Star Wars*. A compra pelo eBay consumiu a grana das refeições de uma semana inteira, mas valeu a pena. Ele realmente quer isso. Estava guardando para mais tarde, mas ele precisa de bajulação da minha parte.

Eu ergo o pacote. O boneco crava os olhos no banco de trás. — Feliz Natal adiantado!

Sean cruza os braços. — Eu já tenho esse. Bridge me deu um.

— Sean! O que eu falei sobre agradecer às pessoas? Diga obrigada a sua irmã. Ela deve ter enfrentado muita coisa pra conseguir isso para você.

— Tudo bem — murmuro, colocando o brinquedo de volta em minha mochila. É incrível quão ressentida uma criança de sete anos pode me deixar.

— Ele só sentiu sua falta, é só isso. Fala de você sem parar. Só não sabe como expressar isso agora que você está aqui. Sean! Pare de chutar o banco. O que disse para você sobre chutar o banco enquanto estou dirigindo?

Sean fala com expressão carrancuda. — Podemos ir ao McDonald's?

Minha mãe olha para mim. — Você está com fome? Comeu alguma coisa durante o voo?

— Eu comeria agora.

Saímos da interestadual e chegamos ao *drive-through*. Eles ainda não estão servindo almoço e Sean fica irritado. Decidimos comer *hash browns*. Minha mãe e Sean pegam Coca-Cola e eu peço café. — Você toma café agora? — Minha mãe o passa para mim, surpresa.

Eu dou de ombros. — Todos na escola tomam café.

— Bem, espero que você esteja tomando leite também.

— Como se Sean estivesse tomando leite agora.

Minha mãe aperta os dentes. — É uma ocasião especial. Sua irmã mais velha está em casa para o Natal. — Ela aponta para a bandeira canadense em minha bolsa. — O que é isso?

— Meu amigo St. Clair a comprou para mim. Assim eu não me sentiria uma estranha.

Ela ergue a sobrancelha e volta para a estrada. — Há muitos canadenses em Paris?

Meu rosto enrubesce. — Eu achei que, você sabe, fosse algo estúpido. Como aqueles turistas chatos americanos com seus tênis e suas câmeras no pescoço? Então ele comprou isso para mim, assim não me sentiria... envergonhada. Americana.

— Ser americana não é motivo de vergonha — ela rosna.

— Deus, mãe, eu sei. Só quis dizer... esqueça.

— Esse é o garoto inglês com o pai francês?

— O que isso tem a ver com o que estávamos conversando? — Eu estou nervosa. Não gosto da insinuação. — Além do mais, ele é americano. Ele nasceu aqui. Sua mãe mora em São Francisco. Sentamos juntos no avião.

Nós paramos no semáforo. Minha mãe me olha fixamente. — Você gosta dele.

— Oh, Deus, mãe.

— Você gosta. Você gosta dele.

— Ele é só um amigo. Ele tem namorada.

— Anna tem namo-raaaado!

Tomo um gole de café e engasgo. É nojento. É lamacento. Não, é pior do que lama — pelo menos lama é orgânica. Sean ainda está zombando de mim. Minha mãe põe as mãos para trás e agarra suas pernas que estão chutando o banco novamente. Ela me vê fazendo cara feia para a bebida.

— Minha nossa. Um semestre na França e de repente você é a Miss Sofisticação. Seu pai vai ficar emocionado.

Como se fosse minha escolha! Como se eu tivesse pedido para ir para Paris! E como ela tem coragem de mencionar meu pai.

— Annn-a tem namo-raaaaado!

Entramos novamente na interestadual. É hora do *rush* e o trânsito de Atlanta parou de se mexer. O carro da frente lança uma nuvem de fumaça diretamente na ventilação do carro.

Duas semanas. Só mais duas semanas.

Capítulo 25

Sofia está morta. Porque minha mãe só a levou para passear três vezes desde que fui embora, agora ela está presa em alguma borracharia em Ponce de Leon Avenue. Meu carro pode ser um pedaço vermelho de lata velha, mas ela é meu pedaço vermelho de lata velha. Eu paguei por ela com meu próprio dinheiro, ganho com o fedor da pipoca de cinema no meu cabelo e a manteiga artificial nos meus braços. Ela recebeu esse nome em homenagem à minha diretora favorita, Sofia Coppola. Sofia cria esses filmes atmosféricos, impressionistas, com um estilo tranquilo, mas impecável. Ela também é uma das únicas duas americanas a terem sido nomeadas ao Oscar de melhor diretor por *Encontros e desencontros*.

Ela deveria ter ganho.

— Por que você não pega carona com seus amigos? — minha mãe pergunta quando reclamo por ter de dirigir a minivan dela para o show do Penny Dreadfulls.

— Porque Bridge e Toph já estarão lá. Eles têm de arrumar as coisas. — Capitão Jack implora implora implora por uma guloseima, então lanço uma bolinha de laranja na sua gaiola e coço a penugem atrás de suas orelhas.

— O Matt não pode levar você?

Eu não falo com ele há meses. Acho que ele vai, mas, credo, isso significa que *Cherrie Milliken* também vai. Não, obrigada. — Não vou ligar para o Matt.

— Bem, Anna. É o Matt ou a minivan. Eu não vou fazer a escolha por você.

Eu escolho o meu ex. Costumávamos ser bons amigos, então estou como que ansiosa por vê-lo novamente. E talvez Cherrie não seja tão ruim como eu me lembro. Exceto que ela é. Ela realmente é. Após apenas cinco minutos em sua companhia, não posso entender como a Bridge consegue se sentar com ela todos os dias no almoço. Ela se vira para me olhar no banco de trás e seu cabelo zune como a cena de um comercial de xampu enriquecido com vitaminas. — E então, como são os garotos em Paris?

Eu dou de ombros. — Parisienses.

— Ha ha. Você é engraçada.

Seu riso sem vida é um dos seus menores atributos. O que Matt vê nela?

— Ninguém em especial? — Matt sorri e me olha pelo espelho retrovisor. Eu não sei bem o porquê, mas me esqueci de que ele tinha olhos castanhos. Por que eles fazem com que algumas pessoas pareçam fantásticas e outras simplesmente medianas? É a mesma coisa com cabelos castanhos. Estatisticamente falando: St. Clair e Matt são bastante semelhantes. Olhos: castanhos. Cabelos: castanhos. Raça: caucasiana. Há uma diferença de altura significativa, mas ainda assim. É como comparar trufas de alta qualidade a uma barra de chocolate mr. Goodbar.

Eu penso a respeito da trufa. E sua namorada.

— Não exatamente.

Cherrie fala com Matt sobre algo que aconteceu no coro, uma conversa com a qual ela sabe que não posso contribuir em nada. Mr. Goodbar me atualiza com os detalhes de quem é quem, mas minha mente está longe. Bridge e Toph. A Bridge ainda será a mesma? Eu e Toph vamos continuar de onde paramos?

Minha ficha está caindo agora. Eu estou prestes a ver Toph.

A última vez que estivemos juntos nós nos beijamos. Eu não posso evitar e fantasio sobre o reencontro. Toph me destacando no meio da multidão, sendo incapaz de tirar os olhos de mim, me dedicando músicas. Eu encontrando-o nos bastidores. Beijando-o em cantos escuros. Eu poderia estar a ponto de passar toda uma folga de inverno beijando Toph. Na hora em que chegamos ao clube, meu estômago está dando nó, mas pelo lado bom.

Exceto quando Matt abre a minha porta, e percebo que não estamos no clube. Está mais para uma... pista de boliche. — Este é o lugar certo?

Cherrie mexe a cabeça afirmativamente. — Todas as bandas menores de idade tocam aqui.

— Oh. — Bridge não tinha mencionado que ia tocar em uma pista de boliche. Mas tudo bem, ainda é grande coisa. E eu tinha esquecido o fato de sermos menores de idade. O que é bobeira, porque não é como se estivesse vivendo na França por tanto tempo assim.

Lá dentro nos dizem que temos de comprar uma pista para podermos assistir ao show. O que significa que temos de alugar sapatos de boliche. Hum, não. Não há como eu usar sapatos de boliche. Centenas de pessoas usam essas coisas e, como assim, um borrifada de Lysol vai matar todos os germes dos pés fedorentos? Acho que não.

— Tudo bem — eu digo quando o cara os coloca no balcão. — Você pode ficar com eles.

— Senhorita. Você não pode jogar sem sapatos.

— Eu não vou jogar.

— Senhorita. Pegue os sapatos. Você está atrasando a fila.

Matt pega os sapatos. — Desculpe. — Ele meneia a cabeça. — Eu esqueci como você é com coisas desse tipo. — Então Cherrie bufa e ele carrega os sapatos dela também. Ele os esconde embaixo de algumas cadeiras em formato de conchas alaranjadas e nós caminhamos até o palco que está encostado contra a parede dos fundos. Uma pequena multidão está reunida. Bridge e Toph não estão em nenhum lugar onde eu possa vê-los e não reconheço nenhuma outra pessoa.

— Eu acho que eles são os primeiros. — Matt diz.

— Você quer dizer que eles estão no primeiro ato de uma pista de boliche? — eu pergunto.

Ele lança um olhar para mim e sinto como se tivesse meio metro de altura. Porque ele está certo. Isso ainda é incrível! É o primeiro show deles! Mas a tristeza retorna à medida que vagamos pelo local. Camisetas com recados sobre barrigas de cerveja imensas. Jaquetas enormes da NFL e queixos de porco. Conscientemente, estou em uma pista de boliche, mas as diferenças entre americanos e parisienses são chocantes. Estou envergonhada em ver o meu país da mesma forma que os franceses nos veem. Essas pessoas não poderiam, pelo menos, ter penteado o cabelo antes de sair de casa?

— Eu preciso de uma corda de alcaçuz — Cherrie anuncia. Ela marcha em direção ao bar e tudo o que eu consigo pensar é: "essas pessoas são o seu futuro".

O pensamento me deixa um pouco mais feliz.

Quando ela volta, eu a informo de que uma mordida do corante presente no seu doce poderia matar meu irmão.

— Deus, mórbida! — ela diz. O que me faz pensar em St. Clair de novo. Porque quando eu disse a ele a mesma coisa, há três meses, em vez de me acusar de morbidez, ele perguntou com curiosidade sincera — Por quê?

Imagino se St. Clair já viu a mãe dele. Hum, ele já está na Califórnia há duas horas. Seu pai ia pegá-lo e levá-lo direto ao hospital. Provavelmente está com ela agora. Eu deveria mandar uma mensagem, desejando tudo de bom. Pego meu telefone no momento em que a multidão explode com gritos e aplausos.

Eu deixo o texto de lado.

Os Penny Dreadfulls surgem, pulsando com empolgação e energia, do... quarto dos empregados. Tudo bem. Não é tão glamoroso como surgir dos bastidores, mas eles parecem ótimos. Bem, dois deles.

O baixista é o mesmo de qualquer maneira. Reggie costumava vir até o nosso trabalho, tentando arrancar ingressos de graça do Toph para os lançamentos dos filmes de histórias em quadrinhos. Ele tem essa franja longa que cai sobre metade do seu rosto e cobre seus olhos, e nunca fui capaz de dizer o que ele pensa. Eu perguntava: — Como foi o Homem de Ferro? — E ele dizia: — Bom — com sua voz entediante. E, pelo fato de seus olhos estarem escondidos, eu nunca soube se ele queria dizer bom, bom, ou um mais ou menos bom, ou um bom ruim. Era irritante.

Mas Bridgette está radiante. Ela está usando uma blusa justa que deixa à mostra seus braços torneados, e o seu cabelo loiro está em coque, estilo princesa Leia, com *hashis*. Eu imagino se isso não foi ideia do Sean. Ela me encontra de imediato e seu rosto se ilumina como uma árvore de Natal. Eu aceno quando ela ergue as baquetas sobre a cabeça, conta as batidas para o início da música, e então ela voa. Reggie acompanha com o baixo, e Toph — eu o deixo por último, porque eu sei que, uma vez que meus olhos se encontrarem com os dele, eu não os desviarei mais.

Porque Toph ainda é totalmente gostoso.

Ele toca a guitarra como se quisesse usá-la para atear fogo em algo, e ele tem aquele grito nervoso de punk rock, e sua testa e costeletas já estão reluzindo de suor. Sua calça é justa, xadrez de azul, algo em que ninguém que eu conheço conseguiria se mexer, e isso me lembra do gosto de sua boca, e é tão *sexy* que eu poderia morrer.

E então... ele me vê.

Toph ergue a sobrancelha e sorri, aquele sorriso preguiçoso que faz com que eu estoure por dentro. Matt, Cherrie e eu arrasamos e pulamos e é tão estimulante que nem me importo em dançar com Cherrie Milliken. — Bridge é fantástica — ela diz.

— Eu sei! — Meu coração explode de orgulho. Porque ela é minha melhor amiga e sempre soube quão talentosa ela era. Agora todo mundo também sabe. E não sei o que estava esperando. Talvez que a franja de Reggie fosse atrapalhar a apresentação deles, mas ele também é muito bom. Suas mãos rasgam as cordas, tirando um som muito bom que nos leva ao frenesi. O único defeito de tudo isso é... Toph.

Não me leve a mal. Sua contravenção e suas letras do tipo eu sou um perdedor são perfeitas. Cativantes. Há tanta fúria e paixão que até mesmo o caipira atrás do balcão de sapatos está mexendo a cabeça. E, claro, Toph parece extremamente adequado para a situação.

Tocar guitarra é que é o seu fraco. Não é que eu saiba muito sobre guitarras. Tenho certeza de que é um instrumento difícil, e que ele vai melhorar com a prática. É difícil tornar-se especialista em algo se você está sempre atrás do balcão. E ele toca alto e isso nos irrita. Eu me esqueço de que estou em uma pista de boliche e que estou quebrando tudo com meu ex-namorado e sua namorada, e em um minuto está tudo acabado.

— Nós somos os Penny Dreadfulls, obrigado por terem vindo nos prestigiar. Meu nome é Toph, aquele é Reggie no baixo e a gostosa no fundo é a Bridge.

Grito e berro.

Ela sorri radiante para Toph. Ele agita as sobrancelhas de volta e então se vira para a multidão e olha maliciosamente. — E, oh, sim. E não façam sacanagem com ela porque eu já faço isso. Toma esta, Atlanta. Boa noite!

Capítulo 26

Espere. O quê?

Desculpe, o que ele acabou de dizer?

Toph chuta o pedestal do microfone com um gesto marcante e babaca e os três pulam do palco. É um pouco menos dramático quando eles têm de voltar ao palco para recolher seus instrumentos antes de a outra banda entrar. Tento capturar o olhar de Bridge, mas ela não me olha. Seu olhar está fixado nos pedestais do seu prato. Toph toma um gole da garrafa de água, acena para mim e então pega seu amplificador e se dirige ao estacionamento.

— Uau! Eles são bons! — Cherrie diz.

Matt bate em minhas costas. — O que você acha? Ela tocou algumas músicas para mim há algumas semanas, por isso sabia que ia ser fantástico.

Eu estou tentando conter as lágrimas. — Hum. O que ele acabou de dizer?

— Ele disse que ela tocou algumas das músicas para nós há algumas semanas — Cherrie repete bem próximo do meu rosto.

Eu repito. — Não. O que Toph acabou de dizer? Antes de falar sobre Atlanta?

— O quê? Não desejem minha namorada? — Cherrie pergunta.

Eu não consigo respirar. Estou tendo um ataque do coração.

— Você está bem? — Matt pergunta.

Por que a Bridge não me olha? Eu tropeço, mas Matt me segura: — Anna, você sabia que ela e Toph estavam namorando, certo?

— Eu tenho de falar com a Bridge. — Minha garganta está fechando. — Eu não entendo...

Matt grita. — Eu não acredito que ela não te contou.

— Há quanto... quanto tempo?

— Desde o Dia de Ação de Graças — ele diz.

— Dia de Ação de Graças? Mas ela não disse... ela nunca disse...

Cherrie está alegre. — Você não sabia?

— Não. Eu não sabia.

— Vamos lá, Anna. — Matt tenta me desviar do assunto, mas eu o empurro para o lado e pulo no palco. Abro a boca, mas nenhuma palavra sai.

Bridge finalmente me olha. — Eu sinto muito — ela sussurra.

— Você sente muito? Você e Toph estão namorando há um mês e você sente muito?

— Aconteceu. Eu ia te contar, eu queria te contar...

— Mas você perdeu o controle sobre a sua boca? Porque é fácil, Bridge. Olhe para mim! Eu estou falando diretamente...

— Você sabe que não foi fácil! Eu não planejei isso, simplesmente...

— Oh, você não tinha intenção de arruinar a minha vida? Simplesmente aconteceu?

Bridge levanta de trás da bateria. É impossível, mas ela está mais alta do que eu agora. — O que você quer dizer com acabar com a sua vida?

— Não se faça de tola, você sabe exatamente o que quero dizer. Como pôde fazer isso comigo?

— Fazer o quê? Não é como se vocês estivessem namorando!

Eu grito frustrada. — Nós certamente não namoraremos agora.

Ela sorri desdenhosamente. — É um pouco difícil namorar alguém que não está interessado em você.

— Mentirosa.

— O quê, você nos troca por Paris e espera que coloquemos nossa vida em espera por causa de você?

Fico boquiaberta. — Eu não troquei vocês. Eles me mandaram embora.

— Oh, sim. Para Paris. Enquanto isso, eu estou aqui presa em "Merdatlanta", Geórgia, na mesma porcaria de escola, trabalhando como uma porcaria de babá...

— Se cuidar do meu irmão é tão ruim assim, por que você faz isso?

— Eu não quis dizer...

— Porque você também quer colocá-lo contra mim? Parabéns. Você conseguiu. Meu irmão te ama e me odeia. Então você é bem-vinda para se mudar para casa assim que eu for embora, porque é isso que você quer, certo? Minha vida?

Ela se move com fúria. — Vá pro inferno!

— Pega minha vida. Você pode tê-la. Só cuidado com a parte em que minha melhor amiga acaba com minha vida! — Eu bato no pedestal do prato e o latão bate no palco com um ruído ensurdecedor que ecoa por toda a pista de boliche. Matt me chama. Faz tempo que ele está me chamando? Ele agarra meu braço e me leva para onde estão os cabos, as tomadas e mais e mais e mais distante.

Todos na pista de boliche estão olhando para mim.

Eu abaixo a cabeça e meu cabelo cobre meu rosto. Estou chorando. Isso nunca teria acontecido se eu não tivesse dado o telefone dela ao Toph. Todos aqueles ensaios até tarde da noite e... ele disse que eles transaram! E se eles fizeram isso na minha casa? Ele aparece por lá quando ela está tomando conta do Sean? Eles vão até meu quarto?

Eu vou vomitar. Eu vou vomitar. Eu vou...

— Você não vai vomitar — Matt diz, e eu não sabia que estava falando alto, mas não me preocupo porque minha melhor amiga está namorando Toph. Ela está namorando Toph. Ela está namorando... Toph.

Toph está aqui.

Na minha frente, no estacionamento. Seu corpo delgado está relaxado e ele encosta o quadril contra o carro. — E aí, Annabel Lee?

Ele nunca esteve interessado em mim. Ela disse isso.

Toph abre os braços para um abraço, mas já estou indo em direção ao carro de Matt. Eu ouço sua irritação:

— O que há com ela? — E Matt respondendo algo com nojo, mas não sei o quê, estou correndo, correndo, correndo, e eu quero estar o mais longe possível deles, o mais longe possível desta noite. Eu queria estar na cama. Eu queria estar em casa.

Eu queria estar em Paris.

Capítulo 27

— Anna. Anna, calma aí. A Bridgette está namorando o Toph? — St. Clair pergunta pelo telefone.

— Desde o Dia de Ação de Graças. Ela está men-mentindo para mim por todo esse tempo!

O horizonte de Atlanta é um borrão pela janela do carro. As torres estão iluminadas com luzes azuis e brancas. Elas são mais desconexas do que os prédios em Paris; não têm relação alguma. Elas são simplesmente estúpidos retângulos criados para serem maiores, melhores do que os outros.

— Preciso que você respire fundo — ele diz. — Tudo bem? Respire fundo e comece do começo.

Matt e Cherrie me observam pelo espelho retrovisor conforme conto a história de novo. Todos ficam em silêncio. — Você está aí? — pergunto. Eu fico perplexa quando um lenço rosa aparece na minha frente. Está preso à mão de Cherrie. Ela parece culpada.

Aceito o lenço.

— Eu estou aqui. — St. Clair está nervoso. — Só sinto muito em não estar aí. Com você. Eu queria poder fazer alguma coisa.

— Quer vir aqui e bater nela para mim?

— Estou empacotando as minhas estrelas-ninja agora mesmo.

Fungo e limpo o nariz. — Eu sou tão idiota. Não acredito que achei que ele gostasse de mim. Esta é a pior parte, saber que ele nunca esteve interessado em mim.

— Bobagem. Ele estava interessado.

— Não, ele não estava — eu digo. — Bridge disse que não.

— Porque ela está com ciúmes! Anna, eu estava lá na primeira noite que ele te ligou. Eu vi como ele olhava para você nas fotos. — Eu protesto, mas ele interrompe. — Qualquer cara que seja homem de verdade seria louco de não gostar de você.

Há uma pausa chocante, em ambas as conversas.

— Porque, claro, você é muito inteligente. E engraçada. Não que você não seja atraente. Porque você é. Atraente. — Oh, pervertido...

Eu espero.

— Você ainda está aí ou você já desligou porque sou um baita de um idiota?

— Eu estou aqui.

— Deus, você me pegou nessa.

St. Clair disse que sou atraente. É a segunda vez que ele diz isso.

— É que é tão fácil falar com você — ele continua — que às vezes me esqueço de que você não é um dos caras.

Apague o que eu disse anteriormente. Ele acha que sou o Josh. — Larga mão. Eu não vou suportar ser comparada com um cara neste momento...

— Não foi o que quis dizer...

— Como está sua mãe? Desculpe, tomei todo o tempo da conversa falando sobre mim e era para eu perguntar sobre ela...

— Você perguntou. Foi a primeira coisa que perguntou quando atendeu. E, tecnicamente, telefonei para você. E eu liguei para saber como foi o show, que é sobre o que temos conversado desde então.

— Oh — eu fico mexendo no panda de pelúcia no assoalho do carro do Matt. Ele tem um coração de cetim escrito “Eu amo você”. Um presente de Cherrie, sem dúvida. — Mas como ela está? Sua mãe?

— Minha mãe... está bem. — A voz parece cansada de repente. — Não sei se ela está melhor ou pior do que eu esperava. De alguma forma, um pouco de cada. Eu tinha imaginado o pior, com hematomas e cadavérica, e estou aliviado que esse não é o caso, mas vê-la pessoalmente... ainda assim ela perdeu muito peso. E está exausta. Ela está naqueles quartos especiais revestidos de chumbo com todos aqueles tubos plásticos.

— Você pode ficar com ela? Você está aí agora?

— Não, eu estou no apartamento dela. Só me deixam fazer uma visita rápida por causa da exposição à radioatividade.

— Seu pai está lá?

Ele não diz nada por algum momento e sinto que passei do ponto. Mas ele finalmente diz. — Ele está aqui. E eu estou lidando com ele. Para o bem da mamãe.

— St. Clair?

— Sim.

— Eu sinto muito.

— Obrigado. — Sua voz fica baixa à medida que o carro de Matt entra no meu bairro.

Eu suspiro. — Eu tenho de ir. Nós estamos quase em casa. Matt e Cherrie estão me dando uma carona.

— Matt? Seu ex-namorado, Matt?

— Sofia está na borracharia.

Pausa. — Mmph.

Nós desligamos quando Matt para na frente de casa. Cherrie se vira e me olha fixamente. — Interessante. Quem era?

Matt parece infeliz. — O quê? — pergunto para ele.

— Você conversa com aquele cara, mas não conversa mais conosco.

— Desculpem — murmuro e saio do carro. — Ele é só um amigo. Obrigada pela carona.

Matt também sai do carro. Cherrie começa a fazer o mesmo, mas ele lança um olhar fulminante para ela. — Então, o que significa aquilo? — ele berra. — Nós não somos mais amigos? Você está nos trocando?

Arrasto-me em direção à minha casa. — Eu estou cansada, Matt. Vou para a cama.

Ele me segue mesmo assim. Pego a chave de casa, mas ele segura meu pulso me impedindo de abrir a porta. — Ouça, eu sei que você não quer falar sobre isso, mas eu só tenho uma coisa para dizer antes que você entre lá e se acabe de tanto chorar...

— Matt, por favor...

— Toph não é um cara legal. Ele nunca foi. Não sei o que você viu nele. Ele responde para todo mundo, é completamente inconfiável, usa aquelas roupas falsas estúpidas...

— Por que você está me dizendo isso? — Estou chorando de novo. Eu puxo minha mão.

— Eu sei que você não gostava de mim tanto quanto eu gostava de você. Sei que você preferia ter ficado com ele e eu lidei muito bem com isso. Eu superei.

A vergonha é esmagadora. Mesmo que eu soubesse que Matt tinha consciência sobre Toph, é horrível ouvir isso da sua própria boca.

— Mas ainda sou seu amigo. — Ele está enfurecido. — E estou cansado de ver você gastar toda a sua energia com aquele imbecil. Você passou todo esse tempo com medo de falar o que estava havendo entre vocês, mas, se você tivesse se preocupado em simplesmente perguntar a ele, você saberia que ele não vale a pena. Mas você não fez isso. Você nunca perguntou para ele, perguntou?

O peso da dor é insuportável. — Por favor, vá embora — eu sussurro. — Por favor, apenas vá embora.

— Anna — sua voz volta ao normal e ele espera que eu olhe para ele. — Ainda acho que foi errado ele e Bridge não terem te contado. Tudo bem? Você merece mais do que isso. E eu, sinceramente, espero que com quem quer que seja que você estava conversando — Matt aponta para o celular na minha bolsa — que ele seja melhor do que Toph.

Capítulo 28

Para: Anna Oliphant <bananaelephant@femmefilmfreak.net>
De: Étienne St. Clair <etiennebonaparte@soap.fr>
Assunto: Feliz Natal

Já se acostumou ao fuso horário? Que droga, não consigo dormir. Eu ia ligar, mas não sabia se você está acordada ou fazendo qualquer coisa com sua família. A neblina na baía é tanta que não consigo ver através da janela, mas, se pudesse, certamente descobriria que eu sou
a única pessoa viva em São Francisco.

Para: Anna Oliphant <bananaelephant@femmefilmfreak.net>
De: Étienne St. Clair <etiennebonaparte@soap.fr>
Assunto: Esqueci de dizer

Ontem vi um cara no hospital com uma camiseta de um festival de filme em Atlanta. Eu perguntei se ele te conhecia, mas disse que não. Também conheci um cara enorme, peludo, com uma roupa de Mamãe Noel. Ele estava entregando presentes aos pacientes com câncer. Minha mãe tirou a foto anexa. Eu sempre pareço tão surpreso?

Para: Anna Oliphant <bananaelephant@femmefilmfreak.net>
De: Étienne St. Clair <etiennebonaparte@soap.fr>
Assunto: Já acordou?

Acorda. Acorda, acorda, acorda.

Para: Étienne St. Clair <etiennebonaparte@soap.fr>
De: Anna Oliphant <bananaelephant@femmefilmfreak.net>
Assunto: Re: Já acordou?

Eu estou acordada! Sean começou a pular na minha cama há umas três horas. Nós estamos abrindo presentes e comendo biscoitos natalinos no café da manhã. Meu pai me deu um anel de ouro em formato de coração. "Para a queridinha do papai", ele disse. Como se eu fosse o tipo de garota que usaria um anel em formato de coração. Do pai. Ele deu para o Sean toneladas de coisas do *Star Wars* e um kit de polimento de rocha, e eu preferia um daqueles. Não acredito que minha mãe o chamou para o Natal. Ela diz que é porque o divórcio deles é amigável (hum, não) e que Sean e eu precisamos de uma figura paterna em nossa vida, mas tudo o que eles fazem é brigar. Esta manhã foi sobre o meu cabelo. Meu pai quer que eu o tinja de volta à cor natural porque acha que pareço uma prostituta comum, e minha mãe quer refazer a minha mecha. Como se eles pudessem apitar alguma coisa. Opa, tenho de ir. Meus avós acabaram de chegar, e minha avó está gritando pela sua garotinha. Esta seria eu.

P.S.: Amei a foto. A Mamãe Noel está com certeza dando uma espiada no seu traseiro. E é um Feliz Natal meio estranho.

Para: Anna Oliphant <bananaelephant@femmefilmfreak.net>
De: Étienne St. Clair <etiennebonaparte@soap.fr>
Assunto: HAHAHA!

Era um anel de compromisso? Seu pai te deu um anel de compromisso?

Para: Étienne St. Clair <etiennebonaparte@soap.fr>
De: Anna Oliphant <bananaelephant@femmefilmfreak.net>
Assunto: Re: Hahaha

Eu me recuso a responder a essa pergunta.

Para: Anna Oliphant <bananaelephant@femmefilmfreak.net>
De: Étienne St. Clair <etiennebonaparte@soap.fr>
Assunto: Prostitutas Incomuns

Eu não tenho nada a dizer sobre prostitutas (a não ser que você seria uma péssima prostituta, a profissão não é muito limpinha), eu só queria digitar isso. Não é estranho que nós dois tenhamos de passar o Natal com nossos pais? Falando de problemas desagradáveis, você já falou com a Bridge? Vou pegar o ônibus para o hospital agora. Espero um descontrole total na ceia de Natal quando eu voltar. Até agora, comi uma tigela de musli. Como minha mãe come essa porcaria? Parece que estou mastigando madeira.

Para: Étienne St. Clair <etiennebonaparte@soap.fr>
De: Anna Oliphant <bananaelephant@femmefilmfreak.net>
Assunto: Ceia de Natal

Musli? É Natal e você está comendo cereal?? Eu estou mentalmente mandando um prato para sua casa. O peru está no forno, o caldo de carne está em cima do forno, e o purê de batatas e o guisado estão sendo preparados enquanto eu digito este *e-mail*. Espere. Aposto que você come mingau de pão e torta de carne moída ou algo parecido, né? Bem, estou te enviando mentalmente pudim de pão. O que quer seja. Não, não conversei com Bridgette. Minha mãe fica me perturbando para atender às ligações dela, mas eu já estou de saco cheio da folga de inverno. (Por que meu pai está aqui? Honestamente. Faça-o ir embora. Ele está usando um suéter de crochê branco gigante e parece um boneco de neve pomposo, e fica rearranjando as coisas nos armários da cozinha. Minha mãe está a ponto de matá-lo. E é por isso que ela não deveria convidá-lo para o Natal.) De qualquer forma. Prefiro não piorar as coisas ainda mais.

P.S.: Espero que sua mãe esteja melhor. Sinto muito que você tenha de passar o dia de hoje em um hospital. Eu realmente queria poder enviar para vocês dois um prato de peru.

Para: Anna Oliphant <---bananaelephant@femmefilmfreak.net--->
De: Étienne St. Clair <---etiennebonaparte@soap.fr--->
Assunto: Re: Ceia de Natal

Você sente pena de mim? Eu não sou a pessoa que nunca provou pudim de pão. O hospital era o mesmo. Eu não vou te chatear com os detalhes. Embora eu tenha de esperar uma hora para pegar o ônibus e tenha começado a chover. Agora que estou no apartamento, meu pai saiu para ir ao hospital. Ambos estamos fazendo um esforço estelar para fingir que o outro não existe.

P.S.: Minha mãe pediu para te desejar Feliz Natal. Então, Feliz Natal da minha mãe, mas Feliz Natal da minha parte também.

Para: Étienne St. Clair <---etiennebonaparte@soap.fr--->
De: Anna Oliphant <---bananaelephant@femmefilmfreak.net--->
Assunto: Me salve

Pior ceia que já existiu. Demorou menos de cinco minutos para que as coisas explodissem. Meu pai tentou forçar Sean a comer o guisado de ervilhas, e, quando ele recusou, meu pai acusou minha mãe de não alimentá-lo com legumes o suficiente. Então, ela jogou o garfo longe e disse que ele não tinha o direito de dizer como ela deveria criar seus filhos. E então ele fez aquele discurso: "Eu sou o pai", e ela já retrucou dizendo: "Você os abandonou", e, enquanto isso, o tempo todo minha avó, meio surda, gritava: "Onde está o sal? Eu não sinto o gosto do guisado! Passe o sal!" E então meu avô reclamou que o peru da mamãe está "muiiitttoo seco" e minha mãe ficou louca. Quer dizer, minha mãe começou a gritar.

E isso deixou Sean louco e ele correu para o quarto chorando e, quando eu fui ver como estava, encontrei-o desembrulhando uma bengala doce!! Eu não tenho ideia de onde ela surgiu. Ele sabe que não pode comer nada com corante!

Então eu a arranquei dele e ele chorou ainda mais, e minha mãe veio correndo e gritou comigo, como seu eu tivesse dado a porcaria para ele. Não "Obrigada por salvar a vida do meu único filho, Anna". E então meu pai entrou no meio e a briga recomeçou, e eles nem perceberam que Sean ainda estava chorando. Então eu o levei lá fora e dei biscoitos para ele, e agora ele está correndo em círculos, meus avós ainda estão na mesa, como se todos nós fossemos voltar e terminar nossa refeição.

O que há de errado com a minha família? E agora meu pai está batendo na minha porta. Ótimo. Estas férias podem ficar ainda piores??

Para: Anna Oliphant ⇠bananaelephant@femmefilmfreak.net⇢
De: Étienne St. Clair ⇠etiennebonaparte@soap.fr⇢
Assunto: Salvando você

Estou me teletransportando para Atlanta. Eu estou te pegando e iremos para algum lugar onde nossas famílias não possam nos encontrar. Levaremos Sean. E o deixaremos correr várias voltas até que ele se canse, e então eu e você vamos dar uma volta. Como no Dia de Ação de Graças. Você lembra? E vamos falar sobre tudo menos sobre nossos pais... ou talvez nós nem precisemos falar. Nós só andaremos. E continuaremos andando até que o resto do mundo deixe de existir. Desculpe, Anna. O que o seu pai queria? Por favor, me diga o que eu posso fazer.

Para: Étienne St. Clair ⇠etiennebonaparte@soap.fr⇢
De: Anna Oliphant ⇠bananaelephant@femmefilmfreak.net⇢
Assunto: Suspiro. Eu adoraria

Obrigada, mas está tudo bem. Meu pai queria pedir desculpas. Por um milésimo de segundo, ele foi quase humano. Quase. E então minha mãe se desculpou, e agora eles estão lavando os pratos e fingindo que nada aconteceu. Eu não sei. Eu não queria dar uma de rainha do drama quando seus problemas são piores do que os meus. Desculpe.

Para: Anna Oliphant <---bananaelephant@femmefilmfreak.net--->
De: Étienne St. Clair <---etiennebonaparte@soap.fr--->
Assunto: Você está louca?

Meu dia foi chato. O seu dia foi um pesadelo. Você está bem?

Para: Étienne St. Clair <---etiennebonaparte@soap.fr--->
De: Anna Oliphant <---bananaelephant@femmefilmfreak.net--->
Assunto: Re: Você está louca?

Eu estou bem. Só estou feliz em ter você para conversar.

Para: Anna Oliphant <---bananaelephant@femmefilmfreak.net--->
De: Étienne St. Clair <---etiennebonaparte@soap.fr--->
Assunto: Então...

Isso significa que posso te ligar agora?

Capítulo 29

Na história de folgas terríveis, esta com certeza alcançou o topo. Pior do que no feriado de Quatro de Julho, quando meu avô apareceu vestindo um *kilt* e insistiu em cantar "Flower of Scotland" em vez de "America the beautiful". Pior do que o Halloween quando Trudy Sherman e eu fomos vestidas para a escola como Glinda, a Bruxa Boa, e ela disse para todo mundo que a fantasia dela era melhor que a minha porque dava para ver minha calcinha roxa escrita "segunda--feira" através do meu vestido, e dava para ver mesmo.

Não estou falando com a Bridge. Ela me liga todos os dias, mas eu a ignoro. Está acabado. O presente de Natal que comprei para ela, um pequeno pacote embrulhado em papel listrado de vermelho e branco, está jogado no fundo da minha mala. É uma miniatura da Pont Neuf, a mais antiga de Paris. Era parte do cenário de um modelo de trem, e, em razão da minha pouca habilidade linguística, St. Clair passou quinze minutos tentando convencer a vendedora a vender a ponte separadamente.

Espero poder devolvê-la.

Eu só fui ao Royal Midtown 14 uma vez, e encontrei Hercules; Toph estava lá também. E ele estava todo preocupado querendo saber por que não estou falando com a Bridge, e tive de correr para o banheiro. Uma das garotas me seguiu e disse que acha que Toph é um zé-ninguém idiota e que eu não deveria deixá-lo me abalar. O que foi bacana, mas não ajudou muito.

Depois disso, Hercules e eu assistimos ao último filme de Natal de baixa qualidade que saiu, e ficamos tirando sarro dos atores que usavam suéteres natalinos combinando uns com os outros. Ele me contou sobre o misterioso pacote de rosbife que encontrou na sala 6 e disse que tem gostado da minha página na internet. Ele acha que minhas críticas estão melhorando. Pelo menos, ouvir isso foi legal.

Também foi legal quando meu pai foi embora. Ele ficava me interrogando sobre monumentos franceses e fazendo ligações irritantes para o seu assessor de imprensa. Ficamos todos aliviados ao vê-lo ir embora. O único ponto positivo nisso tudo tem sido St. Clair. Nós conversamos todos os dias — ligações, *e-mails*, mensagens. Não deixei de perceber que, quando estava com Toph, mesmo estando longe, nossa comunicação foi mínima, mas, com St. Clair é diferente, mesmo não nos vendo todos os dias, nós conversamos ainda mais.

O que me faz sentir pior com relação ao Toph. Se fôssemos mais amigos, teríamos nos mantido em contato. Foi estúpido pensar que haveria alguma chance de ficarmos juntos. Eu não consigo acreditar no Matt. De todas as pessoas, foi ele quem me mostrou quão mal eu lidei com as coisas. E, honestamente, agora que tive tempo de refletir sobre isso, Toph não é grande coisa a se perder. Só dói bastante pensar nele por causa de Bridgette. Como ela pôde esconder isso de mim? Sua traição é infinitamente mais dolorosa.

Eu não tenho nenhum lugar para ir no Ano-Novo, então Sean e eu ficaremos em casa. Minha mãe saiu com alguns amigos do trabalho. Eu peço uma *pizza* de queijo e nós vemos *The phantom menace*. Isso para provar para o meu irmão quanto eu o amo — eu vou assistir até o fim a Jar Jar-assustador-Binks. Depois disso, ele pega os bonecos enquanto assistimos à contagem regressiva na Times Square pela televisão. *Pkschoo! Pkschoo!* Han Solo atira no meu Storm Trooper antes de ir para trás de uma almofada para ter cobertura.

— É uma boa que eu esteja usando a minha jaqueta à prova de raios laser — eu digo, marchando para a frente.

— Não existe jaqueta à prova de raios laser! Você está morta! — Han corre para trás do sofá. — Uhuhuhuhuhu.

Eu pego a rainha Amidala. — Han você está em perigo! Vá para o outro lado! O Storm Trooper está usando a sua jaqueta à prova de raios laser.

— Na-nuhhhh, pare! *Pkschoo pkschoo!*

— Tudo bem — Amidala diz. — Deixe para uma mulher fazer o trabalho de um homem. — Ela dá uma pancada na cabeça de Storm Trooper com a própria cabeça. — Ghhnnoooo! — Ele cai do sofá.

Han pula do sofá e começa a atirar de novo.

Eu pego o jovem Obi-Wan. — Oooh, Amidala. Você está radiante. Beijo, beijo, beijo.

— Não. — Sean agarra Obi-Wan da minha mão. — Sem beijo.

Apanho outro boneco da caixa de brinquedos. É um povo da areia, o que a Bridgette deve ter comprado para ele. Tudo bem. — Ooo, Amidala. *Beijo. Beijo. beijo.*

— Povo da areia não beija! Eles atacam! RARRRRR! — Ele também pega esse da minha mão, mas então para e examina sua cabeça irregular. — Por que você não está falando com a Bridge? — ele pergunta repentinamente. — Ela magoou você?

Eu estou surpresa. — Sim, Sean. Ela fez uma coisa que não foi muito legal.

— Isso significa que ela não vai mais tomar conta de mim?

— Não, tenho certeza de que ela vai. Ela gosta de você.

— Eu não gosto dela.

— Sean!

— Ela fez você chorar. Você chora o tempo todo agora. — Ele joga o boneco no fundo da caixa de brinquedos. — Você ainda tem aquele que você comprou para mim?

Eu sorrio. Eu pego minha mochila e começo a procurar pelo brinquedo, mas algo me ocorre. Suspiro. — Você pode tê-lo sob uma condição. Você tem de ser legal com ela. Ou com o vovô ou com Bridgette, essas são as únicas opções que a mamãe tem. E o vovô está ficando muito velho para isso. — Eu aponto para a pilha de bonecos.

— Tudo bem — ele diz timidamente. Eu entrego o pacote para ele e ele o rasga. — Obrigado!

O telefone da cozinha toca. Sem dúvida é minha mãe ligando para saber se estamos bem. Sean se levanta para atender, enquanto procuro um namorado adequado para Amidala. — Eu não entendo você — ele diz —, por favor, fale inglês.

— Sean, quem é? Simplesmente desligue. — Aha! Luke Skywalker! O que não tem uma mão, mas tudo bem. Amidala e Luke se beijam. Espere. Ela não é a mãe dele? Eu jogo Luke para o lado como se ele tivesse me ofendido pessoalmente e me enfio na caixa de novo.

— Sua voz é estranha. Sim, ela está aqui.

— Sean?

— É o namorado dela? — Meu irmão ri feito louco.

Corro para a cozinha e agarro o telefone. — Olá, St. Clair? — Alguém ri do outro lado da linha. Sean põe a língua para fora e eu o mando embora empurrando sua cabeça. — Vá embora.

— Como é? — a voz no telefone diz.

— Eu estava falando com Sean. É você?

— Sim, sou eu.

— Como conseguiu este número?

— Bem, veja só, tem um livro que tem páginas amarelas. E ele tem o telefone de todas as pessoas. Ele também existe *on-line*.

— É o seu namoraaaaado? — Sean fala diretamente no fone.

Eu o empurro. — Ele é amigo. Vá assistir à contagem regressiva.

— O que aconteceu com o seu telefone? — St. Clair pergunta. — Você esqueceu de carregá-lo?

— Eu não acredito nisso. Não sou assim.

— Eu sei, fiquei chocado quando caiu na caixa postal. Mas estou feliz em ter seu número de verdade agora. A gente nunca sabe.

O esforço extra que ele teve de fazer para me ligar me deixa feliz. — O que você está fazendo? Você não deveria estar celebrando?

— Hum... minha mãe não estava se sentindo muito bem, por isso vou ficar em casa hoje. Ela está dormindo, então acho que vou assistir à contagem sozinho.

A mãe dele saiu do hospital há alguns dias. A situação tem variado muito, um dia bom, outro ruim.

— E Ellie? — As palavras saem da minha boca antes que eu consiga pensar.

— Eu, hum... falei com ela antes. É Ano-Novo em Paris também. Ela voltou um dia depois do Natal — ele acrescenta.

Imagino os dois fazendo barulhos de beijo de Amidala pelo telefone. Meu coração para.

— Ela está festejando. — Sua voz está meio abatida.

— Desculpe por ser a sua segunda escolha.

— Não seja boba. Terceira escolha. Minha mãe está dormindo, lembra? — Ele ri de novo.

— Obrigada. Bom, talvez eu deva desligar antes que a minha primeira escolha caia no sono. — Olho para o Sean, que agora está quieto no outro cômodo.

— Eu só liguei de bobeira. Mas como está seu homem? Ele parecia estar bem, mesmo não tendo entendido uma palavra do que eu disse.

— Você fala engraçado. — Sorrio. Eu adoro a voz dele.

— Olha quem fala, Atlanta. Eu ouvi o sotaque sulista sair sem...

— Não!

— Sim! Várias vezes esta semana.

Meu sorriso aumenta ainda mais. Falei com Meredith algumas vezes durante a folga também, mas ela nunca é tão divertida como St. Clair. Vou com o telefone até a sala, onde Sean está enrolado no sofá com o meu povo da areia. Assistimos à contagem juntos. Eu estou três horas na frente de St. Clair, mas nós não nos importamos. Quando dá meia-noite no meu fuso, tocamos buzinas imaginárias e jogamos confetes imaginários. E, três horas depois, quando dá meia-noite no fuso dele, nós celebramos de novo.

E, pela primeira vez desde que cheguei em casa, estou completamente feliz. É estranho. Casa. Como eu pude querer estar aqui por tanto tempo, só para perceber que ela se foi. Estar aqui, tecnicamente na minha casa, e descobrir que minha casa agora é em outro lugar.

Mas isso também não está certo.

Sinto falta de Paris, mas lá não é minha casa. É mais algo do tipo sentir falta... disso. Desse calor pelo telefone. É possível que lar seja uma pessoa e não um lugar? Bridge costumava ser meu lar. Talvez St. Clair seja meu novo lar.

Eu reflito sobre isso à medida que nossas vozes vão se cansando e nós paramos de conversar. Nós só ficamos na companhia um do outro. Minha respiração. Sua respiração. Minha respiração. Sua respiração.

Eu não poderei nunca dizer a ele, mas é verdade.

Isto é estar em casa. Nós dois.

Capítulo 30

Entristece-me quão aliviada eu me sinto em estar voltando para a França. A viagem de avião é silenciosa e longa. É meu primeiro voo sozinha. No momento em que o avião desce no Charles de Gaulle, eu estou ansiosa para voltar para a School of America, mesmo que isso signifique ter de encarar o *métro* sozinha. É como se eu não tivesse mais medo de andar nele.

Isso não pode estar certo. Pode?

Mas a viagem de volta de trem para o Latin Quartier é tranquila e fácil, e, antes que eu perceba, já estou destrancando a minha porta e desarrumando a minha mala. Résidence Lambert está barulhenta com o som dos outros alunos chegando. Dou uma espiada pelas cortinas no restaurante do outro lado da rua. Nenhuma cantora de ópera, mas ainda é cedo. Ela estará de volta à noite. Esse pensamento me faz sorrir.

Eu ligo para St. Clair. Ele chegou na noite passada. O tempo está quente, estranhamente diferente da estação em que estamos, e Josh está tirando proveito disso. Eles estão passeando pelos degraus do Panteão, e ele me diz que eu deveria me juntar a eles. Claro que vou.

Não consigo explicar, mas, à medida que vou descendo a rua, repentinamente começo a sentir meus nervos. Por que estou tremendo? Só foram duas semanas, mas duas semanas muito peculiares. St. Clair se transformou de "uma coisa confusa" para meu melhor amigo. E ele sente a mesma coisa. Eu não tenho de perguntar para ele; simplesmente sei, assim como conheço meu próprio reflexo.

Eu me demoro e pego o caminho mais longo para o Panteão. A cidade é bonita. A maravilhosa Saint-Étienne-du-Mont surge, e penso na mãe de St. Clair preparando lanches para o piquenique e desenhando pombos. Tento imaginá-lo correndo por aqui de uniforme escolar, short e joelhos cheios de cicatrizes, mas não consigo. Tudo o que eu consigo ver é a pessoa que eu conheço, calma e confiante, com as mãos no bolso, pomposo no andar. O tipo de pessoa que irradia um campo magnético natural, para o qual todos são atraídos, todos são cegados.

O sol de janeiro sai e aquece minhas bochechas. Dois homens carregando o que só pode ser descrito como bolsas masculinas param para admirar o céu. Uma mulher em boa forma para maravilhada. Eu sorrio e passo por eles. E então viro outra quadra, e meu peito aperta tanto, tão dolorosamente, que não consigo mais respirar.

Porque lá está ele.

Ele está absorto em um livro enorme, debruçado e completamente hipnotizado. Uma brisa agita seu cabelo e ele morde as unhas. Josh está sentado a alguns metros, livro escuro de esboços e o pincel chinês em movimento. Várias outras pessoas estão tirando proveito do raro momento de sol, mas, assim que eu os percebo, esqueço-as. Por causa dele.

Seguro na ponta da mesa de um café na calçada para evitar cair. Os fregueses do café me olham alarmados, mas não me preocupo. Estou cambaleando e busco por ar.

Como posso ter sido tão estúpida?

Como posso ter acreditado, por um momento, que não estava apaixonada por ele?

Capítulo 31

Eu o observo. Ele morde a unha do dedo mindinho esquerdo, então o livro que está lendo deve ser bom. Dedo mindinho quer dizer empolgado ou feliz, dedão quer dizer pensativo ou preocupado. Fico surpresa ao perceber que sei o significado desses gestos. Quanto tenho prestado atenção nele?

Duas mulheres mais velhas vestindo casacos de pele e chapéus iguais passam por mim. Uma delas para e se vira. Ela pergunta algo em francês. Não consigo traduzir de imediato, mas sei que ela está preocupada se estou bem. Faço que sim com a cabeça e agradeço. Ela me lança um olhar de inquietação, mas continua andando.

Não consigo andar. O que devo dizer? Catorze dias consecutivos de conversa pelo telefone e, agora que ele está aqui pessoalmente, duvido que consiga gaguejar um olá. Um dos fregueses do café se levanta para me ajudar. Eu me solto da mesa e saio tropeçando pela rua. Meus joelhos fraquejam. Quanto mais perto eu chego, mais esmagador fica. O Panteão é enorme. Os degraus parecem estar tão longe.

Ele ergue a cabeça.

Nossos olhos se encontram, e ele vai abrindo um sorriso vagaroso. Meu coração bate cada vez mais rápido. Quase lá. Ele coloca o livro de lado e se levanta. E então este — o momento em que ele diz meu nome — é o momento em que as coisas mudam.

Ele não é mais o St. Clair, colega de todos, amigo de todos.

Ele é Étienne. Étienne, como na noite em que nos conhecemos. Ele é Étienne; ele é meu amigo.

Ele é muito mais.

Étienne. Meus pés tropeçam em três sílabas. É-ti-enne, É-ti-enne, É-ti-enne. Seu nome encobre minha língua como chocolate derretido. Ele é tão bonito, tão perfeito.

Minha garganta dá um nó quando ele abre os braços e me envolve em um abraço. Meu coração bate furiosamente e estou envergonhada porque sei que ele sente isso. Nós nos separamos e vacilo para trás. Ele me segura antes que eu caia escadaria abaixo.

— Opa — ele diz. Mas não acho que ele se referia à minha quase queda.

Enrubesço e culpo a minha falta de jeito. — Nossa, essa podia ter sido feia.

Ufa. Uma voz firme.

Ele parece impressionado. — Você está bem?

Percebo que suas mãos ainda estão no meu ombro e todo o meu corpo se contrai com o seu toque. — Sim. Ótima. Superbem!

— Ei, Anna. Como foi de folga?

Josh. Eu esqueci que ele estava lá. Étienne tira as mãos de mim cuidadosamente enquanto reconheço Josh, mas, durante todo o tempo que conversamos, queria que Josh voltasse a desenhar e nos deixasse sozinhos. Depois de um minuto, ele olha por trás de mim — para onde Étienne está — e faz uma cara engraçada. Ele para de falar e volta ao seu livro de esboços. Olho para trás, mas o rosto de Étienne não denuncia nada.

Nós nos sentamos nos degraus juntos. Eu não tinha ficado tão nervosa assim estando ao lado dele desde o primeiro dia de aula. Minha mente está confusa, minha língua está amarrada, meu estômago, em nós. — Bem — ele diz após um minuto torturante. — Será que esgotamos todas as nossas conversas durante a folga?

A pressão dentro de mim diminui o suficiente para que eu fale. — Acho que vou voltar para o dormitório. — Finjo me levantar, e ele ri.

— Eu tenho algo para você. — Ele me puxa de volta pela manga. — Um presente de Natal atrasado.

— Para mim? Mas não comprei nada para você.

Ele põe a mão no bolso do casaco e a retira com o punho fechado segurando algo muito pequeno. — Não é muita coisa, então não fique tão empolgada.

— Oh, o que é isso?

— Eu vi isso quando saí com a minha mãe, e me fez pensar em você...

— Étienne! Fala sério!

Ele pisca ao ouvir seu primeiro nome. Meu rosto enrubesce, e tenho a sensação esmagadora de que ele sabe exatamente no que estou pensando. Sua expressão é de espanto quando ele diz: — Feche os olhos e estique a mão.

Ainda envergonhada, eu estico a mão. Seus dedos tocam a minha mão e ela se retrai como se ele estivesse eletrificado. Algo sai voando e pousa com um fraco tilintar atrás de nós. Abro os olhos. Ele está olhando para mim, igualmente atordoado.

— Opaaaa — eu digo.

Ele inclina a cabeça em minha direção.

— Eu acho... acho que caiu ali atrás. — Eu me atrapalho com os pés, mas nem sei pelo que estou procurando. Eu não senti o que ele colocou na minha mão. Eu só o senti. — Eu não vejo nada! Só pedregulhos e cocô de pombos — acrescento, tentando soar natural.

Onde está? O que é?

— Aqui. — Ele apanha algo pequenino e amarelo dos degraus acima dele. Eu retorno à posição inicial e estico a mão novamente, concentrando-me no contato. Étienne para e então o derruba de alguns centímetros acima da minha mão. Como se ele estivesse evitando me tocar também.

É uma miçanga de vidro. Uma banana.

Ele pigarreia. — Eu sei que você disse que Bridgette era a única que podia te chamar de Banana, mas minha mãe estava se sentindo melhor na semana passada e então eu a levei na sua loja de miçangas favorita. Vi isso e pensei em você. Espero que não se importe em ter mais alguém aumentando a sua coleção. Especialmente depois que você e Bridgette... você sabe...

Eu fecho a mão. — Obrigada.

— Minha mãe quis saber por que eu queria isso.

— O que você disse a ela?

— Que era para você, claro — ele diz isso como se fosse óbvio.

Eu sorrio. A miçanga é tão leve que mal posso senti-la, exceto pelo frio que ela deixa na palma da minha mão. Falando em frio...

Eu me arrepio. — A temperatura caiu ou sou só eu que estou sentindo frio?

— Aqui. — Étienne tira o cachecol preto que está em seu pescoço e me entrega. Eu pego, gentilmente, e o coloco no meu pescoço. Ele me deixa tonta. Cheira a limpeza. Tem o cheiro dele.

— Seu cabelo está legal — ele diz. — Você descoloriu de novo.

Eu toco na mecha conscientemente. — Minha mãe me ajudou.

— Aquela brisa foi cruel, vou tomar um café. — Josh fecha o livro de esboços. Eu tinha esquecido de novo que ele estava aqui. — Você vem?

Étienne me olha, esperando para ver o que eu respondo.

Café! Eu estou louca por uma xícara de verdade. Eu sorrio para Josh. — Parece ótimo.

E então estou descendo os degraus do Panteão, frios, brancos e reluzentes, na cidade mais bonita do mundo. Eu estou com dois garotos inteligentes, atraentes e divertidos e estou sorrindo de orelha a orelha. Se Bridgette pudesse me ver agora.

Quero dizer, quem precisa de Christopher quando se tem Étienne St. Clair?

Mas, assim que penso em Toph, sinto um mal-estar de sempre quando penso nele agora. Envergonho-me de pensar que ele me esperaria. Que perdi tanto tempo com ele. Na minha frente, Étienne ri por causa de algo que Josh disse. E o som me leva em espiral a um sentimento de pânico à medida que a informação me atinge de novo, de novo, de novo.

O que posso fazer? Estou apaixonada pelo meu melhor amigo.

Capítulo 32

É uma doença física. Étienne. Quanto eu o amo.

Eu amo Étienne.

Eu adoro quando ele ergue uma sobrancelha quando digo alguma coisa que acha inteligente ou divertida. Adoro ouvir suas botas batendo no teto do meu quarto. Adoro que o acento no seu primeiro nome seja agudo, e que ele tenha um sotaque lindo.

Eu amo tudo isso.

Adoro me sentar ao lado dele na aula de física. Encostar nele durante as aulas de laboratório. Sua letra feia nas nossas folhas de trabalho. Adoro entregar sua mochila quando a nossa aula acaba porque assim meus dedos ficam com o seu cheiro pelos próximos dez minutos. E quando Amanda diz alguma coisa chata e ele me procura para trocar um olhar de "que estúpida" — eu também adoro. Adoro sua risada de menino, suas camisetas amassadas e seu gorro de crochê. Adoro seus grandes olhos castanhos e o modo como ele morde as unhas, e gosto tanto do seu cabelo que eu poderia morrer.

Só tem uma coisa de que eu não gosto nele. Ela.

Se eu não gostava da Ellie antes, não é nada comparado ao que sinto por ela agora. Não importa que eu possa contar em uma mão quantas vezes nos encontramos. É aquela primeira imagem a que não consigo apagar. Sob o poste. Os dedos dela no cabelo dele. A qualquer hora em que esteja sozinha, minha mente volta para aquela noite. Vou mais longe. Ela toca seu peito. Vou mais longe. O quarto dele. Ele tira o vestido dela, seus lábios se encontram, seus corpos se juntam, e — oh, meu Deus — minha temperatura aumenta e meu estômago enjoa.

Fantasio sobre o término do namoro deles. Como ele poderia machucá-la e como ela poderia machucá-lo e todas as outras formas como eu poderia machucá-la de volta. Quero grudar no seu cabelo estilo parisiense e puxá-lo com tanta força, a ponto de arrancá-lo do crânio. Eu quero enfiar as minhas garras nos seus olhos e arrancá-los.

Descobri que não sou uma pessoa legal.

Étienne e eu raramente falávamos sobre ela antes, mas agora ela virou tabu completamente. O que me tortura, porque desde que nós voltamos da folga de inverno eles parecem estar tendo problemas de novo. Como um perseguidor obsessivo, eu marco as noites que ele passa comigo e as que ele passa com ela. Estou vencendo.

Por que ele não a deixa, então? Por quê, por quê, por quê?

Isso me atormenta até que desmorono, até que a pressão dentro de mim é tão insuportável que tenho de conversar com alguém ou corro o risco de explodir. Eu escolho Meredith. Pelo modo como vejo, sua situação é semelhante à minha. Nós estamos no quarto dela e ela está me ajudando a escrever uma redação sobre meu porquinho-da-índia para a aula de francês. Ela está usando *short* de futebol com um suéter de cashmere e, mesmo que seja totalmente inapropriado, o traje fica amabilíssimo nela. Ela também está fazendo abdominais só para passar o tempo.

— Bom, mas esse é o tempo presente — ela diz. — Você não está alimentando o Capitão Jack neste momento.

— Ah. Certo. — Eu anoto algo, mas não estou pensando em verbos. Estou pensando em uma forma de trazer o tópico Étienne à tona.

— Leia para mim de novo. Ooo, e faça a sua voz engraçada! Aquele francês falso que você usou para pedir café creme outro dia naquele lugar novo com St. Clair.

Meu sotaque francês ruim não foi proposital, mas aproveito a oportunidade. — Sabe, tem uma coisa, humm, que eu estive pensando. — Estou ciente do sinal luminoso em cima da minha cabeça, piscando o óbvio: Eu amo Étienne! Mas sigo em frente de qualquer maneira. — Por que ele e Ellie ainda estão juntos? Quero dizer, eles mal se veem ultimamente. Certo?

Mer para na metade do abdominal e... eu sou pega. Ela sabe que estou apaixonada por ele também.

Mas então eu a vejo relutando para responder e percebo que ela está tão presa no drama quanto eu. Ela nem percebeu o tom estranho na minha voz. — Certo. — Ela volta vagarosamente para o chão. — Mas não é tão simples assim. Eles estão juntos desde sempre. Eles são praticamente um velho casal casado. E, além do mais, eles são muito... cautelosos.

— Cautelosos?

— Sim. Você sabe. St. Clair não larga o osso. E Ellie é a mesma coisa. Levou muito tempo para ela escolher uma universidade, e ainda assim escolheu uma que é a apenas alguns quarteirões daqui. Quero dizer, Parsons é uma universidade de prestígio e tudo o mais, mas ela a escolheu porque é familiar. E agora, com a mãe de St. Clair, acho que ele tem medo de perder qualquer outra pessoa. Enquanto isso, ela não vai terminar com ele, não enquanto sua mãe estiver com câncer. Mesmo que não seja mais um relacionamento saudável.

Eu aperto o botão click no topo da minha caneta. *Clickclickclickclickclick*. — Então você acha que eles estão infelizes?

Ela suspira. — Não infelizes, mas... não estão felizes também. Felizes o suficiente, eu acho. Isso faz sentido?

Faz. O que eu odeio. *Clickclickclickclickclick*.

Isso significa que não posso dizer nada para ele porque estaria arriscando a nossa amizade. Eu tenho de continuar agindo como se nada tivesse mudado, como se eu não sentisse por ele nada além do que sinto por Josh. Este, que no dia seguinte, está ignorando a aula de história pela bilionésima vez. Ele está com um romance gráfico, *Goodbye chunky rice,* escrito por Craig Thompson, escondido no colo. Josh rabisca algo no seu livro de esboços. Ele está tomando nota, mas não sobre a queda da Bastilha.

Josh e Rashimi tiveram outra briga na hora do almoço. Ninguém está mais preocupado com Étienne faltando às aulas, mas Josh está cabulando aulas com uma frequência alarmante. Ele parou completamente de fazer as tarefas. E, quanto mais Rashimi o pressiona, mais ele pula fora.

Professeur Hansen anda em frente à sala. Ele é um homem baixo, com óculos grossos e cabelo ralo que esvoaça sempre que bate em nossas carteiras para enfatizar alguma coisa. Ele leciona a parte suja da história e não nos faz memorizar datas. Consigo entender por que Étienne se interessa pela matéria quando se tem um professor como esse por quatro anos.

Gostaria de poder parar de relacionar todo e qualquer tópico a Étienne.

Olho para os novatos ao meu redor e descubro que não sou a única devastada por hormônios. Emily Middlestone se curva para pegar a borracha que caiu e Mike Reynard olha maliciosamente para os seios dela. Grosseiro. Muito ruim para ele que ela esteja interessada no melhor amigo dele, Dave. A queda foi proposital, mas Dave está distraído. Seus olhos reluzem conforme seguem os passos do *professeur* Hansen.

Dave percebe que estou olhando e senta-se. Eu me viro rapidamente. Emily olha para mim, e eu lhe dou um sorriso. Ela voltou do recesso com uma mecha no cabelo. É rosa e o restante loiro, mas não é como o meu. Ainda.

Professeur Hansen retransmite os detalhes da execução de Maria Antonieta. Eu não consigo me concentrar. Étienne e eu vamos ao cinema depois da aula. E tudo bem se Josh e Rashimi também vão. Mer não pode porque ela tem treino de futebol, mas isso ainda reflete o resultado desta semana: Anna 4, Ellie 1. O *professeur* bate em outra carteira e a cabeça vermelha do meu lado se assusta e derruba seus papéis.

Eu a ajudo a pegá-los e fico surpresa ao descobrir uma página inteira de rabiscos de uma tatuagem de caveira familiar. Olho para cima surpresa e o seu rosto torna-se rubro como seu cabelo. Olho em direção a Josh e ergo a sobrancelha para ela. Os olhos dela aumentam horrorizados, mas balanço a cabeça e sorrio. Eu não vou contar.

Qual é o nome dela? Isla. Isla Martin. Ela mora no meu andar, mas é tão quieta que até me esqueço dela. Ela vai ter de ser mais barulhenta se gosta do Josh. Ambos são tímidos. É uma pena, porque eles combinariam. Provavelmente também brigariam menos do que com Rashimi. Por que as pessoas certas nunca ficam juntas? Por que as pessoas têm tanto medo de sair de um relacionamento mesmo sabendo que não é um relacionamento bom?

Eu ainda estou pensando sobre esse assunto, enquanto Étienne e eu esperamos do lado de fora do quarto de Josh no primeiro andar, prontos para o cinema. Étienne coloca o ouvido na porta de Josh, mas retorna rapidamente como se a porta estivesse em chamas.

— O que foi?

Ele faz uma careta. — Eles fizeram as pazes de novo.

Eu o sigo para fora. — Rashimi está lá?

— Eles estão transando — ele diz bruscamente. — Eu não interromperia.

Eu fico feliz que ele esteja na minha frente para não ver meu rosto. Não é que esteja pronta para dormir com alguém — não estou —, mas ainda tem essa estúpida barreira entre nós. Eu estou ciente disso. E agora estou pensando sobre Étienne e Ellie novamente. As pontas de seus dedos acariciando os ombros nus dela. Os lábios dela semicerrados contra o pescoço dele. Pare de pensar sobre isso, Anna.

Pare, pare, pare.

Eu desconverso falando sobre a mãe dele. Ela terminou o tratamento, mas eles só saberão se a doença foi curada em março. Os médicos têm de esperar até que a radiação deixe seu corpo antes de testá-la. Étienne está sempre preso entre preocupação e esperança, por isso eu o direciono para a esperança sempre que possível.

Ela está se sentindo melhor hoje, então ele também está. Ele fala alguma coisa sobre a medicação dela, mas a minha atenção vacila quando observo o seu perfil. Eu sou levada de volta ao Dia de Ação de Graças. Aqueles mesmos cílios, mesmo nariz, mesma silhueta contra a escuridão do meu quarto.

Deus, ele é bonito!

Andamos até o nosso cinema favorito, o que nós apelidamos de "Cinema da mamãe e do *basset hound* popular". Fica só a alguns quarteirões, é um cinema com uma tela confortável, comandado pelo senhor que é dono de Pouce, o cachorro da *pâtisserie*. Eu não acho que tenha uma "mamãe" por aí — o dono de Pouce é mais do tipo popular —, mas ainda assim é um apelido adequado. Nós entramos e o homem amigável e digno atrás do balcão grita "Jo-ja! Atlanta, Jo-ja!"

Eu sorrio de volta. Tenho praticado o meu francês com ele e ele tem praticado inglês. Ele lembra que sou de Atlanta, Geórgia (Jo-ja!), e conversamos brevemente sobre o tempo. Então, eu pergunto se Pouce é um cão feliz e se ele, o cavalheiro, gosta de boa comida. Pelo menos eu estou tentando.

O filme desta tarde é *Roman holiday* e o resto do cinema está vazio. Étienne estica as pernas e relaxa encostado em sua poltrona. — Tudo bem, eu tenho uma. Ser mau tem...

— Nunca esteve tão bem.

— Sim. — Seus olhos cintilam. Este é um dos nossos jogos favoritos, no qual um de nós cria o começo de uma frase clichê e o outro termina.

— Com amigos como esses...

Ele se une à minha voz obscura: — Quem precisa de inimigos?

Como minha voz ecoa nas paredes acortinadas, Étienne luta para manter a compostura. Ele não consegue e sorri de orelha a orelha por causa disso. A visão faz meu coração pular uma batida, mas devo ter feito uma cara estranha porque ele cobre a boca. — Para de olhar.

— O quê?

— Meus dentes. Você está olhando para os meus dentes.

Eu rio de novo. — Como se eu tivesse o direito de zombar dos dentes de alguém. Sabe, eu consigo jogar água longe por este espaço aqui. Bridge costumava me zombar o tem... — paro imediatamente, me sentindo mal. Eu ainda não falei com Bridgette.

Étienne baixa a mão da boca. Sua expressão é séria, até mesmo defensiva. — Eu gosto do seu sorriso.

Eu gosto do seu também.

Mas não tenho coragem de dizer isso em voz alta.

Capítulo 33

A garota da recepção sorri ao me ver. — Eu tenho um pacote para você!

A porta da Résidence Lambert se abre novamente e meus amigos se aglomeram atrás de mim. A garota me entrega uma grande caixa marrom e eu assino o papel alegremente. — Da sua mãe? — Mer pergunta. Suas bochechas estão rosa por causa do frio.

— Sim! — Hoje é meu aniversário. E sei exatamente o que tem lá dentro. Carrego a caixa zelosamente até os sofás do saguão e procuro por algo para abri-la. Josh pega a chave do seu quarto e rasga a fita plástica.

— Ahh — ele grita.

Rashimi, Mer e Étienne entram e eu olho com satisfação.

— Não! — diz Mer.

— Sim — eu digo.

Étienne ergue uma caixa verde delgada. — Biscoitos?

Josh a toma dele. — Não quaisquer biscoitos, meu caro amigo inglês. Thin Mints — ele se vira para mim. — Posso abrir?

— Claro! — Todo ano minha família celebra meu aniversário com um banquete de biscoitos Girl Scout em vez de bolo. O momento é sempre perfeito.

Rashimi retira uma caixa de Lemon Chalet Cremes. — Sua mãe é a melhor.

— O que há de tão especial em... Tagalongs? — Étienne diz, inspecionando outra caixa.

— Tagalongs? — Mer os toma das suas mãos.

— Eles são só os mais saborosos de todo o planeta — eu explico para Étienne. — Eles só os vendem nesta época do ano. Você nunca provou biscoitos Girl Scout?

— Alguém falou em biscoitos Girl Scout?

Fico surpresa ao ver Amanda-Watts se debruçando sobre meu ombro. Seus olhos arregalam quando vê meu estoque.

— Biscoitos Girl Scout? — Outra pessoa aparece atrás de nós, com uma expressão familiar de confusão. É Cheeseburger. Amanda faz uma expressão de nojo e volta-se para mim.

— Você tem que me dar uma Thin Mint — ela diz.

— Uh, sim. Claro — eu digo. Josh faz uma careta, mas dou para ela de qualquer forma. Amanda enfia seus dentes no waffer de chocolate e agarra o braço de Étienne. Ela geme de prazer. Ele tenta afastá-la, mas o aperto é forte demais. Ela lambe os lábios. Estou impressionada por ela não ter nenhum farelo na boca. Como faz isso?

— Você já provou um destes? — ela pergunta para ele.

— Sim — ele mente.

Rashimi ri com desdém.

Alguém tosse atrás de mim e vejo Cheeseburger olhando ansiosamente para minha caixa. Eu cravo os olhos em Amanda, a agarradora de braços, e pego uma fileira inteira de Thin Mints. — Aqui está, Cheeseburger.

Ele me olha surpreso, mas ele sempre está em constante estado de surpresa. — Uau. Obrigado, Anna. — Cheeseburger pega os biscoitos e se arrasta até a escadaria.

Josh está horrorizado. — Porque você está dando os biscoitos?

— Honestamente. — Mer olha para Amanda irritada. — Vamos para algum lugar mais reservado. — Ela pega a caixa e a leva para cima. Sempre preparada, tem leite fresco no minibar. Eles me desejam feliz aniversário e fazemos um brinde. E então, nós nos empanturramos até quase explodirmos.

— Hum... — Étienne geme. — Tagalongs.

— Eu falei para você — diz Mer, lambendo manteiga de amendoim achocolatado dos seus anéis.

— Desculpe não termos comprado nada para você — Rashimi desmorona. — Mas obrigada por dividir conosco.

Sorrio. — Estou feliz também.

— Na verdade — Étienne senta-se —, meu plano era te entregar isto na hora do jantar, mas suponho que agora seja o melhor momento. Ele pega a mochila.

— Mas você odeia aniversários — digo.

— Não me agradeça ainda. E eu não odeio aniversários. Só não celebro os meus. Desculpe, não está embrulhado. — Ele me entrega um caderno espiral.

Eu estou confusa. — Hum... obrigada.

— É para canhotos. Está vendo? — Ele o vira do outro lado. — O seu está quase cheio de anotações antigas e críticas de filmes, então pensei que você iria precisar de um muito em breve.

Ninguém nunca se lembra que eu sou canhota. Um nó se forma na minha garganta. — É perfeito!

— Eu sei que não é muita coisa...

— Não. É perfeito. Obrigada.

Ele morde a unha do dedo mindinho e nós sorrimos um para o outro.

— Ai, St. Clair. Isso é muito lindo — Josh diz.

Étienne dá uma pancada com um travesseiro de Mer na cabeça dele.

— Então, você nunca me disse ao certo — Rashimi pergunta. Qual é o lance com isso? As críticas?

— Oh. — Tiro os olhos de Étienne. — É algo que sempre quis fazer. Eu gosto de falar sobre filmes. E é difícil entrar nesse ramo, é tipo uma posição para a vida toda, então eu preciso de toda prática que conseguir.

— Por que você não quer ser diretora? Ou roteirista ou atriz ou algo do tipo? — Ela pergunta. — Ninguém quer ser crítico, é estranho.

— Não é estranho — Étienne diz. — Eu acho bacana.

Dou de ombros. — Eu só gosto de... expressar minha opinião. Aquela possibilidade de transformar alguém em algo verdadeiramente bom. E, não sei. Eu costumava conversar com um grande crítico em Atlanta — ele morava no mesmo bairro do cinema que eu frequentava, por isso, ele costumava ir às projeções — e, uma vez, se gabou do fato de não haver uma crítica respeitável desde Pauline Kael, porque as mulheres são muito molengas. Disse que nós classificaríamos qualquer filme idiota com quatro estrelas. Eu quero provar que isso não é verdade.

Mer sorri forçadamente. — Claro que não é verdade.

Étienne se levanta. — Não acho que qualquer pessoa que a conheça diria que é fácil receber uma boa crítica de você.

Eu olho para ele, confusa. — O que você quer dizer com isso?

— Aaawww — Josh diz, fingindo bocejar. — E então, qual é o plano?

Eu espero que Étienne responda, mas ele não responde. Eu viro para Josh distraída. — Huh?

— Não vamos ficar aqui a noite toda. Vamos sair.

Ele não quis dizer ir ao cinema. Eu me movo desconfortável. — Eu gosto de ficar em casa.

Os olhos de Josh brilham. — Anna. Você nunca bebeu antes?

— Claro — eu minto. Mas o rubor destrói o meu disfarce. Todos eles gritam.

— Como você conseguiu passar metade do ano sem beber? — Rashimi pergunta.

Eu me encolho. — Eu simplesmente... não bebo.

— Você está na França — Josh diz. — Você devia no mínimo tentar.

E agora todos eles estão pulando. Você pensaria que eles estão festejando mais um ano de vida. — Sim! Vamos embebedar a Anna! — Eles dizem.

— Eu não sei...

— Não bêbada — Étienne sorri. Ele ainda é o único em pé. — Só... feliz.

— Feliz aniversário bêbada! — Josh diz.

— Feliz — Étienne repete. — Vamos lá, Anna, eu sei o lugar perfeito para celebrarmos.

E porque é ele, minha boca responde antes que meu cérebro o faça. — Tudo bem — eu digo.

Nós concordamos em nos encontrar mais tarde naquela noite. O que eu estava pensando? Eu preferiria muito mais ficar em casa e pegar todos os filmes do Michael Gondry. Meu guarda-roupa não fica lotado de roupas para dar um pulinho em um bar. Quando finalmente desço para ao saguão, todos já estão lá, até mesmo Étienne. Eu fico surpresa que ele tenha chegado na hora pela primeira vez. Ele está de costas para mim.

— Tudo bem — eu digo. — Vamos dar início à festa.

Assim que ele ouve a minha voz, ele se vira. E sua cara quase cai no chão.

Eu estou de saia curta. É a primeira vez que eu uso uma aqui, mas como é meu aniversário, acho que é a ocasião apropriada. — Uau, Anna! — Rashimi ajusta desnecessariamente os óculos. — Por que você esconde essas coisas?

Étienne está olhando fixamente para as minhas pernas. Eu propositadamente jogo o casaco nos ombros, ele se surpreende e tromba em Rashimi.

Talvez ela esteja certa. Talvez eu devesse usar saia com mais frequência.

Capítulo 34

A banda no clube está arrasando, guitarras altas, batidas furiosas e pessoas gritando as letras, eu mal consigo ouvir meu próprio pensamento. Tudo o que sei é que me sinto bem. Muito bem. Por que nunca bebi antes? Eu fui tão idiota — não é grande coisa. Agora entendo perfeitamente por que as pessoas bebem. Eu não estou certa do que tenho bebido, mas sei que é algo com gosto de frutas. Começou meio ruim, mas, quanto mais bebo, melhor fico. Ou noto menos a bebida. Algo do tipo. Cara, eu me sinto estranha. Poderosa.

Onde está Étienne?

Olho ao redor do cômodo escuro por entre os corpos sem valor da desiludida juventude parisiense, soltando toda a sua raiva com uma boa dose de *punk rock* francês. Eu finalmente o vejo recostado em uma parede conversando com Mer. Por que ele está falando com ela? Ela ri e joga o cabelo encaracolado. E então, toca seu braço.

Meredith se transformou em uma tocadora de braços. Eu não acredito nisso.

Antes que perceba, meus pés estão levando meu corpo em direção a eles. A música pulsa através das minhas veias. Tropeço no pé de algum cara. Ele me xinga em francês e murmuro uma desculpa enquanto cambaleio. Qual é o problema dele?

Étienne. Preciso falar com Étienne.

— Ei — grito na cara dele e ele se encolhe.

— Jesus, Anna. Você está bem? Quanto você bebeu? — Mer pergunta.

Eu movo minha mão. Três dedos. Quatro dedos. Cinco. Algo do tipo.

— Dança comigo — digo para Étienne. Ele fica surpreso, mas entrega sua bebida a Mer. Ela me olha feio, mas eu nem ligo. Ele é mais meu amigo do que dela. Agarro a mão dele e o puxo para a pista de dança. A música fica ainda mais desordenada e eu me deixo levar. Étienne segue o meu corpo com os olhos. Ele encontra o ritmo e nós nos movemos juntos.

O cômodo gira ao nosso redor. O cabelo dele está suado. Meu cabelo está suado. Eu o puxo para mais perto, e ele não protesta. Desço pelo seu corpo seguindo a batida. Quando me levanto, seus olhos estão fechados, sua boca está um pouco aberta.

Nossos corpos se encontram. A música muda novamente. Cada vez mais alta. A multidão está em completo frenesi. Eu não sei as palavras — mesmo que falasse francês, duvido que conseguiria entender a letra com tanto barulho —, tudo o que sei é que essa banda é muito melhor do que os Penny Dreadfulls. Rá!

Dançamos até não conseguir mais. Até respirarmos com dificuldade e nossas roupas estarem encharcadas e nós mal conseguirmos ficar em pé. Ele me leva até o bar e agarro nele com todas as minhas forças restantes. Ele desmorona perto de mim. Nós estamos rindo. Eu estou chorando de tanto rir.

Uma garota estranha grita conosco em francês.

— Desculpe! — Étienne se vira e seus olhos arregalam quando ele a vê. A garota tem cabelo liso e um rosto severo. Ela continua gritando. E eu consigo entender algumas palavras dentre os palavrões. Ele responde em francês e eu posso dizer que, pela sua postura e pelo seu tom de voz, ele está se defendendo. A garota grita novamente, dando um sorrisinho final de desdém, então ela se vira e abre caminho na multidão pulsante.

— O que foi aquilo? — pergunto.

— Droga. Droga.

— Quem era ela? O que aconteceu? — Eu ergo o cabelo para ventilar um pouco meu pescoço. Estou com calor. Está tão quente aqui.

Étienne apalpa os bolsos em pânico. — Droga. Onde está meu celular?

Eu remexo em minha bolsa e retiro o meu celular. — Use o meu! — Eu grito por causa da música.

Ele balança a cabeça. — Eu não posso usar o seu. Ela vai saber. Ela vai saber. — Ele puxa os cabelos e, antes que eu perceba, está indo em direção à porta de saída. Estou logo atrás dele. Nós rompemos para fora do clube na noite fria.

Flocos de neve estão caindo. Eu não acredito nisso. Nunca neva em Paris. E está nevando no dia do meu aniversário! Estico a língua, mas não sinto a neve tocá-la. Estico mais ainda. Ele ainda está procurando freneticamente pelo celular. Finalmente o encontra em um dos bolsos do casaco. Liga para alguém, mas provavelmente a pessoa não atende porque ele grita.

Eu dou um salto. — O que está acontecendo?

— O que está acontecendo? O que está acontecendo*?* Eu vou te dizer o que está acontecendo. Aquela garota lá, a que queria me matar! É a colega de quarto de Ellie. E ela nos viu dançando, e ela ligou para Ellie e contou tudo o que viu.

— E daí? Nós só estávamos dançando. Quem se importa?

— Quem se importa? Ellie supostamente ficou histérica quando soube! Ela odeia quando estamos juntos e agora vai achar que está acontecendo alguma coisa entre nós...

— Ela me odeia? — estou confusa. O que fiz para ela? Eu não a vejo há meses.

Ele grita novamente e chuta a parede e depois uiva de dor.

— Fica calmo! Deus, Étienne, o que há com você?

Ele balança a cabeça e seu rosto fica indecifrável. — Não era para terminar assim. — Ele passa a mão pelo cabelo úmido.

O que era para acabar? Ela ou eu?

— Já vem acabando aos poucos há...

Oh, meu Deus. Eles estão terminando?

— Mas simplesmente não estou preparado para isso — ele conclui.

Meu coração endurece como gelo. Dane-se ele. Honestamente. Dane-se ele. — Por que não, St. Clair? Por que você não está preparado para isso?

Ele olha para cima quando digo o seu nome. St. Clair, não Étienne. Ele está magoado, mas não me importo. Ele é St. Clair novamente. Paquerador, St. Clair amigo-de-todos. Eu o odeio. Antes que ele possa responder, eu estou tropeçando calçada abaixo. Não posso mais olhar para ele. Fui tão imbecil. Sou tão idiota.

É Toph, tudo de novo.

Ele me chama, mas continuo andando. Um pé na frente do outro. Estou tão focada nas minhas passadas que trombo em um poste. Xingo e o amaldiçoo. De novo e de novo e de novo e de repente St. Clair está me puxando para trás, me puxando para longe do poste, e eu estou chutando e gritando e estou tão cansada, simplesmente quero ir para casa.

— Anna. Anna!

— O que está acontecendo? — alguém pergunta. Meredith, Rashimi e Josh estão ao nosso redor. Quando eles chegaram aqui? Há quanto tempo eles têm nos assistido?

— Tudo bem — St. Clair diz. — Ela só está um pouco bêbada...

— Eu não estou bêbada.

— Anna, você está bêbada, eu estou bêbado e isso é ridículo. Vamos para casa.

— Eu não quero ir para casa com você!

— Que droga aconteceu com você?

— Que droga aconteceu comigo? Você tem muita coragem de fazer essa pergunta. — Eu cambaleio até Rashimi. Ela me segura ao mesmo tempo em que olha alarmada para Josh. — Só me diga uma coisa, St. Clair. Eu só quero saber uma coisa.

Ele olha fixamente para mim. Furioso. Confuso.

Paro para firmar a voz. — Por que você ainda está com ela?

Silêncio.

— Tudo bem. Não responda. E sabe o que mais? Não me ligue também. Nós terminamos por aqui. *Bonne nuit*.

Já estou pisoteando e indo embora quando ele responde.

— Porque eu não quero estar sozinho neste momento — sua voz ecoa pela noite.

Eu viro o rosto uma última vez. — Você não estava sozinho, babaca.

Capítulo 35

— Uau, Anna. Você é uma bêbada muito malvada.

Eu puxo as cobertas sobre a cabeça. Rashimi está ao telefone. Minha cabeça está me matando.

— Quanto você e St. Clair beberam a noite passada?

Étienne. O que aconteceu na noite passada? Eu me lembro do clube. Eu me lembro da música e nós dançamos? Eu acho que dançamos e, ah claro, uma menina estava gritando conosco e então fomos lá fora... oh, não.

Oh, não, oh, não, oh, não.

Sento-me rapidamente e, caramba, minha cabeça está latejando. Fecho os olhos para mandar embora a luz dolorosa e vagarosamente, vagarosamente, me afundo de novo na cama.

— Vocês praticamente fizeram sexo na pista de dança.

Fizemos?

Abro os olhos e me arrependo imediatamente. — Eu acho que estou gripada — falo com a voz rouca. Estou com sede. Minha boca está seca. Nojenta. O gosto é semelhante ao do chão da gaiola do Capitão Jack.

— Parece mais ressaca. Você devia beber um pouco de água. Mas não muita. Você pode vomitar de novo.

— De novo?

— Olhe na pia.

Eu lamento. — Prefiro não fazer isso.

— Josh e eu praticamente te carregamos até em casa. Você deveria me agradecer.

— Obrigada. — Eu não estou no clima para falar com a Rashimi agora. — Étienne está bem?

— Não o vi. Ele foi para a casa da Ellie na noite passada!

Foi quando pensei que as coisas não poderiam piorar. Torço as pontas do travesseiro. — Por acaso eu, uh, disse alguma coisa estranha para ele na noite passada?

— Fora ter agido como uma namorada ciumenta e ter dito que nunca mais queria falar com ele novamente? Não. Nada de estranho. — Lamento enquanto ela conta em detalhes os acontecimentos. — Ouça — ela me diz assim que termina —, o que há entre você dois?

— O que você quer dizer?

— Você sabe o que eu quero dizer. Vocês dois são inseparáveis.

— Exceto quando ele está com a namorada dele.

— Certo. Então, o que há entre vocês?

Gemo de novo. — Eu não sei.

— Vocês... você sabe... fizeram alguma coisa?

— Não!

— Mas você gosta dele. E ele gosta de você também.

Paro de estrangular o travesseiro. — Você acha?

— Por favor. O garoto fica excitado todas as vezes que você entra no mesmo lugar em que estamos.

Meus olhos arregalam. Ela quer dizer isso figurativamente ou ela viu isso acontecer de fato? Não, concentre-se, Anna. — Então, por que...

— Por que ele ainda está com a Ellie? Ele te disse ontem à noite. Ele está sozinho ou, pelo menos, está com medo de ficar sozinho. Josh diz que, com toda essa história da mãe dele, ele tem tido medo de mudar qualquer outra coisa na vida dele.

Então Meredith estava certa. Étienne está com medo de mudar. Por que eu não conversei sobre isso com Rashimi antes? Parece óbvio agora. Claro que ela tem informação privilegiada porque, afinal, Étienne conversa com Josh, e Josh com Rashimi.

— Você acha mesmo que ele gosta de mim?

Ela suspira. — Anna. Ele está sempre pegando no seu pé. É a clássica síndrome-do-garoto-correndo-atrás-da-garota. E, quando qualquer outra pessoa faz isso, ele sempre fica do seu lado e diz para irem se danar.

— Huh.

Ela para. — Você gosta dele, não gosta?

Estou me esforçando para não chorar. — Não. Não é assim.

— Mentirosa. Então você vai se levantar hoje ou não? Você precisa de sustento.

Concordo em encontrá-la na cantina daqui a uma hora, mas nem tenho ideia do porquê, uma vez que, no momento em que me levantei da cama, tive vontade de voltar para lá. Eu estou enjoada e parece que alguém bateu em minha cabeça com um bastão. E, falando em odor, percebo que meus poros exalam álcool e cheiram a azedo. Meu cabelo cheira a cigarro. E minhas roupas. Oh, que nojo. Corro para a pia a ponto de vomitar.

É quando descubro o vômito da noite passada. E vomito de verdade. De novo.

Durante o banho, descubro hematomas estranhos nas pernas e nos pés. Não tenho ideia de onde vieram. Eu me inclino no pequeno canto azulejado e deixo a água morna escorrer. Escorrer. Escorrer. Estou vinte minutos atrasada para o café da manhã. Almoço. Sei lá. Paris está coberta por vários centímetros de neve. Quando isso aconteceu? Como pude dormir na primeira nevasca? O brilho branco me faz cobrir os olhos.

Ainda bem que Rashimi está sozinha em nossa mesa quando irrompo na cantina. Eu não poderia encarar mais ninguém agora. — Bom dia, raio de sol. — Ela sorri maliciosamente quando vê meus cabelos molhados e os olhos inchados.

— O que eu não entendo é como as pessoas acham de verdade que beber é divertido.

— Você estava se divertindo enquanto dançava ontem à noite.

— Pena que não me lembre.

Rashimi desliza um prato de torradas em minha direção. — Coma isto. E beba um pouco de água, mas não muita. Você pode vomitar de novo.

— Já vomitei.

— Bem. Começamos bem então.

— Onde está Josh? — Dou uma pequena mordida na torrada. Credo. Não estou com fome.

— Você vai se sentir melhor se comer isso. — Ela acena para o meu prato. — Ele ainda está dormindo. Nós não passamos o tempo todo grudados, sabe.

— Claro. Certo. É por isso que eu e você saímos tanto.

Opa.

A pele morena de Rashimi enrubesce. — Eu sei que isso vai ser chocante para você, Anna, mas você não é a única que tem problemas. Josh e eu não estamos no nosso melhor momento agora.

Eu me esgueiro na cadeira. — Desculpe.

Ela remexe inconscientemente a tampa de seu suco. — Não importa.

— Então, o que está acontecendo? — O impulso leva um minuto, mas assim que começa é como se uma barreira tivesse rompido. Acontece que eles têm brigado com mais frequência do que eu pensava. Porque Josh tem cabulado aulas. Porque ela o tem pressionado por causa disso. Acha que ele está chateado porque ela sairá no ano que vem. Todos nós estamos indo para a faculdade, exceto ele.

Eu não tinha pensando nisso antes.

E ela está chateada com a sua irmã mais nova, Sanjita, que está saindo com a turma da Amanda, e preocupada com seu irmão Nikhil, que está sendo coagido pelos colegas. E está revoltada com os pais que não param de compará-la a sua irmã mais velha, Leela, que foi oradora da turma da School of America há dois anos. E Mer está sempre muito ocupada com os treinos de futebol para sair, e Étienne e eu estamos sempre juntos, e... ela perdeu sua melhor amiga.

Ellie ainda não ligou para ela.

E todas as vezes que ela está desabafando eu me sinto tão envergonhada. Nunca percebi que ela não tinha ninguém para conversar. Quer dizer, sei que Ellie era sua melhor amiga, e que ela não está mais por perto, mas de alguma forma esqueci que isso queria dizer que ela não tinha mais ninguém por perto. Ou talvez eu acreditasse que Josh fosse o suficiente.

— Mas vamos superar tudo isto — ela diz se referindo a Josh. Está tentando não chorar. — Sempre superamos. Só é difícil. — Entrego um guardanapo e ela assoa o nariz. — Obrigada.

— Claro. Obrigada pela torrada.

Ela me dá um meio sorriso, que desaparece quando percebe alguma coisa atrás de mim. Viro-me para acompanhar seu olhar.

E lá está ele.

Seu cabelo completamente desgrenhado e está vestindo sua camiseta do Napoleão, que está mais amassada do que nunca. Ele se arrasta em direção a *monsieur* Boutin com um prato de... torradas secas. Sua aparência é a de alguém que não dorme há uma semana. E, ainda assim, ele é bonito. Meu coração estilhaça.

— O que eu digo? O que devo dizer?

— Respire fundo — Rashimi diz. — Respire fundo.

Respirar é impossível. — E se não conversar mais comigo? Eu disse para ele não conversar mais comigo.

Ela estica o braço e aperta a minha mão. — Você está bem. E ele está vindo. Aja normalmente. Você está bem.

Certo. Eu estou bem. Certo.

Seu andar até a nossa mesa é dolorosamente vagaroso. Fecho os olhos. Estou preocupada que ele não se sente conosco, que nunca mais fale comigo de novo, quando sua bandeja bate na mesa à minha frente. Eu não me lembro da última vez que não se sentou ao meu lado, mas tudo bem desde que ele esteja aqui.

— Ei — ele diz.

Eu abro os olhos. — Ei.

— Droga! — Rashimi diz. — Eu tenho de ligar para o Josh. Disse que iria acordá-lo antes que eu fosse comer e me esqueci completamente. Vejo vocês depois. — Ela sai correndo como se tivéssemos uma doença contagiosa.

Empurro a torrada em volta do prato. Tento dar outra mordida.

Étienne tosse. — Você está bem?

— Não. Você está?

— Sinto-me péssimo.

— Você parece péssimo.

— Olha quem diz: a garota com o cabelo pingando como um animal encharcado.

Eu dou risada. Ele se encolhe.

— Muito obrigada, Étienne.

Ele cutuca a torrada, mas não a pega. — Então, sou Étienne de novo?

— Você tem muitos nomes.

— Eu tenho um nome só. As pessoas simplesmente o desmembram.

— De qualquer maneira, sim, você é Étienne de novo.

— Bom.

Imagino se essa interação vale como desculpas. — Como ela estava? — Eu não quero dizer o nome dela.

— Feroz.

— Sinto muito. — O que é mentira, mas tenho uma necessidade esmagadora de provar que ainda podemos ser amigos. Existe uma dor real dentro de mim que precisa dele. — Não era minha intenção estragar tudo, não sei o que deu em mim...

Ele esfrega a testa. — Por favor, não se desculpe. Não é culpa sua.

— Mas se eu não tivesse arrastado você para dançar...

— Anna. — Étienne fala vagarosamente. — Você não me fez fazer nada que não quisesse fazer.

Meu rosto enrubesce conforme a percepção dentro de mim explode feito dinamite.

Ele gosta de mim. Étienne realmente gosta de mim.

Mas, assim que a percepção se torna real, ela é substituída por um sentimento confuso, por uma descoberta tão repugnante que lança minhas emoções para o outro lado do espectro. — Mas... você ainda está com ela?

Ele fecha os olhos dolorosamente.

Eu não consigo controlar a voz. — Você passou a noite com ela?

— Não! — Os olhos de Étienne saltam. — Não, não passei, Anna, não tenho... passado a noite com Ellie há muito tempo. — Ele me olha em tom de súplica. — Desde antes do Natal.

— Não entendo por que você não termina com ela. — Eu estou chorando. É a angústia de estar tão perto de quem eu quero, e ainda assim estar tão longe.

Ele parece em pânico. — Eu estou com ela há muito tempo, passamos por várias coisas juntos. É complicado...

— Não é complicado. — Levanto e empurro a bandeja para o outro lado da mesa. A torrada pula do prato e cai no chão. — Eu me expus lá fora e você me rejeitou. Não vou fazer isso de novo.

Eu parto furiosa.

— Anna! Anna, espere!

— Oliphant! Sentindo-se melhor? — Eu salto para trás, tendo quase atropelado Dave. Ele está sorrindo. Seus amigos Mike e Emily Middlestone, conhecida como a "garota com a listra rosa", esperam atrás dele com o almoço em suas bandejas.

— Humm, o quê? — Eu olho e Étienne está a caminho. Ele estava a ponto de me seguir, mas agora que viu Dave já não está tão certo disso.

Dave ri.

— Eu a vi no saguão ontem à noite. Acredito que você não se lembre de que seus amigos estavam lutando para tentar colocá-la no elevador, então eu os ajudei.

Rashimi não mencionou isso.

— Você vomitou algo nervoso na pia.

Dave foi ao meu quarto?

— Você está bem hoje? — Ele coloca uma mecha de cabelo desgrenhado atrás da orelha.

Outra olhada para Étienne. Ele dá um passo à frente, mas hesita novamente. Eu me viro para o Dave, com algo novo endurecendo dentro de mim. — Eu estou bem.

— Que bom. Então, vamos a esse bar irlandês em Montmartre hoje à noite. Quer vir com a gente?

Já bebi o suficiente por agora. — Obrigada, mas prefiro ficar em casa.

— Tudo bem. Talvez outro dia? — Ele sorri e me cutuca. — Quando estiver se sentindo melhor?

Quero punir Étienne, machucá-lo da forma como me machucou. — Claro. Eu adoraria.

As sobrancelhas de Dave se erguem, talvez por estar surpreso. — Legal. Vejo você por aí então. — Ele sorri de novo, timidamente desta vez, e então segue os seus amigos até uma mesa do outro lado da cantina.

— Legal — diz Étienne atrás de mim. — Foi bom falar com você também.

Eu me viro. — Qual é o seu problema? Então você pode continuar namorando Ellie, mas eu nem posso falar com Dave?

Étienne parece envergonhado. Ele olha fixamente para suas botas. — Desculpe.

Nem sei o que fazer com o seu pedido de desculpas.

— Desculpe — ele diz novamente. E desta vez está olhando para mim. Implorando. — E sei que não é justo te pedir isso, mas preciso de mais algum tempo. Para resolver as coisas.

— Você teve o ano todo. — Minha voz é fria.

— Por favor, Anna. Por favor, seja minha amiga.

— Sua amiga. — Eu dou uma risada amarga. — Certo. Claro.

Étienne olha pra mim sem saber o que fazer. Eu quero dizer que não, mas eu nunca fui capaz de dizer não. — Por favor — ele diz novamente.

Cruzo os braços como se estivesse me protegendo.

— Claro, St. Clair. Amigos.

Capítulo 36

— Eu não acredito que você almoçou com David. — Mer o observa andando com ar superior ao longo do corredor e balança a cabeça. Nós vamos em direção oposta à dele, rumo à aula de física.

— Dave — eu a corrijo. — O quê? Ele é um cara legal.

— Se você gosta de roedores — St. Clair diz. Qualquer um diria que com aqueles dentões deve ser difícil para ele mastigar.

— Sei que você não gosta dele, mas poderia, pelo menos, tentar ser civilizado. — Eu me abstenho de dizer que já tivemos uma conversa sobre os nossos próprios parceiros menos que perfeitos. As últimas semanas têm sido terríveis. St. Clair e eu ainda somos amigos — na teoria —, mas agora aquela coisa está de volta, ainda maior e pior do que antes do Dia de Ação de Graças. É tão grande que parece algo físico, um peso real e corpóreo que impede que fiquemos perto um do outro.

— Por quê? — sua voz é suspeita. — Vocês dois estão saindo agora?

— Sim, nós marcamos o nosso primeiro encontro imediatamente depois de ele ter me pedido em casamento. Por favor. Somos apenas amigos.

Mer sorri forçadamente. — Dave não quer ser só seu amigo.

— Ei, você sabe sobre o que é a nossa tarefa em inglês? — eu pergunto.

— A "fugitiva de assunto", seu nome é Anna — Rashimi diz. Mas de modo amigável. Desde o café da manhã pós-aniversário as coisas têm sido mais fáceis entre nós.

— Não estou mudando de assunto. Só não ouvi sobre o que é a nossa tarefa.

— É estranho — St. Clair diz. — Porque eu a vi anotando.

— Eu anotei?

— Sim — ele diz. É um desafio.

— Oh, vamos lá pessoal. — Mer fala. Nossos amigos estão cansados de nos ver brigando, ainda que eles não saibam os detalhes da nossa situação atual. Eu prefiro assim. — Anna, é uma redação comparativa entre as duas histórias em *Kitchen*. Você lembra?

Claro que eu me lembro. Estou na verdade ansiosa por essa tarefa. Nós acabamos de ler um livro escrito por Banana Yoshimoto, uma autora japonesa e o meu favorito até agora. Ambas as histórias são sobre mágoa e luto, mas elas são pinceladas com... simplicidade e romance. Eu não consigo não pensar no trabalho do meu pai.

Ele escreve sobre amor e morte também. Mas, enquanto seus livros são recheados de melodramas piegas, Yoshimoto reflete sobre o processo de cura. Seus personagens também são sofredores, mas eles estão deixando sua vida para trás juntos. Aprendendo a amar de novo. Suas histórias são difíceis, mas também são mais recompensadoras. Os personagens sofrem no começo e no meio, mas não no fim. Há uma solução positiva.

Eu deveria enviar uma cópia ao meu pai. Circular os finais felizes em vermelho.

— Er — St. Clair diz. — Vamos trabalhar no projeto hoje à noite?

Ele está fazendo esforço para ser amigável. Parece doloroso. Ele continua tentando e eu continuo desapontando-o. — Não sei — digo. — Tenho de tirar as medidas do meu vestido de noiva.

O rosto de St. Clair tremeluz de frustração, mas por alguma razão ele não me faz sentir tão satisfeita como deveria. Argh, tudo bem. — Claro — eu digo. — Vai ser... legal.

— Claro, eu preciso pegar emprestado as suas anotações de cálculo — diz Mer. — Devo ter perdido alguma coisa. Não estava prestando muita atenção hoje.

— Oh — St. Clair diz como se tivesse acabado de perceber sua presença ali. — Claro. Você pode pegar emprestado quando nos reunirmos hoje à noite.

Rashimi sorri maliciosamente, mas não diz nada.

Ele se vira para mim. — E então, você gostou do livro?

— Gostei. — Uma sensação de desconforto permanece entre nós. — Você gostou?

St. Clair pensa por um momento. — Eu gostei mesmo foi do nome da autora — ele finalmente diz. — *Ba-nah-na*.

— Você está pronunciando errado — eu digo.

Ele me cutuca gentilmente. — Eu ainda gosto mais do nome.

— Oliphant, o que você colocou na número nove? — Dave sussurra.

Nós estamos fazendo uma prova surpresa. Eu não estou indo muito bem porque conjugar verbos não é o meu forte. Substantivos que eu domino — barco, cadarço e arco-íris. *Le bateau, le lacet, l'arc-en-ciel*. Mas verbos? Se, pelo menos, tudo pudesse ser dito no presente simples.

"Eu vou à loja ontem comprar leite!

Na noite passada ele anda de ônibus por duas horas!

Há uma semana eu canto para seu gato na praia!"

Eu me asseguro que a *professeur* Gillet está distraída antes de responder a Dave. — Não faço ideia — eu sussurro. Embora, na verdade, saiba a resposta. Simplesmente odeio trapacear. Ele ergue seis dedos e eu balanço a cabeça. E não sei a resposta mesmo.

— Número seis — ele sussurra, achando que não o entendi.

— *Monsieur* Higgenbaum!

Dave fica nervoso à medida que *madame* Guillotine se aproxima. Ela tira o teste de suas mãos e não preciso entender francês para compreender o que ela diz. Pego! — E você, *mademoiselle* Oliphant. — Ela toma meu teste também.

Isso é tão injusto! — Mas...

— Eu não tolero trapaça. — E sua testa franze tão severamente que sinto vontade de me esconder embaixo da carteira. Ela marcha de volta para a frente da sala.

— Que droga! — Dave sussurra.

Eu o mando ficar quieto, mas ele se vira. — *Monsieur*! *Mademoiselle*! Eu acho que fui clara, aqui não se conversa durante a prova.

— Desculpe, *professeur* — eu digo enquanto Dave protesta que ele não estava falando nada. O que é estúpido da parte dele porque todos podiam ouvi-lo.

E então... *professeur* Gillet nos expulsa da sala.

Não acredito nisso! Eu nunca fui expulsa da sala. Nós somos instruídos a esperar no corredor até o término do período, mas Dave tem outros planos. Ele anda na ponta dos pés e acena para que o siga. — Vem cá, vamos até as escadarias para conversar.

Mas não quero ir. Já estamos encrencados o suficiente.

— Ela nunca saberá. Voltamos antes de dar a hora — ele diz. — Eu prometo.

Dave pisca e eu balanço a cabeça, mas o sigo do mesmo jeito. Por que não consigo dizer não para garotos bonitinhos? Espero que ele pare uma vez que chegamos à escadaria, mas ele desce todo o caminho. Nós saímos e estamos na rua. — Melhor, não é? — ele pergunta. — Quem quer ficar preso lá dentro em um dia como este?

Está congelando, e eu preferia estar na escola, mas fico de boca fechada. Nós nos sentamos em um banco frio e Dave está falando sobre *snowboarding* ou esqui ou qualquer outra coisa. Estou distraída. Imagino se a *professeur* Gillet vai me deixar compensar os pontos da prova. Imagino se ela está verificando o corredor. Imagino se estou prestes a ter mais problemas.

— Sabe, estou feliz que tenhamos sido expulsos — Dave diz.

— Huh? — Volto minha atenção para ele. — Por quê?

Ele sorri. — Eu nunca consigo ficar sozinho com você.

E então, do nada, Dave se inclina, e estamos nos beijando.

Eu. Estou beijando. Dave Higgenbaum.

E... estou gostando.

Uma sombra aparece sobre nós e me afasto de seus lábios que já começaram a agir em demasia. — Droga, perdemos o sinal? — ele pergunta.

— Não — St. Clair responde. — Vocês ainda têm mais cinco minutos para ranger os dentes.

Eu me encolho de vergonha. — O que você está fazendo aqui?

Meredith está atrás dele, segurando uma pilha de jornais. Ela sorri maliciosamente. — Nós deveríamos perguntar isso a vocês. Estamos prestando um serviço ao *professeur* Hansen.

— Oh — eu digo.

— Oláaa, Dave — diz Mer.

Ele acena em direção a ela, mas está observando St. Clair, cuja expressão é fria e dura.

— De qualquer forma, vamos deixá-los voltar ao que... estavam fazendo. — Os olhos de Mer brilham conforme ela puxa St. Clair pelo braço. — Vejo você por aí Anna. Tchau, Dave.

St. Clair coloca as mãos nos bolsos. Ele não me olha enquanto vai embora e meu estômago revira. — Qual é o problema daquele cara? — Dave pergunta.

— Quem? Étienne? — Fico surpresa quando seu nome sai da minha boca.

— Étienne. — Ele ergue as sobrancelhas. — Pensei que o nome dele fosse St. Clair.

Eu tenho vontade de perguntar: "Então por que você o chamou de aquele cara?" Mas isso seria agressivo demais. Eu me encolho.

— De qualquer maneira, por que você anda com ele? As garotas estão sempre atrás dele, mas não vejo o que há de tão especial.

— É que ele é engraçado — digo. — Ele é um cara bem legal.

Legal. Foi assim que descrevi Dave para St. Clair outro dia. O que há de errado comigo? Como se Dave fosse parecido com St. Clair. Mas ele parece decepcionado e eu me sinto mal. Não é legal elogiar St. Clair na frente do Dave. Não depois de beijá-lo.

Dave coloca as mãos nos bolsos. — Devíamos voltar.

Nós nos arrastamos escada acima e eu imagino *professeur* Gillet nos esperando, a fumaça saindo pelo nariz como um dragão. Mas, quando chegamos lá, o corredor está vazio. Olho para dentro da sala pela janela enquanto termina a aula. Ela me vê e acena.

Eu não acredito.

Dave estava certo. Ela nem percebeu que saímos.

Capítulo 37

Tudo bem, então. Dave não é tão atraente quanto St. Clair. Ele é meio desengonçado e é um pouco dentuço, mas seu nariz bronzeado e sem sardas é bonitinho. E gosto de como ele tira o cabelo desgrenhado dos olhos, e seu sorriso charmoso ainda me deixa desprevenida. E, sim, ele é um pouco imaturo, mas não é nada comparado ao seu amigo Mike Reynard, que está sempre falando da garota com a mecha rosa. Mesmo quando ela pode nos ouvir. E, embora não ache que Dave ficasse empolgado com um livro de história ou usasse um gorro engraçado feito pela sua mãe, o mais importante é: Dave está disponível, e St. Clair não.

Faz uma semana que nos beijamos e estamos namorando por conveniência. Ou algo do tipo. Caminhamos algumas vezes, ele pagou por algumas refeições e nos beijamos em vários lugares do *campus*. Mas não saio com os amigos dele e ele nunca sai com os meus. O que é bom, porque eles ficam me perturbando incansavelmente por causa do Dave.

Estou com eles no saguão. É noite de sexta-feira, então não tem uma multidão. Nate está atrás da mesa da recepção porque os funcionários regulares estão em greve. Algum grupo está sempre em greve em Paris; era provável que acontecesse aqui cedo ou tarde. Josh está desenhando um esboço de Rashimi, que está conversando com seus pais em hindi, enquanto St. Clair e Meredith estão testando um ao outro sobre o governo. Estou verificando meus *e-mails*. Fico surpresa quando recebo um de Bridgette. Ela não escreve há quase dois meses.

Eu sei que você não quer receber notícias minhas, mas eu pensei em tentar uma última vez. Desculpe não ter falado para você sobre Toph. Eu estava com medo porque sabia quanto você gostava dele. Espero que você entenda algum dia que não tinha intenção de magoá-la. E espero que seu segundo semestre na França esteja indo bem. Eu estou empolgada porque faltam só dois meses até a formatura, e mal posso esperar até o dia do baile! A SOAP faz baile de formatura? Você vai com alguém? E aquele cara inglês de quem você falou? Pareceu mais do que amizade para mim. De qualquer forma, desculpe, e espero que esteja bem. E eu não vou perturbá-la de novo.

E não escrevi em letras maiúsculas porque sei que você odeia.

— Você está bem, Anna? — St. Clair pergunta.

— O quê? — Fecho imediatamente meu *laptop*.

— Você parece o Cinema da Mamãe e o Popular Basset Hound fechado — ele diz.

Bridgette e Toph vão ao baile juntos. Por que estou chateada? Nunca me preocupei com o baile antes. Mas eles tirarão aquelas fotos do tamanho de uma carteira. Ele estará de *smoking* que, certamente, encherá de broches de rock e ela estará usando um vestido antigo e ele colocará as mãos na cintura dela em alguma pose estranha que será captada por toda a eternidade. E eu nunca irei ao baile.

— Não é nada. Eu estou bem. — Fico de costas para ele e enxugo os olhos.

St. Clair se levanta. — Não pode não ser nada. Você está chorando.

A porta da frente se abre, e o som se eleva assim que Dave, Mike e três outras novatas chegam. Eles estavam bebendo e rindo alto. Emily Middlestone, a garota de mecha rosa, agarra o braço de Dave. Uma de suas mãos pousa na cintura dela. Pose de baile. A pontada de ciúme me surpreende.

As bochechas de Emily estão rosadas e ela ri mais do que qualquer outra pessoa. Mer me cutuca com a ponta do sapato. Os outros, até mesmo Josh e Rashimi, assistem à cena com interesse. Eu reabro meu *laptop* determinada a não parecer tão zangada quanto estou.

— Anna — Dave abre um sorriso enorme. O rosto de Emily azeda. — Você perdeu! — Ele se desvencilha dela e cambaleia em minha direção com os braços caídos. Ele parece um pintinho que acabou de nascer e ainda não sabe como usar as asas. — Sabe aquele café com janelas azuis? Nós roubamos as mesas e cadeiras do lado de fora e as colocamos na fonte. Você deveria ter visto a cara dos garçons quando as encontraram. Foi incrível!

Olho para os pés de Dave. Eles estão, de fato, molhados.

— O que você está fazendo? — Ele se lança ao meu lado. — Verificando seus *e-mails*?

St. Clair bufa. — Deem ao cara uma medalha pelas suas habilidades incríveis em percepção.

Meus amigos riem sarcasticamente. Estou envergonhada de novo, por mim e por Dave. Mas Dave nem olha para St. Clair, ele só fica rindo. — Bem, eu vi o *laptop* e o lindo rostinho franzido, o que significa que ela está concentrada e aí eu juntei dois e dois...

— Não — digo para St. Clair, que abre a boca para dizer mais alguma coisa. Ele se cala, surpreso.

— Quer subir? — Dave pergunta. — A gente vai relaxar um pouco no meu quarto.

Eu provavelmente deveria. Ele é quase meu namorado. Além do mais, estou chateada com St. Clair. Seu olhar hostil só aumenta minha determinação. — Claro.

Dave grita e me ergue. Ele tropeça no livro de St. Clair, e este parece pronto para cometer um assassinato. — É só um livro — eu digo.

Ele olha zangado de desgosto.

Dave me leva até o quinto andar. O andar de St. Clair. Esqueci que eles eram vizinhos. O quarto de Dave é o que... há de mais americano que já vi em Paris. As paredes estão cobertas de pôsteres bregas — 99 bottles of beer on the wall, *Reefer Madness*, uma mulher com seios enormes e de biquíni branco. O seu decote está coberto de areia e ela está fazendo biquinho como quem diz: "Você acredita nisso? Areia! Na praia!".

As garotas se jogam na cama desarrumada de Dave. Mike se joga sobre elas, e elas gritam e batem nele. Fico parada no caminho até que Dave me puxa para dentro e caio sentada em seu colo. Nós nos sentamos na cadeira da escrivaninha. Outro garoto entra no quarto. Paul? Pete? Algo do tipo. Um dos novatos, uma garota de cabelo escuro e *jeans* justo, se espreguiça como intuito de mostrar seu *piercing* no umbigo ao Paul/Pete. Oh, por favor.

Os grupos se dividem, e as pessoas se beijam. Emily não tem companheiro, então ela vai embora, mas não sem antes me lançar outro olhar de despeito. A língua de Dave está na minha boca, mas não consigo relaxar porque ele está babando esta noite. Suas mãos movem-se furtivamente para debaixo da minha camisa e param na parte de trás das minhas costas. Eu dou uma olhada para sua outra mão e percebo que ela não é muito maior do que a minha. Ele tem mãos de menino pequeno.

— Eu preciso fazer xixi. — Mike Reynards se levanta, deixando a namoradinha de hoje a noite cair no chão. Eu esperava que ele saísse do quarto, mas, em vez disso, ele faz o inesperado. Ele abaixa o zíper das calças — bem na frente de todo mundo — e faz xixi no chuveiro do Dave.

E ninguém diz nada.

— Você não vai fazer com que ele pare?

Mas Dave não responde à minha pergunta. Sua cabeça está inclinada para trás e sua boca está aberta. Ele está dormindo?

— Todo mundo faz xixi no chuveiro. — Mike fala. — O quê, você espera na fila para usar o banheiro?

Luto contra a repulsa conforme desço as escadas até o meu andar. O que eu estava pensando? Eu poderia ter acabado de contrair um grande número de doenças mortais. Dave, com certeza, nunca limpou o quarto dele. Penso no quarto organizado e agradável de St. Clair e sinto ciúme de Ellie de uma forma totalmente diferente. St. Clair nunca penduraria um pôster de garrafas de cerveja ou faria festas em seu quarto ou usaria o chuveiro como privada.

Como acabei ficando com Dave? Isso nunca foi uma decisão, simplesmente aconteceu. Eu só estava com ele porque estou brava com St. Clair? O pensamento me enfurece. Agora me sinto envergonhada e também uma idiota. Procuro pelo meu colar e um novo pânico toma conta de mim.

Chave. Eu não tenho a chave.

Onde a deixei? Eu amaldiçoo porque de jeito nenhum volto ao quarto de Dave. Talvez esteja lá embaixo. Ou talvez eu nem a peguei. Isso quer dizer que vou ter de ir até a recepção? Exceto — xingo de novo — pelo fato de eles estarem em greve. O que significa que vou ter de ir até o Nate, e vou ter de acordá-lo no meio da noite, o que significa que ele vai ficar furioso comigo.

A porta de Mer se abre. É St. Clair.

— Boa noite — ele diz, fechando a porta dela. Ela diz boa noite de volta. Ele me olha e me encolho. Ele sabia que eu estava aqui fora.

— Você e Higgenbaum se divertiram? — ele ri.

Não quero falar sobre Dave. Quero achar a porcaria da minha chave e eu quero que St. Clair vá embora. — Sim. Ótimo. Obrigada.

St. Clair pisca. — Você está chorando. É a segunda vez esta noite. — Um novo timbre em sua voz. — Ele te machucou?

Enxugo minhas lágrimas. — O quê?

— Eu vou matar aquele filho...

Ele já está quase na metade do caminho quando consigo puxá-lo de volta. — Não! — St. Clair olha para as minhas mãos em seu braço e eu as removo precipitadamente. — Estou trancada para fora. Só estou chateada porque perdi a porcaria da chave.

— Oh.

Nós ficamos lá por algum tempo, incertos sobre o que fazer. — Eu vou descer. — Evito seu olhar. — Talvez eu a tenha deixado lá embaixo.

St. Clair me segue e estou muito exausta para discutir com ele. Suas botas ecoam na escadaria vazia. Clomp. Clomp. Clomp. O saguão está escuro e vazio. O vento de março bate contra o vidro da porta de entrada. Ele se atrapalha e acende as luzes. É uma lamparina Tiffany com libélulas vermelhas com olhos turquesa arredondados. Começo a erguer as almofadas do sofá.

— Mas você estava sentada no chão o tempo todo — ele diz. Tento me lembrar e vejo que está certo. Ele aponta para uma cadeira. — Ajude-me a levantar isso aqui. Talvez tenha sido chutada aqui para baixo.

Nós a colocamos ao lado. Nada de chave.

— Você pode ter deixado lá em cima. — Ele diz isso com desconforto, então sei que quis dizer no quarto de Dave.

— Eu não sei. Eu estou tão cansada.

— Vamos lá ver? — hesita. — Ou... eu deveria checar?

Balanço a cabeça negativamente e fico aliviada quando ele não me pressiona.

— Eu não quero acordá-lo.

St. Clair morde o dedão. Ele está nervoso. — Você poderia dormir no meu quarto. Durmo no chão, você pode ficar com a cama. Não temos que, hum... dormir juntos. De novo. Se você não quiser.

É a segunda vez, exceto durante os *e-mails* no Natal, que mencionamos algo sobre aquele fim de semana. A tentação faz todo o meu corpo doer de anseio, mas com centenas de tipos de ideias ruins. — Não. É melhor resolver isso agora. Porque eu ainda teria de ver Nate pela manhã, e então teria de explicar... o fato de estar no seu quarto.

Ele está decepcionado? Leva alguns minutos antes de responder. — Nesse caso, eu vou com você.

Ele marcha de volta para o quarto de Nate e bate na porta. Um minuto depois, Nate a abre. Ele está descalço e vestindo camiseta e bermudão. Desvio o olhar, envergonhada. Ele esfrega a cabeça raspada. — Ungh?

Fixo o olhar no tapete em forma de diamante. — Eu me tranquei do lado de fora.

— Hum?

— Ela esqueceu a chave dela — St. Clair responde. — Ela pode pegar emprestada a sua chave extra?

Nate suspira, mas faz sinal para entrarmos. Seu quarto é muito maior do que o nosso, com banheira privativa, sala e uma cozinha separada do quarto (embora pequena para os padrões americanos). Ele procura em um armário de madeira na sala. Está cheio de chaves penduradas em pregos com um número dourado pintado sobre cada uma delas. Ele pega a de número 408 e me entrega. — Eu a quero de volta antes do café da manhã.

— Claro. — Aperto a chave tão forte que ela marca minha mão. — Desculpe.

— Fora — ele diz e nós corremos para o saguão. Eu dou uma olhada na sua tigela de camisinhas e tenho outra lembrança incômoda do feriado de Ação de Graças.

— Viu só? — St. Clair desliga a lamparina. — Não foi tão ruim assim.

O saguão está escuro novamente, a única luz é a do protetor de tela do computador na mesa da recepção. Eu tropeço à frente, tocando as paredes para me direcionar. St. Clair tromba em mim. — Desculpe — ele diz. Sua respiração é quente em meu pescoço. Mas não tira o corpo. Ele fica bem perto atrás de mim enquanto tropeçamos pelo saguão.

Minhas mãos alcançam a porta da escadaria. Eu a abro e nós protegemos os olhos diante da claridade. St. Clair a fecha atrás de nós, mas não subimos. Ele ainda está pressionado contra mim. Eu me viro. Seus lábios estão a um suspiro dos meus. Meu coração bate tão forte que está praticamente explodindo, mas ele gagueja e se afasta. — Então, você e Dave estão...?

Eu olho fixamente para suas mãos pousadas na porta. Elas não são mãos de menino pequeno.

— Nós estávamos — eu digo. — Não estamos mais.

Ele faz uma pausa e dá um passo à frente novamente. — E eu não acho que você vai me falar sobre o que era o *e-mail* que você recebeu.

— Não.

Outro passo mais perto. — Mas te chateou. Por que você não quer me contar?

Eu dou um passo atrás. — Porque é embaraçoso e não é da sua conta.

St. Clair enruga as sobrancelhas, frustrado. — Anna, se você não pode dizer para o seu melhor amigo o que está te chateando, então para quem você pode dizer?

E simplesmente assim, eu tenho de me segurar para não chorar pela terceira vez. Porque, mesmo com toda a estranheza e hostilidade entre nós, ele ainda me considera sua melhor amiga. A notícia me enche de alívio muito além do que eu poderia imaginar. Senti falta dele. Odeio estar brava com ele. Antes que perceba, as palavras saem da minha boca e falo sobre Bridgette, Toph e o baile, e ele ouve atentamente, sem tirar os olhos de mim. — E nunca irei a um! Quando meu pai me matriculou aqui, também tirou o baile de mim.

— Mas... bailes são chatos. — St. Clair está confuso. — Pensei que você estivesse feliz por não termos baile.

Nós nos sentamos no último degrau. — Eu estava. Até agora.

— Mas... Toph é um babaca. Você o odeia. E a Bridgette! — Ele me olha. — Nós ainda a odiamos, certo? Eu perdi alguma coisa?

Eu balanço a cabeça. — Nós ainda a odiamos.

— Tudo bem, então é uma punição justa. Pense nisso, ela vai se embonecar toda em um daqueles vestidos de cetim que nenhuma garota jamais usaria e eles vão tirar uma daquelas fotos horríveis...

— A foto — eu lamento.

— Não. Elas são horríveis, Anna. — E ele parece verdadeiramente revoltado. — As poses desconfortáveis e os *slogans* terríveis. Uma noite memorável. Este momento mágico...

— Do que os sonhos são feitos.

— Exatamente. — Ele me cutuca com o cotovelo. — Oh, e não se esqueça do chaveiro comemorativo. É provável que Bridgette compre um. E isso envergonhará Toph e ele terminará com ela, e é assim que vai ser. A foto do baile será o completo desmanche.

— Eles ainda vão se vestir elegantemente.

— Você odeia se vestir elegantemente.

— E eles ainda vão dançar.

— Você dança aqui! Você dançou na mesa do saguão no feriado de Ação de Graças. — Ele dá risada. — Não há como Bridgette dançar em uma mesa no dia do baile.

Eu tento me manter chateada. — A menos que ela esteja bêbada.

— Exatamente.

— E ela provavelmente estará.

— Sem "provavelmente" aqui. Ela estará fora de si.

— Então, vai ser bastante vergonhoso quando ela perder o jantar...

Ele lança as mãos para cima. — A comida horrível dos bailes! Como pude esquecer? Frango emborrachado, molho de churrasco engarrafado...

— ... nos sapatos de Toph.

— Mortificante — ele diz. — E isso vai acontecer durante a sessão de fotos, posso garantir.

Finalmente abro um sorriso e ele sorri maliciosamente. — Agora sim.

Ficamos olhando um para o outro. Seu sorriso vai sumindo e ele me cutuca de novo. Apoio a cabeça no seu ombro enquanto a luz da escadaria se apaga. Elas funcionam com temporizadores.

— Obrigada, Étienne.

Ele fica tenso ao ouvir seu primeiro nome. Na escuridão, pego uma de suas mãos no meu colo e a aperto. Ele aperta de volta. Suas unhas estão roídas, mas adoro suas mãos.

Elas são do tamanho certo.

Capítulo 38

Agora sei por que as pessoas falam tanto de Paris na primavera. As folhas são de um verde jovial, as castanheiras ficam repletas de botões de flores rosa e as passarelas são repletas de tulipas amarelo-esverdeadas. Para todos os lugares que olho, os parisienses estão sorrindo. Eles trocaram seus cachecóis de lã por outros mais finos, leves e macios. Le Jardin du Luxembourg, o Jardim de Luxemburgo, está lotado hoje, mas é uma multidão agradável. Todos estão felizes porque é o primeiro dia quente do ano. Não víamos os raios do sol há meses.

Mas estou agradecida por outra razão.

Esta manhã, St. Clair recebeu uma ligação. Susan St. Clair não será protagonista de um dos romances de James Ashley. Os exames estavam limpos, nenhum sinal de câncer. Ela ainda vai passar por exames a cada três meses, mas, por ora, neste exato momento, a mãe de St. Clair está viva no mais amplo sentido da palavra.

Saímos para comemorar.

Étienne e eu estamos esparramados em frente ao Grand Bassin, um tanque octogonal, popular pela venda de barcos de brinquedo. Meredith está jogando em uma liga de futebol de quadra coberta do outro lado da rua e Josh e Rashimi estão assistindo. Nós também assistimos, durante algum tempo. Ela é fantástica, mas a nossa atenção para esportes organizados dura muito pouco. Quinze minutos depois, Étienne estava cochichando no meu ouvido e me cutucando com as sobrancelhas erguidas.

Não me dei por vencida. Voltaremos daqui a pouco para assistir ao final.

É estranho eu estar vindo aqui pela primeira vez, afinal o jardim fica próximo ao Latin Quartier. E eu perdendo isso. Até agora, Étienne me mostrou um apiário, um jardim, um teatro de fantoches, um carrossel e uma quadra gramada com senhores perdidos em um jogo de *boules*, boliche na grama. Ele diz que nós estamos no melhor parque de Paris, mas acho que é o melhor parque do mundo. Gostaria de poder trazer Sean aqui.

Um pequeno barco a vela passa atrás de nós e eu suspiro fundo. — Étienne?

Estamos deitados um ao lado do outro, encostados contra o parapeito do Bassin. Ele se vira e sua perna encontra o lugar perfeito contra a minha. Nossos olhos estão fechados. — Humm? — ele pergunta.

— Isso é tão melhor do que um jogo de futebol.

— Hum, e não é mesmo?

— Nós estamos tão acabados — digo.

Ele me acerta com um braço preguiçoso e sorrimos de novo. Algum tempo depois, percebo que ele está chamando meu nome.

— O quê? — Devo ter caído no sono.

— Tem um barco a vela no seu cabelo.

— Huh?

— Eu disse que tem um barco a vela no seu cabelo.

Tento levantar a cabeça, mas está presa. Ele não estava brincando. Um garoto agitado, mais ou menos da idade de Sean, se aproxima falando muito rápido em francês. Étienne ri conforme tento tirar as velas do brinquedo da minha cabeça. O barco tomba e meu cabelo mergulha no Bassin. O garotinho grita comigo.

— Olá, ajuda? — Lanço um olhar exasperado para Étienne, cujo riso se reduziu a risadinhas. Ele se levanta assim que o garoto começa a pôr a mão em meu cabelo, embaraçando-o ainda mais.

— Ai!

Étienne fala ríspido com ele, e o garoto solta meu cabelo. Os dedos de Étienne envolvem meu cabelo e gentilmente tira o tecido, a corda e a madeira. Ele entrega o barco ao garoto e diz alguma coisa, desta vez com uma voz mais macia, tomara que o esteja alertando para manter o barco longe dos espectadores. O garoto agarra o brinquedo e sai correndo.

Eu torço meu cabelo. — Ugh.

— A água é bem limpa. — Ele sorri maliciosamente.

— Claro que é. — Mas adoro que ele saiba o que estou pensando.

— Vamos lá. — Ele levanta e oferece a mão. Eu a pego, e ele me ajuda a levantar. Espero que ele a largue, mas ele não faz isso. Em vez disso, me leva a um lugar seguro longe do tanque.

É agradável andar de mãos dadas. Confortável.

Gostaria que amigos andassem de mãos dadas com mais frequência, como as crianças que vejo nas ruas às vezes. Não estou certa do porquê de termos de crescer e nos envergonhar de fazer isso. Nós nos sentamos na grama sob um manto de flores rosa. Olho ao redor procurando pelos policiais que fazem a ronda, sempre ávidos para remover os cidadãos do gramado, mas não os vejo. Étienne é um amuleto da sorte quando se trata dessas coisas. Meu cabelo respinga na parte detrás da minha camiseta, mas, de alguma forma, não está tão ruim.

Nós ainda estamos de mãos dadas.

Tudo bem, a gente devia soltar as mãos. Este seria o ponto em que seria normal soltar as mãos.

Por que não estamos soltando as mãos?

Dirijo o olhar em direção à Grand Bassin. Ele faz o mesmo. Nós não estamos assistindo aos barcos. Sua mão está queimando, mas ele não a solta. E então se aproxima. Só um pouquinho. Olho para baixo e vejo que a camiseta levantou na parte detrás, mostrando uma pequena parte das costas. Sua pele é macia e clara.

É a coisa mais *sexy* que já vi.

Ele se mexe de novo e eu me mexo também. Estamos com os braços encostados um no outro, perna encostada uma na outra. Sua mão aperta a minha, me pedindo para olhar para ele.

Eu olho.

Os olhos escuros de Étienne buscam os meus. — O que estamos fazendo? — Sua voz é forçada.

Ele é tão bonito, tão perfeito. Estou tonta. Meu coração salta, meu pulso acelera. Inclino a cabeça para a frente e ele faz o mesmo movimento em direção à minha cabeça. Ele fecha os olhos. Nossos lábios se encostam levemente.

— Se você me pedir para te beijar, eu te beijo — ele diz.

Os dedos dele apertam a parte de dentro do meu pulso e arrebento em chamas.

— Me beije — digo.

E ele me beija.

Nós estamos nos beijando como loucos. Como se nossa vida dependesse desse beijo. Sua língua escorrega para dentro da minha boca, gentil, mas fugaz, e não se parece em nada com o que eu já tenha experimentado e, de repente, eu entendo por que as pessoas descrevem o ato de beijar como o de derreter, pois cada centímetro quadrado do meu corpo está derretendo. Meus dedos puxam o seu cabelo trazendo-o para mais perto. Minhas veias pulsam e meu coração explode. Eu nunca antes quis ninguém como o quero. Nunca.

Ele me empurra de costas e nós estamos deitados, nos beijando em frente às crianças com seus balões vermelhos, os velhinhos com seus jogos de xadrez e os turistas com seus mapas laminados, e não me importo com nada disso.

Tudo o que quero é Étienne.

O peso do seu corpo em cima do meu é extraordinário. Eu o sinto todo, pressionado sobre mim, e sinto o cheiro do seu creme de barbear, do seu xampu e um cheiro extra que é simplesmente... o cheiro dele. O cheiro mais gostoso que poderia imaginar.

Eu quero respirá-lo, lambê-lo, comê-lo, bebê-lo. Seus lábios têm gosto de mel. Sua barba por fazer raspa em minha pele, mas não me importo. Ele parece maravilhoso. Suas mãos estão em todos os lugares e não importa que sua boca esteja sobre a minha, eu o quero mais perto, mais perto, mais perto.

E então ele para. Instinto. Seu corpo está tenso.

— Como vocês puderam? — grita uma garota.

Capítulo 39

Meu primeiro pensamento é de que é Ellie.

Ellie nos encontrou e vai me estrangular com as próprias mãos, aqui mesmo, com o titereiro, os cavalos do carrossel e os apicultores, todos como testemunhas. Minha garganta vai ficar roxa, vou parar de respirar e morrer. E então ela vai para a prisão e escreverá cartas psicóticas a Étienne em pergaminhos feitos a partir de pele seca para o resto da sua vida.

Mas não é Ellie. É Meredith.

Étienne salta de cima de mim. Ela vira a cabeça de lado, mas não antes de eu perceber que está chorando. — Mer! — Ela sai correndo antes que eu possa dizer qualquer outra coisa. Olho para Étienne, que está coçando a cabeça, descrente do que acabou de acontecer.

— Droga — ele diz.

— Droga é adequado — Rashimi diz. Fico surpresa ao perceber que ela e Josh estão aqui também.

— Meredith — eu lamento. — Ellie. — Como deixamos isso acontecer? Ele tem namorada e nós dois temos uma amiga que é apaixonada por ele; o segredo que não é segredo e nunca foi.

Étienne se levanta. Sua camiseta está coberta de grama seca. E então vai embora. Ele corre atrás de Meredith, gritando seu nome. Desaparece atrás da copa de uma árvore, e Josh e Rashimi estão conversando, mas não compreendo suas palavras.

Étienne acabou de me deixar? Por causa da Meredith?

Não consigo engolir. Minha garganta está se fechando. Não só fui pega com alguém que não tinha o direito de beijar — e este foi o melhor momento da minha vida — como também ele está me rejeitando.

Na frente de todo mundo.

Há uma mão em minha frente e, como em transe, eu a sigo até o pulso, o cotovelo, a tatuagem de caveira e ossos cruzados, o ombro, o pescoço, o rosto. Josh. Ele agarra minha mão e me ajuda a levantar. Minhas bochechas estão molhadas e nem me lembro de ter começado a chorar.

Josh e Rashimi não falam nada enquanto me encaminham até um banco. Eles me deixam debulhar em lágrimas, enquanto digo não saber como aquilo aconteceu, e que não tinha intenção de magoar ninguém e que, por favor, não dissessem para Ellie. Como não consigo acreditar que fiz isso com Mer, e que ela nunca mais vai falar comigo e que eu não estou surpresa de que Étienne tenha saído correndo porque eu sou tão, tão horrível. A pior.

— Anna. Anna — Josh interrompe. — Se eu ganhasse um euro por cada estupidez que já fiz, poderia comprar a *Mona Lisa*. Você ficará bem. Vocês dois ficarão bem.

Rashimi cruza os braços. — Seus lábios não estavam fazendo aquilo sozinhos.

— Meredith, ela é tão... — eu engasgo. — Legal. — Novamente, aquela palavra. Tão inadequada. — Como pude fazer isso com ela?

— Sim. Ela é — Rashimi diz. — E foi uma mancada vocês terem feito isso agora. No que estavam pensando?

— Eu não estava pensando, simplesmente aconteceu. Eu acabei com tudo. Ela me odeia. Étienne me odeia!

— St. Clair definitivamente não te odeia — Josh diz.

— Embora, se fosse Mer, eu o odiaria — Rashimi olha zangada. — Ele a tem enrolado há muito tempo.

Josh fica indignado. — Ele nunca, nenhuma vez, passou a impressão de que gostasse dela mais do que como amiga.

— Tudo bem, mas nunca a desencorajou!

— Ele está namorando Ellie há um ano e meio. Qualquer um diria que isso já é suficientemente desencorajador! Oh! Desculpe, Anna.

Soluço copiosamente.

Eles ficam comigo no banco até que a luz do sol diminua por trás das árvores, e então me levam do *le jardin* de volta à Résidence Lambert. Quando chegamos, o saguão está vazio. Todos ainda estão fora curtindo o dia.

— Preciso falar com Mer — digo.

— Oh, não, você não precisa — Rashimi diz. — Dê um tempo a ela.

Entro furtivamente no meu quarto, acabada, e pego a minha chave. Na noite em que a perdi, eu a tinha deixado no meu quarto. Dá para escutar o som dos Beatles vindo do quarto de Mer. Será que "Revolution" está abafando o som do seu choro? Coloco a chave de volta na minha camiseta e pulo na cama. Salto dela e ando pelo quarto, e depois me deito novamente.

Eu não sei o que fazer.

Meredith me odeia. Étienne desapareceu e não sei se ele gosta de mim, me odeia ou acha que cometeu um erro ou qualquer outra coisa. Será que deveria ligar para ele? Mas o que diria? "Oi, aqui é a Anna. A garota que você beijou lá no parque e depois ignorou. Quer sair?" Mas eu tenho de saber por que ele foi embora. Eu tenho de saber o que ele pensa de mim. Minha mão treme quando coloco o telefone no ouvido.

Direto na caixa postal. Olho para o teto. Será que ele está lá em cima? Eu não posso afirmar. A música de Mer está muito alta para ouvir os passos, então vou ter de ir lá em cima. Observo meu reflexo. Meus olhos estão inchados e vermelhos e meu cabelo parece uma bola de pelos.

Respire. Uma coisa de cada vez.

Lave o rosto. Penteie o cabelo. Escove os dentes, para começar.

Respire novamente. Abra a porta. Suba as escadas. Meu estômago se contorce quando bato em sua porta. Ninguém responde. Eu pressiono minha orelha contra o desenho dele com o chapéu do Napoleão, tentando ouvir alguma coisa. Nada. Onde ele está? Onde ele está?

Volto para o meu andar e a voz de John Lennon ainda toma conta do corredor. Meus pés diminuem o ritmo quando passo pelo quarto dela. Tenho de me desculpar, não me importo com o que Rashimi diz, mas Meredith está furiosa quando abre a porta. — Ótimo. É você.

— Mer...eu sinto muito.

Ela dá uma risada maldosa. — Verdade? Você me parecia bem sentida com a sua língua enfiada na traqueia dele.

— Desculpe. — Sinto-me tão desamparada. — Aconteceu.

Meredith estica as mãos, que estão estranhamente sem anéis. Ela também não está maquiada. Na verdade, está completamente desgrenhada. Nunca a vi desse jeito. — Como você pôde fazer isso, Anna? Como você pôde fazer isso comigo?

— Eu... eu...

— Você o quê? Você sabia como eu me sentia em relação a ele! Não consigo acreditar em você!

— Desculpe — eu digo novamente. — Eu não sei no que estávamos pensando...

— Tudo bem, não importa mesmo. Ele não está escolhendo nenhuma de nós mesmo.

Meu coração para. — O quê? O que você quer dizer?

— Ele me seguiu. Disse que não estava interessado — seu rosto enrubesce. — E então ele foi para a casa de Ellie. Ele está lá agora.

Tudo fica escuro. — Ele foi para a casa de Ellie?

— Exatamente como ele sempre faz quando está encrencado. — Sua voz assume um tom de presunção. — E agora, como se sente? Não mais tão interessada, não é mesmo? — E então ela fecha a porta na minha cara.

Ellie. Ele está escolhendo Ellie. Novamente.

Corro para o banheiro e levanto a tampa da privada. Espero perder o meu almoço, mas meu estômago só se contorce, então abaixo a tampa e me sento sobre ela. O que há de errado comigo? Por que sempre me apaixono pelo cara errado? Não quero que Étienne seja outro Toph, mas ele é. Só que é muito pior, porque só gostava do Toph.

E amo Étienne.

Eu não posso olhar para a cara dele de novo. Como posso pensar em olhar para a cara dele de novo? Quero voltar para Atlanta, quero minha mãe. O pensamento me envergonha. Garotas de 18 anos não deveriam precisar de suas mães. Eu não sei quanto tempo fiquei aqui, mas de repente tomo consciência dos sons irritantes vindos do corredor. Alguém bate à porta.

— Deus, você vai ficar aí a noite toda?

Amanda Spitterton-Watts. Como se as coisas pudessem ficar ainda piores.

Eu olho meu reflexo. Meus olhos estão tão vermelhos que parece que usei suco de *cranberry* em vez de colírio, e meus lábios estão inchados como se picados por abelhas. Eu abro a torneira escrito *froid* e jogo água fria em meu rosto. Um pedaço de papel para secar, e então escondo o rosto com a mão e escapo para o meu quarto.

— Olá, bulímica — Amanda diz. — Eu te ouvi, sabia?

Minhas costas arrepiam. Viro-me e seus olhos claros arregalam inocentes sobre o nariz pontudo. Nicole também está aqui, junto com a irmã de Rashimi, Sanjita e... Isla Martin, a pequena novata de cabelos ruivos. Isla fica para trás. Ela não é parte do grupo, simplesmente é alguém esperando para usar o banheiro.

— Ela estava vomitando o jantar. Olhe para ela. Ela é nojenta.

Nicole ri entre os dentes. — Anna parece nojenta o tempo todo.

Meu rosto queima, mas não reajo porque é isso que Nicole quer. Não posso, entretanto, ignorar sua amiga. — Você não ouviu nada, Amanda. Eu não sou bulímica.

— Vocês acabaram de ouvir La Moufette me chamar de mentirosa?

Sanjita ergue a mão com as unhas benfeitas. — Eu ouvi.

Quero bater na irmã de Rashimi, mas me viro, ignorando-as. Amanda pigarreia. — Que história é essa entre você e St. Clair?

Eu congelo.

— Porque, enquanto você estava vomitando, eu ouvi Rashimi conversando com a lésbica pela porta.

Eu me viro. Ela não acabou de dizer isso.

Sua voz é como bala envenenada, doce, mas mortal. — Algo sobre vocês dois estarem se pegando e agora a lésbica estar se matando de chorar.

Fico boquiaberta. Estou sem fala.

— Não que ela tivesse alguma chance com ele — Nicole diz.

— Eu não estou certa por que a Anna aqui também pensa que teria alguma chance com ele. Dave estava certo. Você é uma vaca. Você não era boa o suficiente para ele e definitivamente não é boa para St. Clair. — Amanda balança o cabelo. — Ele é classe A e você é D.

Não consigo sequer começar a processar a informação. Minha voz vacila. — Nunca mais chame Meredith de lésbica.

— O que, lésbica? Meredith Chevalier é uma grande. Bizarra. Lésbica!

Eu bato nela com tanta força que nós entramos pela porta do banheiro. Nicole está gritando, Sanjita está rindo e Isla implora para que paremos. As pessoas saem dos quartos e nos rodeiam, encorajando-nos ainda mais. E então alguém me tira de cima dela.

— Que porcaria está acontecendo aqui? — Nate diz, segurando-me. Algo pinga do meu queixo. Passo a mão e vejo que é sangue.

— Anna atacou Amanda! — Sanjita diz.

Isla fala mais alto. — A Amanda estava atiçando a Anna.

— Amanda estava se defendendo! — Nicole diz.

Amanda toca o nariz e recua. — Eu acho que ela quebrou meu nariz. Anna quebrou meu nariz.

Eu fiz isso? Lágrimas escorrem pelas minhas bochechas. O sangue deve ter sido um arranhão de uma das unhas de Amanda.

— Nós estamos esperando, *mademoiselle* Oliphant — Nate diz.

Balanço a cabeça e Amanda inicia uma declamação de acusações. — Basta! — Nate diz. Ela para. Nós nunca o ouvimos falar assim. — Anna, pelo amor de Deus, o que aconteceu?

— A Amanda chamou a Mer... — eu sussurro.

Ele está nervoso. — Eu não consigo te ouvir.

— Amanda chamou... — Mas eu paro de falar quando vejo os cachos loiros de Mer sobre toda a multidão. Eu não posso dizer. Não depois de tudo o que fiz para ela hoje. Eu olho para minhas mãos e engulo. — Desculpe.

Nate suspira. — Tudo bem pessoal. — Ele gesticula para as pessoas no corredor. — A festa acabou, voltem para os seus quartos. Vocês três — Nate aponta para mim, Amanda e Nicole. — Fiquem.

Ninguém se mexe.

— Voltem para os seus quartos.

Sanjita sai apressada e os demais se misturam. Ficamos só nós três e Nate.

— Isla, volte para o seu quarto — ele diz.

— Mas eu estava aqui. — Sua voz macia se enche de coragem. — Eu vi acontecer.

— Tudo bem. As quatro, para a diretoria.

— E o médico? — Nicole se queixa. — Ela quebrou o nariz da Amanda.

Nate se inclina e inspeciona o nariz de Amanda. — Não está quebrado — ele diz finalmente.

Suspiro aliviada.

— Você tem certeza? — Nicole pergunta. — Acho que ela deveria ir ao médico.

— *Mademoiselle*, por favor, evite falar até que cheguemos à sala da diretoria.

Nicole fecha a boca.

Eu não acredito nisso. Nunca fui mandada para a diretoria! O diretor em Clairemont High nem sabia meu nome. Amanda vai mancando até o elevador e eu me arrasto com um temor crescente. No momento em que Nate vira as costas para nós, ela se endireita, arregala os olhos e murmura isto: "Você vai morrer. Vaca".

Capítulo 40

A diretora me deu detenção.

Eu. Detenção.

Amanda pegou uma semana, mas eu peguei detenção depois da aula pelas próximas duas semanas. — Estou desapontada com você, Anna — a diretora disse, massageando a tensão no seu pescoço de bailarina. — O que o seu pai vai dizer?

Meu pai? Quem se importa com meu pai? O que a minha mãe vai dizer? Ela vai me matar. Ela vai ficar tão brava que vai me deixar aqui, aprisionada na França para sempre. Eu vou acabar como um daqueles mendigos perto do rio Sena que cheiram a sovaco e repolho. Vou ter de ferver meus próprios sapatos para comê-los como Charles Chaplin em *The gold rush*. Minha vida está arruinada.

A detenção foi dividida injustamente porque me recusei a dizer a ela o que Amanda disse. Porque odeio essa palavra. Como se o fato de ser *gay* fosse algo para se envergonhar. Como se o fato da Mer gostar de esportes a transformasse automaticamente em lésbica. O insulto não faz sentido. Se Meredith fosse lésbica, ficaria chateada se houvesse algo entre mim e Étienne?

Eu odeio a Amanda.

Quando a diretora pediu a Isla que contasse a história, ela me defendeu, e essa é a única razão pela qual não peguei detenção pelo resto do ano. Ela também seguiu o meu palpite e não disse à diretora o que Amanda falou sobre Mer. Eu a agradeci silenciosamente com os olhos.

Voltamos ao Résidence Lambert e todos estão no saguão. A notícia da nossa briga já vazou e nossos colegas de sala estão esperando pelos hematomas. Eles nos fazem perguntas como se fosse uma coletiva de imprensa para celebridades que dão vexame, mas eu os ignoro e abro caminho. Amanda mantém os espectadores, dando a sua versão da história.

O que quer que seja, estou muito furiosa para lidar com isso agora.

Eu passo por Dave e Mike nas escadarias. Mike faz aquela expressão que os idiotas sempre fazem quando batem, de propósito, no seu ombro com o deles para desequilibrá-lo.

— Qual é o seu problema? — grito.

Dave e Mike trocam risos maliciosos.

Eu entro violentamente no meu quarto. Todos me odeiam. Étienne me trocou pela namorada. De novo. Meredith me odeia. Rashimi e Josh com certeza não estão muito satisfeitos também. Dave e Mike me odeiam. E Amanda e seus amigos e todos lá embaixo também. Se eu tivesse seguido o conselho de Rashimi. Se tivesse ficado no meu quarto, Mer não teria gritado comigo. Não saberia que Étienne escolheu ficar com a Ellie. Não teria me atracado com a Amanda. E nunca teria pegado detenção por duas semanas.

Por que Étienne está escolhendo Ellie? Por quê?

Étienne. Que tem lábios e beijo perfeitos. Que tem gosto de mel. Que nunca, nunca, vai largar a namorada! Surpreendo-me com uma batida na porta. Eu estou tão em transe que nem ouvi os passos.

— Anna? Anna, você está aí?

Meu coração para. A voz é inglesa.

— Você está bem? Amanda está lá embaixo, falando um monte de bobeiras. Ela disse que você bateu nela. — Ele bate mais forte ainda. — Por favor, Anna. Precisamos conversar.

Eu abro a porta. — Conversar? Oh, você gostaria de conversar agora?

Étienne me olha chocado. O branco dos meus olhos ainda está vermelho, tenho um arranhão de uns cinco centímetros na minha bochecha e meu corpo está pronto para o ataque. — Anna?

— O quê, você achou que não ia ficar sabendo que você foi atrás da Ellie?

Ele está confuso. — O... o quê?

— Bem? — Cruzo os braços. — Você foi?

Ele não esperava que eu soubesse disso. — Sim, mas... mas...

— Mas o quê? Você deve achar que sou uma completa idiota, certo? Que sou algum tapete que vai ficar te esperando na retaguarda para sempre? Que você pode ficar correndo para ela quando as coisas estão ruins e que vou ficar bem com tudo isso?

— Não é assim!

— É sempre assim!

Étienne abre a boca, mas fecha de súbito. Sua expressão varia entre mágoa e fúria milhares de vezes. E então piora. E ele sai violentamente.

— Pensei que você quisesse conversar! — eu digo.

Bato a porta.

Capítulo 41

Vejamos. Ontem eu: (1) beijei meu melhor amigo, mesmo que tivesse jurado que nunca o faria, (2) traí outra amiga por causa do mesmo erro da sessão do beijo, (3) briguei com uma garota que já estava preparada para brigar comigo, (4) ganhei duas semanas de detenção e (5) verbalmente ataquei meu melhor amigo até ele sair correndo.

Correção. Até ele sair correndo de novo.

Se existisse um concurso para ver quem consegue se prejudicar mais em um único dia, estou certa que venceria. Minha mãe cospe fogo quando fica sabendo da minha briga com Amanda, e agora estou de castigo durante todo o verão. Não consigo nem olhar na cara dos meus amigos. Estou envergonhada por causa do que fiz com Meredith, e Rashimi e Josh claramente ficaram do lado dela, e St. Clair... nem me olha.

St. Clair. Mais uma vez ele deixou de ser Étienne, meu Étienne.

Isso machuca mais do que qualquer outra coisa.

A manhã toda foi horrível. Não fui tomar café da manhã e dormi na aula de inglês até o último segundo possível. Meus amigos não tomam ciência da minha existência, mas todos os demais sussurram e me observam. Imagino que eles estejam do lado de Amanda. Só espero que eles não saibam da situação com St. Clair, o que é pouco provável diante da altura que gritei com ele ontem à noite.

Eu passo a aula dando umas olhadinhas para ele. Ele está tão exausto que mal pode manter os olhos abertos, e acho que não tomou banho.

Mas ele é bonito. Eu odeio isso. E me odeio por querer desesperadamente que ele olhe para mim, e odeio mais ainda quando Amanda vê que estou olhando para ele porque então ela sorri de um jeito que diz: "Viu só? Eu te disse que ele está longe de gostar de você".

E Mer. Ela não tem de virar o corpo de onde está para não me ver como St. Clair — embora ela faça isso, ambos façam isso — porque suas ondas de hostilidade batem em mim uma vez, outra vez, durante todo o período. A aula de cálculo é uma extensão dessa tristeza. Quando o *professeur* Bibeneaux nos devolve a tarefa, St. Clair passa a pilha de papel para trás sem olhar na minha cara. — Obrigada — murmuro. Ele congela só por um momento antes de voltar ao estado de completa ignorância quanto ao meu ser.

Não tento falar com ele de novo.

Francês é previsivelmente ruim. Dave se senta o mais longe possível de mim, mas a forma como me ignora é estranha e proposital. Alguns dos calouros me enchem o saco por causa disso, mas não sei qual é o problema de Dave, e pensar nele só me faz sentir nojo por dentro. Mando os colegas de sala irem para aquele lugar... e *madame* Guillotine fica louca comigo, não porque os mandei para aquele lugar..., mas porque não disse em francês. O que há de errado com esta escola?

Na hora do almoço, estou de volta ao banheiro como no meu primeiro dia.

Não tenho apetite algum.

Na aula de física, agradeço o fato de não termos laboratório porque não consigo suportar a ideia de St. Clair ter outro parceiro. *Professeur* Wakefield fala monotonamente a respeito de buracos negros e, na metade da aula, Amanda estica-se exageradamente e derruba um pedaço de papel dobrado por trás da cabeça. Ele cai aos meus pés. Eu o leio embaixo da carteira.

Ei, Garota Gambá, se mete comigo de novo & eu vou te dar
mais do que um arranhão. Dave diz que você é uma vagabunda.

Uau. Não posso dizer que ninguém nunca tenha me chamado disso antes. Mas por que Dave está conversando com Amanda sobre mim? É a segunda vez que Amanda diz algo assim. E não acredito que esteja sendo chamada de vagabunda só por ter beijado alguém. Faço uma bola de papel com o bilhete e jogo na cabeça dela. Por bem ou por mal, minha mira é tão ruim que acerto na cadeira. Ela bate e volta no cabelo dela, que não sente a bolinha lá. Eu me sinto um pouquinho melhor. O bilhete ainda está grudado no cabelo dela.

Ainda está.

Ainda es... opa. Ela se mexe e o bilhete cai no chão, mas *professeur* Wakefiled escolhe este momento para andar pelo nosso corredor. E se ele encontrar e ler em voz alta? Eu realmente, verdadeiramente, não preciso de outro apelido nesta escola. Perto de mim, St. Clair também observa o bilhete. *Professeur* Wakefield está quase na nossa mesa quando casualmente pisa sobre o papel. St. Clair espera até que o *professeur* se afaste e pega o papel. Ouço-o desamassá-lo e meu rosto enrubesce. Ele olha para mim pela primeira vez durante o dia todo. Mas ainda não diz nada.

Josh está quieto durante a aula de história, mas pelo menos não troca de lugar. Isla sorri para mim e, incrivelmente, este momento único de delicadeza ajuda. Por aproximadamente trinta segundos. Então, Dave, Mike e Emily se juntam e ouço meu nome ser dito enquanto olham para mim e riem. Essa situação, qualquer que seja, está piorando.

Temos uma janela no que seria a aula de *La Vie*. Rashimi e St. Clair rascunham para a aula de artes, enquanto finjo estar concentrada na minha tarefa. Ouço uma risada atrás de mim. — Talvez se você não fosse uma vagabundazinha, Garota Gambá, você ainda teria amigos.

Amanda Spitteton-Watts, o grande clichê da escola. A garota malvada. Pele perfeita, cabelo perfeito. Sorriso de gelo, coração de gelo.

— Qual é o seu problema? — pergunto.

— Você.

— Excelente. Obrigada.

Ela joga o cabelo. — Você não quer saber o que as pessoas estão dizendo sobre você? — Eu não respondo porque eu sei que ela vai dizer de qualquer forma. E ela diz. — Dave diz que você só dormiu com ele para fazer St. Clair ficar com ciúme.

— O quê?

Amanda ri novamente e vai embora. — Dave estava certo quando te deu um pé na bunda.

Eu estou chocada. Como se algum dia eu fosse dormir com Dave! E ele contou para todo mundo que ele terminou comigo? Como ousa? É isso que todo mundo pensa de mim? Oh, meu

Deus, é isso que St. Clair pensa de mim? St. Clair acha que dormi com Dave?

No restante da semana oscilo entre desespero total e fúria. Tenho detenção toda tarde e, todas as vezes que desço os corredores, ouço meu nome sendo sussurrado em tom de fofoca. Espero ansiosamente pelo fim de semana, mas ele acaba sendo pior. Termino minha tarefa na detenção, e então não tenho nada para fazer. Passo meus fins de semana no cinema, mas estou tão consternada que nem consigo aproveitar os filmes.

A escola acabou com o cinema. É oficial. Não há mais pelo que viver.

Na segunda pela manhã, meu humor está tão ruim que tenho coragem de confrontar Rashimi na fila do café da manhã. — Por que você não está conversando comigo?

— Como é? — ela pergunta. — Você não está conversando comigo.

— O quê?

— Eu nunca te mandei embora da nossa mesa. Você parou de vir. — Sua voz é firme.

— Mas vocês estavam furiosos comigo! Por causa... por causa do que fiz com a Mer.

— Todos os amigos brigam. — Ela cruza os braços e percebo que está me citando. Eu disse isso no outono passado quando ela brigou com St. Clair por causa da Ellie.

Ellie. Ignorei Rashimi exatamente como a Ellie fez.

— Desculpe. — Meu coração se despedaça. — Não faço nada direito.

Os braços de Rashimi afrouxam e ela puxa uma das suas longas tranças. Ela está desconfortável, uma emoção diferente para ela. — Só me prometa que da próxima vez que você for atacar a Amanda, você vai, de fato, quebrar alguma coisa.

— Eu não queria!

— Relaxa. — Ela me olha inquieta. — Eu não sabia que você era tão sensível.

— Você sabe que ainda tenho outra semana de detenção por causa daquela briga.

— Foi uma punição severa essa. Por que você não diz para a diretora o que Amanda disse?

Quase derrubo a minha bandeja. — O quê? Como você sabe o que ela disse?

— Não sei. — Rashimi franze a testa. — Mas deve ter sido algo muito perverso para fazê-la agir daquela forma.

Eu desvio o olhar aliviada. — A Amanda só me pegou em um momento ruim. — O que é verdade. Faço meu pedido para o *monsieur* Boutin: uma tigela grande de iogurte com granola e mel, minha favorita, e me viro para ela. — Vocês... não acreditam no que Amanda e Dave estão dizendo, acreditam?

— Dave é um babaca. Se eu achasse que você dormiu com ele, nós não estaríamos conversando agora.

Eu estou apertando a minha bandeja com tanta força que as minhas articulações estão ficando brancas. — Então, hum... St. Clair sabe que nunca dormi com ele?

— Anna, nós todos achamos que Dave é um babaca.

Eu estou em silêncio.

— Você devia falar com St. Clair — ela diz.

— Não acho que ele queira falar comigo.

Ela empurra sua bandeja. — Eu acho que ele quer.

Tomo café da manhã sozinha novamente porque ainda não consigo encarar Mer. Estou cinco minutos atrasada para a aula de inglês. *Professeur* Cole está sentada em cima da mesa, tomando café. Ela aperta os olhos conforme me movo furtivamente para a minha cadeira, mas não diz nada. Seu vestido laranja de verão se move de acordo com o balançar dos seus pés. — Pessoal, acordem — diz. — Nós estamos falando sobre os aspectos técnicos da tradução novamente. Eu tenho de fazer todo o trabalho aqui? Quem pode me dizer um dos problemas que o tradutor enfrenta?

Rashimi ergue a mão. — Bem, muitas palavras têm significados diferentes.

— Bom — *professeur* Cole diz. — Elabore seu comentário.

St. Clair está próximo a Rashimi, mas não está ouvindo. Ele rabisca algo fervorosamente na margem de seu caderno. — Bem — Rashimi diz — é função do tradutor determinar a definição que o autor quis dar à palavra. E não só isso como também podem existir outros significados em relação ao contexto.

— Então, o que você está dizendo — *professeur* Cole diz — é que o tradutor tem de tomar várias decisões. Que há múltiplos significados a serem encontrados em qualquer palavra, em qualquer sentença. Em qualquer situação.

— Exatamente — Rashimi diz. E então ela lança um olhar para mim.

Professeur Cole ri. — E tenho certeza de que nenhum de nós nunca interpretou de maneira errada alguma coisa que alguém disse ou fez para significar outra coisa, certo? E estamos todos falando a mesma língua. Vocês percebem quão desafiadoras as coisas se tornam uma vez que... figuras de linguagem são adicionadas ao discurso. Algumas coisas simplesmente não são traduzidas entre as culturas.

Mal-entendidos enxameiam a minha cabeça. Toph. Rashimi. St. Clair?

— Que tal isso? — *Professeur* Cole anda em direção às janelas altas. — O tradutor, não importa quão fiel ele acredite que esteja sendo ao texto, ainda traz suas experiências pessoais e opiniões para as decisões que toma. Talvez não o faça conscientemente, mas, a todo momento que uma escolha tem de ser feita entre um significado de uma palavra ou outro, o tradutor determina qual usar, baseado no que ele acredita estar correto, baseado na sua história pessoal como sujeito.

A aula termina e entro em uma nuvem em direção à aula de cálculo. Eu estou quase lá quando ouço, tão silencioso que poderia até passar por alguém que estivesse simplesmente pigarreando. — Vagabunda.

Eu congelo.

Não. Continue andando. Abraço meus cadernos com mais força e continuo caminhando corredor abaixo.

Um pouco mais alto desta vez. — Vagabunda.

E, quando me viro, a pior parte é que nem sei de quem vem a ofensa. Tantas pessoas me odeiam neste exato momento. Hoje, é Mike. Ele sorri desdenhosamente, mas fixo meu olhar em Dave quando passo por ele. Dave coça a cabeça e desvia o olhar.

— Como você pode fazer isso? — pergunto a ele.

— Como você pode fazer isso? — Mike diz. — Sempre falei para o Dave que você não valia tudo isso.

— Sério? — Meus olhos ainda estão focados em Dave. — Bem, pelo menos não sou mentirosa.

— Você é mentirosa — Dave diz baixinho.

— O que foi? O que você disse?

— Você me ouviu. — A voz de Dave cresce, mas ele está se contorcendo, piscando para o amigo. Uma onda de desgosto passa por mim. Por que não vi isso antes? Minhas mãos se fecham. Mais uma palavra que ele disser, mais uma palavra...

— Vagabunda — ele diz.

Dave tomba no chão.

Mas não foi meu pulso.

Capítulo 42

— Arghhh! — St. Clair apoia uma mão sobre a outra.

Mike se vira para St. Clair e entro no meio dos dois. — Não!

Dave geme no chão. Mike me puxa para o lado e St. Clair o lança na parede, sua voz cheia de fúria. — Não toque nela!

Mike está chocado, mas ele volta para cima de St. Clair. — Você é psicótica! — E então ele investe na direção de St. Clair na hora em que *professeur* Hansen entra no meio deles, já preparado para receber os golpes.

— Ei, ei, ei, o que está acontecendo aqui fora? — Nosso professor de história crava os olhos em seu aluno favorito. — *Monsieur* St. Clair, para a sala da diretora. Agora. — Dave e Mike simultaneamente declaram inocência, mas *professeur* Hansen os corta. — Calem-se, os dois, ou sigam Étienne. — Eles se calam. St. Clair não me olha nos olhos, ele simplesmente sai em direção à diretoria.

— Você está bem? — *Professeur* Hansen me pergunta. — Algum desses idiotas te machucou?

Eu estou chocada. — St. Clair estava me defendendo. — Não foi... não foi culpa dele.

— Nós não defendemos com os punhos nesta escola. Você sabe disso. — Ele me olha estranhamente antes de descer as escadas para juntar-se a St. Clair na diretoria.

O que acabou de acontecer? Quero dizer, sei o que aconteceu, mas... o que acabou de acontecer? Isso significa que St. Clair não me odeia? Eu sinto uma ponta de esperança, mesmo que haja a possibilidade de ele odiar mais Mike e Dave do que a mim. Não o vejo pelo resto do período, mas, assim que chego à sala de detenção, ele já está sentando na fileira detrás.

St. Clair parece esgotado. Ele deve ter ficado aqui a tarde toda. O *professeur* responsável de hoje ainda não está aqui, então somos só nós dois. Sento-me no meu lugar de costume — é triste saber que tenho um lugar de costume —, do lado oposto da sala. Ele olha fixamente para as mãos. Elas estão manchadas de carvão, por isso sei que esteve desenhando.

Eu pigarreio. — Obrigada por me defender.

Nenhuma resposta. Tudo bem. Eu me viro para o quadro.

— Não me agradeça — diz um minuto depois. — Eu deveria ter socado Dave há muito tempo. — Suas botas chutam o chão de mármore.

Olho de relance novamente. — Quanto tempo de detenção você pegou?

— Duas semanas. Uma para cada babaca.

Dou uma risadinha desdenhosa e sua cabeça se levanta rapidamente. Minha própria esperança lampeja em mim, refletida em sua expressão. Mas desaparece quase instantaneamente. O que me machuca.

— Não é verdade, sabe — eu digo amargamente. — O que Dave e Amanda estão dizendo.

St. Clair fecha os olhos. Ele não responde por vários segundos. Quando abre a boca novamente, não posso deixar de notar quão aliviado ele está. — Eu sei.

Sua reação demorada me irrita. — Tem certeza disso?

— Sim. Eu tenho. — Ele me olha pela primeira vez em mais de uma semana. — Mas é legal ouvir isso da sua boca, certo?

— Certo. — Eu me viro. — Eu só posso imaginar.

— E o que, exatamente, você quer dizer com isso?

— Esquece.

— Não. Não vamos esquecer. Eu estou cansado de esquecer tudo, Anna.

— Você está cansado de esquecer? — minha voz está trêmula. — Eu tenho feito tudo menos esquecer. Você acha que é fácil estar no meu quarto todas as noites pensando em você e em Ellie? Você acha que qualquer uma dessas coisas tem sido fácil para mim?

Seus ombros caem. — Eu sinto muito — ele sussurra.

Mas já estou chorando. — Você me diz que sou bonita, que você gosta do meu cabelo e do meu sorriso. Você apoia sua perna na minha nas salas de cinema e depois age como se nada tivesse acontecido quando as luzes se acendem. Você dormiu na minha cama por três noites seguidas e então você simplesmente... me rejeita no mês seguinte. O que devo fazer com tudo isso, St. Clair? Você disse no meu aniversário que tinha medo de ficar sozinho, mas eu estava aqui o tempo todo. O tempo todo.

— Anna. — Ele se levanta e vem em minha direção. — Eu sinto muito por ter te machucado. Tomei decisões terríveis e percebi que talvez não mereça seu perdão porque demorou muito para eu chegar até aqui. Mas não entendo por que você não está me dando uma chance. Nem deixou que eu me explicasse na semana passada. Você me atacou, esperou o pior de mim. Mas a única verdade que eu conheço é a de quando estamos juntos. Achava que você confiava naqueles sentimentos também. Achei que confiasse em mim, que me conhecesse...

— Mas é exatamente isso! — Eu pulo da cadeira e, de repente, ele está em cima de mim. — Eu não conheço você. Eu digo tudo para você, St. Clair. Sobre meu pai, Bridgette, Toph, Matt e Cherrie. Eu te contei que sou virgem. — Eu desvio o olhar, humilhada em dizer isso em voz alta. — E o que você me contou? Nada! Eu não sei coisa alguma sobre você. Nada sobre seu pai, nada sobre Ellie...

— Você me conhece mais do que qualquer outra pessoa. — Ele está furioso. — E se você, alguma vez, se importou em observar, saberia que as coisas com meu pai estão além de tudo que pode ser ruim neste momento. E não posso acreditar que você pensa tão mal de mim a ponto de acreditar que eu esperaria o ano todo para te beijar e que, quando isto acontecesse, eu... eu não ia querer mais saber de você. Claro que eu estava com Ellie aquela noite. Eu estava terminando com ela!

O silêncio é ensurdecedor.

Eles terminaram? Oh, Deus. Não consigo respirar. Não consigo respirar. Eu não...

Ele me olha fixamente nos olhos. — Você diz que tenho medo de ficar sozinho, e é verdade. Eu tenho. E não sinto orgulho disso. Mas você precisa olhar para si mesma, Anna, porque eu não sou o único nesta sala que tem esse problema.

Ele está em pé tão perto de mim que consigo sentir seu peito arfando, rápido e nervoso. Meu coração bate contra o dele. Ele engole. Eu engulo. Ele se curva hesitantemente e meu corpo me trai e imita o movimento do seu corpo. Ele fecha os olhos. Eu fecho os meus.

A porta se abre e nós nos separamos.

Josh entra na sala e dá de ombros. — Eu reprovei em pré-cálculo.

Capítulo 43

Eu não consigo olhar para ele pelo resto do período de detenção. Como posso ter medo de ficar sozinha, se é isso o que tem acontecido ultimamente? Não é como se tivesse tido um namorado o ano todo como ele tem uma namorada, embora eu tenha me apegado ao Toph. Tê-lo mantido como — o pensamento faz com eu me contraia — uma reserva. E Dave. Bem. Ele estava lá e eu estava lá, e ele queria e eu também. Fiquei até preocupada de só estar com Dave porque eu estava brava com St. Clair, mas, talvez... talvez estivesse cansada de ficar sozinha.

Mas o que há de tão errado nisso?

Isso significa que St. Clair não estava errado em não querer ficar sozinho também. Ele tem medo de mudanças, de tomar decisões, mas eu também tenho. Matt disse que, se eu tivesse simplesmente conversado com Toph, teria poupado meses de angústia. Mas eu estava com muito medo de atrapalhar a relação que nós poderíamos ter, lidar com o que nós realmente tínhamos. E, se tivesse me preocupado em ouvir o que Matt estava tentando me dizer, talvez eu e St. Clair tivéssemos tido esta conversa há muito tempo.

Mas St. Clair deveria ter dito alguma coisa! Eu não sou a única em falta aqui.

Espere. Não era o que ele estava me dizendo o tempo todo? Que ambos estamos em falta? Rashimi disse que fui eu quem me afastei dela. E estava certa. Ela e Josh, na verdade, me ajudaram naquele dia no parque e eu ignorei. E Mer.

Oh, meu Deus, Meredith.

O que há de errado comigo? Por que não tentei me desculpar de novo? Eu sou incapaz de manter um amigo? Tenho de falar com ela. Hoje. Agora. Imediatamente. Assim que *professeur* Hansen nos libera da detenção, corro para a porta. Mas algo me para assim que chego ao corredor. Paro atrás dos afrescos de ninfas e sátiros. Viro-me.

St. Clair está esperando na entrada, olhando fixamente para mim.

— Eu tenho de conversar com a Meredith. — Mordo meu lábio.

St. Clair mexe a cabeça afirmativamente.

Josh aparece por trás dele. Ele se dirige a mim com uma confiança peculiar. — Ela sente sua falta. Vai dar tudo certo — ele olha para St. Clair. — Vocês ficarão bem.

Ele me disse isso antes. — Verdade? — eu pergunto.

Josh ergue uma sobrancelha e diz: — Claro.

E só no momento em que estou me distanciando é que penso se "vocês", quer dizer, Meredith e eu ou St. Clair e eu. Eu espero que "vocês" signifique ambas as coisas. Volto ao Résidence Lambert e bato na porta de Mer após dar uma passadinha em meu quarto. — Mer? Nós podemos conversar?

Ela abre a porta. — Ei. — Sua voz é gentil o suficiente.

Nós nos olhamos. Eu ergo duas xícaras. — Chocolat chaud?

E parece que ela poderia chorar diante da visão. Ela me deixa entrar e coloco uma xícara em sua escrivaninha. — Eu sinto muito. Eu sinto tanto, Meredith.

— Não, sinto muito. Eu não tinha o direito de ficar brava com você.

— Não é verdade, eu sabia como você se sentia em relação a St. Clair, e o beijei mesmo assim. Deveria ter dito que gostava dele também.

Nós nos sentamos na cama dela. Ela gira um anel brilhante em formato de estrela em volta do dedo. — Eu sabia como vocês se sentiam um em relação ao outro. Todos sabiam disso.

— Mas...

— Eu não queria acreditar. Depois de tanto tempo, ainda tinha... essa esperança estúpida. Sabia que ele e Ellie estavam tendo problemas, então pensei que, talvez... — Meredith engasga e leva um minuto antes de continuar.

Eu mexo meu chocolate quente. Está tão grosso que parece um molho. Ela me ensinou bem.

— Nós costumávamos sair juntos sempre, St. Clair e eu. Mas, depois que você chegou, eu mal o via. Ele se sentava perto de você durante as aulas, durante o almoço, no cinema. Em todo lugar. E, mesmo que eu suspeitasse, soube da primeira vez que a ouvi chamá-lo de Étienne que você o amava. E sabia pela resposta que ele te deu, o modo como os olhos dele se iluminavam todas as vezes que você dizia o nome dele, que ele também te amava. E eu ignorei isso porque não queria acreditar.

A dor aumenta dentro de mim. — Eu não sei se ele me ama. Eu não sei se ele ama ou se alguma vez amou. Está tudo de ponta-cabeça.

— É óbvio que ele quer mais do que amizade. — Mer pega minha xícara, que treme em minha mão. — Você não o viu? Ele sofre todas as vezes que vê você. Nunca vi ninguém tão triste em toda a minha vida.

— Isso não é verdade. — Eu me lembro que ele disse que a situação com seu pai está muito ruim agora. — Ele tem outras coisas na cabeça, coisas mais importantes.

— Por que vocês dois não estão juntos?

A objetividade da pergunta dela me confunde. — Eu não sei. Às vezes penso que existem tão poucas oportunidades... de ficar com alguém. E nós estragamos tudo tantas vezes — minha voz é baixa — que perdemos a nossa chance.

— Anna. — Mer para. — Essa é a coisa mais estúpida que já ouvi.

— Mas...

— Mas o quê? Você o ama e ele ama você e moram na cidade mais romântica do mundo.

Eu balanço a cabeça. — Não é tão simples assim.

— Então deixe-me colocar de outra forma. Um garoto lindo está apaixonado por você e você não vai nem tentar ver se dá certo?

Eu senti falta de Meredith. Volto para o meu quarto me sentindo tão consolada como entristecida. Se eu e St. Clair não tivéssemos brigado na detenção hoje, eu teria tentado me desculpar de novo? Provavelmente não. As aulas teriam terminado e teríamos seguido os nossos caminhos e a nossa amizade teria sido cortada para sempre.

Oh, não. A terrível verdade me aterroriza.

Como não me toquei? É a mesma coisa. Exatamente. A mesma coisa.

Bridge não pôde evitar. A atração estava lá e eu não estava lá, e eles ficaram juntos e ela não pôde evitar. E eu a tenho culpado esse tempo todo, fazendo com que ela se sentisse culpada por algo que estava longe do seu controle. Nem tentei ouvi-la; não respondi sequer a uma ligação ou a um *e-mail*. E ela continuou tentando. Lembro-me novamente do que Matt e Rashimi disseram. Eu realmente abandono meus amigos.

Pego a minha mala e abro o bolso da frente. Ainda está lá. Um pouco amassado, mas um pequeno pacote embrulhado em papel listrado de vermelho e branco. A ponte de brinquedo. E então escrevo a carta mais difícil da minha vida. Espero que ela me perdoe.

Capítulo 44

O resto da semana é tranquilo. Envio o pacote de Bridge, junto-me novamente aos meus amigos em nossa mesa e termino a minha detenção. St. Clair e eu ainda não conversamos. Bem, nós nos falamos um pouco, mas nada importante. Na maioria das vezes nos sentamos lado a lado e ficamos nos movimentando impacientemente, o que é ridículo, porque não é esse o motivo de tudo isso? Que nós não conversamos?

Mas fugir dos velhos hábitos não é fácil.

Nós nos sentamos em filas diferentes na detenção. Sinto-o me observando o tempo todo, a semana toda. Eu o observo também. Mas não voltamos juntos ao dormitório; ele arruma suas coisas vagarosamente para me dar tempo de ir embora primeiro. Acho que chegamos à mesma conclusão. Mesmo que tentássemos começar alguma coisa, ainda assim não há esperança para nós. No ano que vem vou para San Francisco State University cursar teoria e crítica de cinema, mas ele ainda não me contou para onde vai. Perguntei diretamente a ele depois da detenção na sexta-feira, e ele gaguejou alguma coisa sobre não querer falar sobre isso.

Pelo menos, não sou a única que acha a mudança algo difícil.

No sábado, o Cinema da Mamãe e do Basset Hound Popular está exibindo o meu filme favorito de Sofia Coppola, *Encontros e desencontros*. Eu cumprimento o senhor Pouce e deslizo na minha cadeira de praxe. É a primeira vez que assisto a esse filme desde que me mudei para cá. As semelhanças entre a história e minha vida não estão perdidas em mim.

É sobre dois americanos, um homem de meia-idade e uma jovem mulher, que estão sozinhos em Tóquio. Estão se esforçando para entender o que acontece à volta deles, mas também estão se esforçando para entender sua relação amorosa que parece estar ruindo. E então eles se encontraram e têm um novo obstáculo para enfrentar — a atração crescente entre ambos quando sabem que tal relacionamento é impossível.

É sobre isolamento e solidão, mas é também sobre amizade. Em ser exatamente aquilo de que a outra pessoa precisa. Em determinado momento, a garota pergunta ao cara: — Fica mais fácil? — Sua primeira resposta é não e então sim e depois "fica mais fácil". E então ele diz a ela: — Quanto mais você sabe quem você é e o que quer, menos você deixa que as coisas te chateiem.

E percebo... que está tudo bem. Tudo bem se St. Clair e eu nunca formos mais do que amigos. Sua amizade me fortaleceu de uma forma que nenhuma outra conseguiu. Ele me tirou do quarto e me mostrou o que é ser independente. Em outras palavras, ele era exatamente aquilo de que precisava. Eu não me esquecerei disso. E certamente não quero perder isso.

Quando o filme acaba, olho meu reflexo no banheiro do cinema. Minha mecha não foi retocada desde o Natal, quando minha mãe a refez. Outra coisa que eu preciso aprender a fazer sozinha. Outra coisa que eu quero aprender a fazer sozinha. Eu entro no Monoprix na porta ao lado — que é uma espécie de pequeníssimo Super-Target — para comprar descolorante e estou voltando quando noto alguém familiar do outro lado da rua.

Eu não acredito nisso. St. Clair.

Suas mãos estão nos bolsos e ele está olhando ao redor como se estivesse esperando por alguém. Meu coração incha. Ele sabe que a Sofia é minha diretora favorita. Ele sabia que eu viria aqui e ele está esperando que eu apareça. Finalmente chegou a hora de conversarmos. Flutuo sobre a faixa de pedestres para o outro lado da rua. Sinto-me mais feliz do que nunca. E estou a ponto de chamar seu nome, quando percebo que ele não está mais sozinho.

Um homem mais velho está com ele. O homem é bonito e se porta de forma estranhamente familiar. St. Clair está falando em francês. Não consigo ouvi-lo, mas sua boca se move de modo diferente quando ele fala francês. Seus gestos e sua linguagem corporal se tornam mais graciosos. Um grupo de empresários passa por eles e temporariamente o põe fora do meu campo de visão porque St. Clair é mais baixo que eu.

Espere um momento. O homem é baixo também.

Surpreendo-me quando percebo que estou olhando para o pai de St. Clair. Eu olho mais perto. Ele está vestido impecavelmente, muito parisiense. O cabelo de ambos é da mesma cor, embora o do pai dele tenha uma camada grisalha e seja mais curto e arrumado. E eles têm o mesmo ar de confiança, embora St. Clair pareça estar um pouco inquieto neste momento.

Eu me sinto envergonhada. Fiz isso de novo. Nem tudo gira ao meu redor. Escondo-me atrás de uma placa do *métro*, mas involuntariamente me posicionei a uma distância que dá para ouvir. O sentimento de culpa rasteja de volta. Devia ir embora, mas... é o grande mistério de St. Clair. Exatamente aqui.

— Por que você não se matriculou ainda? — O pai dele diz. — Foi há três semanas. Você está tornando difícil para mim que eles te aceitem.

— Eu não queria ficar aqui — St. Clair diz. — Eu quero voltar para a Califórnia.

— Você odeia a Califórnia.

— Eu quero ir para Berkeley!

— Você não sabe o que quer! Você é igualzinho a ela. Preguiçoso e egocêntrico. Não sabe tomar decisões. Precisa de alguém que as tome por você, e eu digo que fica na França.

— Eu não vou ficar na porcaria da França, tudo bem? — St. Clair explode em inglês. — Não vou ficar aqui com você! Em cima de mim o tempo todo!

E é nesta hora que eu percebo que entendi toda a conversa. Em francês.

Oh, Santo Deus!

— Como você ousa conversar comigo assim? — Seu pai está enfurecido. — E em público! Você precisa de uma pancada na cabeça...

St. Clair volta para o francês. — Eu gostaria de vê-lo tentar. Aqui, na minha frente. — Ele aponta para sua bochecha. — Por que você não tenta?

— Por que você...

— *Monsieur* St. Clair! — Uma mulher amigável de vestido curto chama do outro lado da rua e St. Clair e seu pai se viram surpresos.

Monsieur St. Clair. Ela está conversando com o pai dele. Isso é tão estranho.

Ela atravessa a rua e beija seu pai em ambas as bochechas, o qual devolve *les bises*, sorrindo graciosamente. Os modos da mulher se transformam quando ele a apresenta para o filho. Ela parece surpresa com a menção de um filho e St. Clair--Étienne olha zangado. Seu pai e a mulher conversam, e St. Clair é deixado de lado. Ele cruza os braços. Descruza os braços. Chuta as próprias botas. Coloca e tira as mãos dos bolsos.

Um nó se forma na minha garganta.

O pai dele fica flertando com a mulher. Ela toca o ombro dele e se inclina. Ele dá um sorriso malicioso, um sorriso encantador — um sorriso semelhante ao de St. Clair —, e é estranho vê-lo no rosto de outra pessoa. E neste momento percebo que o que Josh e Mer disseram é verdade. Seu pai é charmoso. Ele tem esse carisma natural, assim como o filho. A mulher continua a flertar, e St. Clair sai andando.

Oh, não. Oh, não, oh, não, oh, não.

Ele para. — Anna?

— Humm, oi. — Meu rosto enrubesce. Eu quero voltar esta fita, levar para longe, destruí-la.

Sua expressão vai de confusão a fúria. — Você estava ouvindo aquilo?

— Desculpe...

— Eu não acredito que você estava escutando escondida!

— Foi um acidente. Eu estava passando por aqui e... você estava lá. E ouvi tantas coisas sobre seu pai que estava curiosa. Desculpe.

— Bem — ele diz. — Eu espero que o que você tenha visto tenha satisfeito suas expectativas. — Ele passa por mim e agarro seu braço.

— Espere! Eu nem falo francês, lembra?

— Você garante — ele diz vagarosamente —, que não ouviu nenhuma palavra da nossa conversa?

Eu o solto. — Não. Ouvi vocês. Ouvi tudo.

St. Clair não se mexe. Ele olha fixamente para a calçada, mas não está bravo. Ele está envergonhado.

— Ei. — Eu toco sua mão. — Está tudo bem.

— Anna, não tem nada de tudo bem naquilo. — Ele vira a cabeça na direção de seu pai, que ainda está flertando com a mulher e ainda não percebeu que seu filho desapareceu.

— Não — eu digo, pensando rapidamente. — Mas uma vez me disse que ninguém escolhe a família. É verdade para você também, você sabe.

Ele olha para mim tão fixamente que temo parar de respirar. Ganho coragem e enlaço meu braço no braço dele. Eu o levo para longe. Nós andamos um quarteirão e eu o coloco em um banco ao lado de um café de cortinas claras. Um jovem garoto, sentado lá dentro, se agarra às cortinas e nos assiste. — Fale-me sobre o seu pai.

Ele enrijece.

— Fale-me sobre seu pai — repito.

— Eu o odeio — sua voz está serena. — Eu o odeio com todas as fibras do meu corpo. Eu odeio o que ele fez com minha mãe e o que tem feito comigo. Eu odeio que, todas as vezes que nos encontramos, esteja com uma mulher diferente e odeio o fato de todas elas acharem que ele é esse cara charmoso e maravilhoso quando, na verdade, é um bastardo cruel que prefere me humilhar a discutir minha educação racionalmente.

— Ele escolheu a universidade para onde você vai e é por isso que você não quer falar sobre esse assunto.

— Ele não quer que eu fique perto dela. Quer nos manter afastados porque quando estamos juntos somos mais fortes do que ele.

Eu me estico e aperto sua mão. — St. Clair, você é mais forte do que ele agora.

— Você não entende. — Ele retira a mão da minha. — Minha mãe e eu dependemos dele. Para tudo! Ele tem todo o dinheiro e, se nós o chatearmos, a mamãe está na rua.

Eu estou confusa. — Mas e a arte dela?

Ele bufa. — Não há dinheiro naquilo. E qualquer dinheiro que existisse está sob o comando de meu pai.

Eu fico em silêncio por um momento. Eu coloquei tanto a culpa de nossos problemas no fato de ele não querer falar do pai, mas isso não foi justo. Não quando a verdade é tão terrível. Não quando o seu pai o tem perturbado durante toda a sua vida. — Você tem de enfrentá-lo — eu digo.

— É fácil para você dizer...

— Não, não é fácil dizer isso! Não é fácil vê-lo assim. Mas você não pode deixá-lo vencer. Você tem de ser mais inteligente do que ele, você tem de derrotá-lo no seu próprio jogo.

— Seu próprio jogo? — Ele dá uma risada de desgosto. — Não, obrigado. Prefiro não seguir as regras dele.

Minha mente está funcionando em sobremarcha. — Ouça-me, no momento em que aquela mulher apareceu, a personalidade dele mudou completamente...

— Oh, você percebeu, não percebeu?

— Fique quieto e ouça, St. Clair. Você vai fazer assim. Você vai voltar lá agora mesmo e, se ela ainda estiver lá, você vai dizer a ela quão feliz você está porque o seu pai vai te mandar para Berkeley.

Ele tenta me interromper, mas eu continuo. — E você vai à galeria de arte dele e conta para todo mundo lá como você está feliz porque seu pai vai te mandar para Berkeley. E depois você vai ligar para os seus avós e dizer como você está feliz porque seu pai vai te mandar para Berkeley. E então você vai contar para os vizinhos, o homem do mercado, o homem que vende cigarros para ele, para todo mundo que faz parte da vida dele, como você está feliz porque ele vai te mandar para Berkeley.

Ele está mordendo o dedão.

— E ele vai ficar furioso — eu digo — e não trocaria de lugar com você por um segundo. Mas ele certamente é um homem que acredita em manter as aparências. Então, o que ele vai fazer? Ele vai te mandar para Berkeley para se safar.

St. Clair para. — É loucura, mas... é tanta loucura que pode funcionar.

— Sabe, você não tem de resolver os seus problemas sempre sozinho. É por isso que as pessoas conversam com os amigos. — Eu sorrio e arregalo os olhos para enfatizar mais ainda o meu ponto de vista.

Ele balança a cabeça, tentando falar.

— Vá — eu digo rapidamente. — Rápido enquanto ela ainda está lá!

St. Clair hesita novamente e eu o empurro. — Vá, vá, vá.

Ele coça a parte de trás do pescoço. — Obrigado.

— Vá.

E ele vai.

Capítulo 45

Eu volto ao Résidence Lambert. Estou ansiosa para saber o que está acontecendo, mas St. Clair tem de lidar com seu pai sozinho. A miçanga de banana na cômoda chama minha atenção e eu a aperto em minha mão. Ele me deu tantos presentes este ano — a miçanga, o caderno para canhoto, a bandeira canadense. Sinto-me bem em ter conseguido dar algo de volta para ele. Espero que minha ideia dê certo.

Decido fazer minha tarefa. Estou mexendo nos meus papéis quando descubro a tarefa de inglês. Nossa última unidade, poesia. O livro do Neruda. Está na prateleira em cima da minha carteira, no mesmo lugar desde o feriado de Ação de Graças. Porque, afinal, era um livro escolar, certo? Simplesmente outro presente?

Errado. Muito errado.

Quer dizer, é um livro escolar, mas também são poemas de amor. Na verdade, poemas de amor sensual. Por que me daria isso se não quisesse dizer alguma coisa? Ele podia ter me dado o livro da Banana Yoshimoto ou um dos nossos livros de tradução.

Mas comprou um livro de poemas de amor.

Eu volto para o início do livro e os selos me surpreendem. Shakespeare and Company, Kilometer Zéro Paris. E então, estou de volta à estrela, naquela primeira noite. Apaixonando-me por ele. E estou de volta à estrela, durante o feriado de Ação de Graças. Apaixonando-me por ele. E estou de volta ao meu quarto, olhando fixamente para este livro no momento inadequado. — Por que ele simplesmente não me contou? Por que eu não abri este livro quando ele me perguntou no Natal? —, quando sou pega por uma necessidade de voltar ao Point Zéro.

Eu tenho só mais algumas semanas em Paris e ainda não fui conhecer a Notre--Dame. O que estou fazendo no dormitório em um sábado à noite? Coloco meus sapatos, saio do prédio e corro rua abaixo na velocidade do som. Não consigo chegar lá rápido o suficiente. Eu tenho de estar lá. Agora. Eu não consigo explicar.

Os olhos da cidade estão grudados em mim conforme passo pelo Sena e pela Île de La Cité, mas desta vez não me importo. A catedral é de tirar o fôlego, como sempre. Uma multidão de turistas está ao redor do Point Zéro e eu admiro as estrelas enquanto passo, mas não espero que elas me admirem, só continuo empurrando, empurrando, empurrando para a frente até estar dentro dela.

Mais uma vez, Paris me deixa intimidada.

Os tetos altos abobadados, os intrigantes vitrais, o estatuário de mármore e ouro, o trabalho em madeira talhada delicadamente... Notre-Dame é hipnotizante. Música de órgão e murmúrios em várias línguas me circundam. O cheiro morno das velas queimando enchem o ar. E nunca vi nada mais adorável do que as luzes cor de joias brilhando através das janelas rosáceas.

Um guia turístico empolgado passa atrás de mim, acenando as mãos. — Imaginem só! No começo do século XIX, esta catedral estava em total estado de abandono, tanto que a cidade cogitou demoli-la. Para nossa sorte, Victor Hugo ficou sabendo disso e escreveu *O corcunda de Notre-Dame* para conscientizar as pessoas sobre a história gloriosa de Notre-Dame. E, por sorte, deu certo! Parisienses fizeram campanhas para salvá-la, e o prédio foi totalmente reparado e refinado ao estado imaculado em que se encontra hoje.

Eu sorrio quando deixo o grupo, imaginando que prédio meu pai tentaria salvar com a sua escrita. Provavelmente um estádio de beisebol. Ou um Burger King. Examino o grande altar e as estátuas da Virgem Maria. É um lugar pacífico, mas estou inquieta. Examino meu guia e minha atenção se volta para as palavras Galerie dês chimères.

A quimera. As gárgulas. Claro!

Eu preciso subir, preciso ver a cidade enquanto ainda posso. A entrada das torres — no topo de Notre-Dame — fica à esquerda das portas principais. Enquanto estou pagando para entrar, juro ouvir alguém chamar meu nome. Eu olho para o pátio, mas não vejo ninguém familiar.

Então, subo as escadas.

O primeiro patamar nos leva a uma loja de *souvenirs*, então continuo subindo. E subindo. E subindo. Oof. Certamente há muitos degraus. Nossa mãe, isso acaba?

Sério?

Mais degraus?

Isso é ridículo. Nunca vou comprar uma casa com degraus. Não vou nem ter degraus na porta de entrada, só uma inclinação gradual. A cada degrau, abomino mais e mais as gárgulas até chegar à saída e...

Eu estou muito alto. Eu sigo a passagem apertada que leva da Torre Norte à Sul. A minha vizinhança! E o Panteão! O seu domo enorme é impressionante, até mesmo daqui, mas os turistas ao meu redor estão tirando fotos das gárgulas.

Não. Gárgulas não. Quimeras.

St. Clair me disse uma vez que a maioria das pessoas que ouvem a palavra "gárgula" pensa imediatamente em quimera. E gárgulas são as coisas fininhas que se estendem e funcionam como calhas. Eu não me lembro da função das quimeras. Elas protegiam a catedral? Um aviso para os demônios? Se estivesse aqui, ele me contaria a história de novo. Penso em ligar para ele, mas provavelmente está ocupado com o pai dele. Ele não precisa de mim para perturbá-lo com as minhas questões vocabulares.

A Galerie dês Chimères é muito legal. As estátuas são metade homem, metade fera, criaturas grotescas, fantásticas, com bicos, asas e caudas. A minha favorita apoia a cabeça nas mãos e estica a língua, contemplando a cidade. Ou talvez ela só esteja frustrada. Ou triste. Eu olho no campanário e é... um grande sino.

O que estou fazendo aqui?

Um guarda espera ao lado de outro lance de escadas. Respiro profundamente. — *Bonne soirée* — eu digo. Ele sorri e me deixa passar. Eu encolho por dentro. É como se fosse uma rolha apertada, e a escada vai ficando cada vez mais estreita. As paredes de pedra são frias. Pela primeira vez aqui, estou paranoica com a possibilidade de cair. Fico feliz que esteja sozinha. Se alguém vier descendo, alguém um pouco maior do que eu, eu não sei se daria para nós dois passarmos. Meu coração bate mais forte, meus ouvidos se concentram nas passadas e começo a me preocupar que talvez tenha sido um erro, quando...

Eu estou aqui. Eu estou no topo de Paris.

Como na galeria das quimeras, aqui também existe uma tela de ferro protetora para evitar que as pessoas caiam ou pulem. E estou tão alto que fico grata por isso. Sou a única aqui. Então, sento-me em uma das pedras num canto tranquilo e observo a cidade.

Eu estou partindo em breve. Imagino o que meu pai diria se pudesse me ver agora. Melancólica por ter de dizer adeus depois de ter brigado tanto para ficar em Atlanta. Ele fez bem. Eu sei disso ao observar os barcos deslizando pelo Sena e a orgulhosa Torre Eiffel erguida sobre Champs de Mars. Um barulho nas escadas me surpreende — um guincho seguido por pés batendo. Alguém está correndo escada acima e estou sozinha.

Relaxe, Anna. Eu tenho certeza de que é só um turista.

Um turista corredor?

Eu me preparo para o ataque e não leva muito tempo para acontecer. Um homem surge na plataforma. Ele está vestindo *short* e tênis de corrida. Ele só subiu aquelas escadas para se divertir? Ele nem percebe a minha presença, simplesmente se estica, corre no mesmo lugar por uns trinta segundos e então se vira e corre escada abaixo.

Isso foi estranho.

Eu estou me posicionando novamente quando ouço outro grito. Eu dou um salto. Por que o corredor estaria gritando? Tem mais alguém lá, aterrorizado com o corredor, com medo de cair. Espero por mais passadas, mas não ouço nada. Quem quer que seja, parou. Penso em St. Clair, sobre como ele tem medo de altura. Essa pessoa deve estar presa. Com receio crescente, percebo que talvez alguém pode ter caído.

Eu dou uma espiada escada abaixo. — Olá? *Bonsoir? Ça va?* — Nenhuma resposta. Desço alguns degraus, imaginando por que eu estou fazendo isso e não o guarda. — Tem alguém aí? Você precisa de ajuda?

Há um movimento estranho constante, e continuo descendo cuidadosamente. — Olá? — Eles não devem falar inglês. Eu os ouço arfando. Estão logo abaixo de mim, logo depois da curva...

Eu grito. Ele grita.

Capítulo 46

— Jesus, St. Clair, o que você está fazendo aqui? Você quase me matou de susto.

Ele está agachado, agarrado aos degraus e parecendo mais amedrontado do que já o vi antes. — Então, por que você desceu? — Ele fala rispidamente.

— Eu estava tentando ajudar. Ouvi um grito. Pensei que alguém estivesse machucado.

Sua pele clara está vermelha como beterraba. — Não. Eu não estou machucado.

— O que você está fazendo aqui? — pergunto novamente, mas ele está em silêncio. — Pelo menos, me deixa te ajudar.

Ele se levanta e suas pernas tremem como as de um cordeirinho. — Eu estou bem.

— Você não está bem. Você certamente não está bem. Dê-me sua mão.

St. Clair resiste, mas eu agarro sua mão e começo a guiá-lo escada abaixo. — Espere. — Ele olha para cima e engole. — Quero ver o topo.

Eu dou uma olhada que espero ser incrédula. — Tem certeza?

— Sim — ele diz com nova determinação. — Quero ver o topo.

— Tudo bem, vá. Solto a sua mão.

Ele fica parado. Eu pego novamente a sua mão. — Oh, vamos lá.

Nossa subida é lenta e dolorosa. Agradeço por não ter ninguém atrás de nós. Não conversamos, mas suas mãos estão esmagando as minhas de tanto que ele as aperta. — Quase lá, você está indo bem, muito bem.

— Não enche.

Finalmente chegamos ao topo. Solto suas mãos e ele desmorona no chão. Dou a ele alguns minutos. — Você está bem?

— Sim — ele diz tristemente.

E eu não tenho certeza do que fazer. Estou presa em um lugar pequeno com meu melhor amigo que tem medo de altura e, aparentemente, está nervoso comigo. E não tenho ideia do porquê ele está aqui em primeiro lugar. Eu me sento, fixo o olhar nos barcos e pergunto pela terceira vez. — O que você está fazendo aqui?

Ele respira profundamente. — Eu vim por sua causa.

— E como foi possível você descobrir que eu estava aqui em cima?

— Eu vi você. — Ele faz uma pausa. — Eu vim fazer outro pedido, estava no Point Zéro quando vi você entrar na torre. Eu te chamei, você se virou mas não me viu.

— Aí você simplesmente... decidiu subir? — Eu não acredito muito, apesar de a evidência estar bem na minha frente. Deve ter exigido uma força sobre-humana para ele subir o primeiro lance de escadas.

— Eu tinha de subir. Não podia esperar que você descesse, não podia esperar mais. Tinha de ver você agora. Tenho de saber...

Ele respira e minha pulsação acelera. O quê, o quê, o quê?

— Por que você mentiu para mim?

A pergunta me surpreende. Não era o que eu estava esperando. Nem o que tinha esperado que fosse. Ele ainda está no chão, mas olha para cima em minha direção. Seus olhos castanhos estão imensos e indicam um coração partido. Eu estou confusa. — Desculpe, não sei o que...

— Em novembro. Na *crêperie.* Eu perguntei para você se tínhamos tido uma conversa estranha naquela noite em que eu estava bêbado no seu quarto. Se tinha dito alguma coisa sobre o nosso relacionamento ou sobre o meu relacionamento com Ellie. E você disse que não.

Oh, meu Deus. — Como você sabe disso?

— Josh me contou.

— Quando?

— Em novembro.

Eu estou chocada. — Eu...eu... — Minha garganta está seca. — Se você tivesse visto a sua cara naquele dia. No restaurante. Como eu poderia dizer alguma coisa para você? Com a sua mãe...

— Mas, se você tivesse dito, eu não teria perdido todo esse tempo. Pensei que você estivesse me dando um fora. Pensei que você não estava interessada.

— Mas você estava bêbado! Tinha namorada! O que eu deveria ter feito? Deus. St. Clair, eu nem sabia se era isso que você queria dizer mesmo com toda aquela conversa.

— Claro que era o que eu queria dizer. — Ele se levanta e suas pernas titubeiam.

— Cuidado!

Passo. Passo. Passo. Ele anda como uma criança em minha direção e seguro em sua mão para guiá-lo. Nós estamos tão perto da beira. Ele senta perto de mim e agarra minha mão. — Eu quis dizer tudo aquilo sim, Anna. Eu quero dizer isto.

— Eu não entend...

Ele está exasperado. — Eu estou dizendo que estou apaixonado por você! Eu estive apaixonado por você o ano todo!

Minha cabeça gira. — Mas Ellie...

— Eu a enganava todos os dias. Na minha cabeça, pensava em você da maneira que não devia, repetidamente. Ela não era nada comparada a você. Eu nunca me senti assim com alguém antes...

— Mas...

— No primeiro dia de aula. — Ele chega mais perto. — Nós não nos tornamos parceiros no laboratório de física por acaso. Eu vi o *professeur* Wakefield designando os parceiros de laboratório com base no lugar onde as pessoas estavam sentadas. Então, eu me inclinei para a frente para pegar emprestado um lápis seu no momento certo para que ele pensasse que nós estávamos um do lado do outro. Anna, eu queria ser o seu parceiro no primeiro dia.

— Mas... — Eu não consigo pensar direito.

— Eu comprei poemas de amor para você! "Eu a amo como certas coisas obscuras são amadas, secretamente, entre a sombra e a alma."

Eu pisco para ele.

— Neruda. Eu marquei com um asterisco essa passagem. Deus — ele lamenta. — Por que você não o abriu?

— Porque você disse que era para as aulas.

— Eu disse que você era linda. Dormi na sua cama!

— Você nunca tomou a iniciativa! Você tinha namorada!

— Não importa o tipo de namorado que sou, não a trairia. Mas achei que você soubesse. Quando eu estava lá. Achei que você entenderia.

Nós estamos andando em círculos. — Como eu poderia saber se você nunca me disse nada?

— Como eu poderia saber se você nunca disse nada?

— Você tinha Ellie!

— Você tinha Toph! E Dave!

Eu estou sem fala. Pisco para os telhados de Paris.

Ele toca minha bochecha direcionando meu olhar de volta para ele. Eu prendo a respiração.

— Anna. Eu sinto muito pelo que aconteceu nos Jardins de Luxemburgo. Não por causa do beijo, nunca tinha beijado ninguém daquele jeito em toda a minha vida, mas porque eu não te disse por que saí correndo. Eu corri atrás da Meredith por causa de você.

Toque-me de novo. Por favor, toque-me de novo.

— Tudo o que eu conseguia pensar era no que aquele idiota fez com você no Natal passado. Toph nunca tentou se explicar ou pedir desculpas. Como eu poderia fazer aquilo com Mer? E eu deveria ter ligado para você antes de ir até Ellie, mas eu estava tão ansioso para pôr um fim naquilo, de uma vez por todas, que não estava pensando direito.

Eu o olho. — St. Clair...

Ele me afasta. — E isso. Por que você não me chama mais de Étienne?

— Mas... ninguém te chama assim. Era estranho, não?

— Não, não era. — Sua expressão entristece. — E todas as vezes que você diz St. Clair é como se você estivesse me rejeitando novamente.

— Eu nunca rejeitei você.

— Rejeitou sim. E por causa do Dave — o timbre da sua voz é venenoso.

— E você me rejeitou por causa da Ellie no meu aniversário. Eu não entendo. Se você gostava tanto de mim assim, por que não terminou com ela?

Ele olha para o rio. — Eu estava confuso. Agi como idiota.

— Sim. Você agiu.

— Eu mereço isso.

— Sim, você merece — eu paro. — Mas tenho sido imbecil também. Você estava certo... sobre o fato de ficar sozinha.

Nós ficamos em silêncio. — Eu estive pensando ultimamente — ele diz após algum tempo. — Sobre mim e meu pai. Como ela se rende a ele. Como ela não o deixa. Por mais que eu a ame, eu a odeio por isso. Não entendo por que não toma iniciativa, porque ela não faz o que quer. Mas tenho feito a mesma coisa. Eu sou igual a ela.

Eu balanço a cabeça. — Você não é como sua mãe.

— Eu sou. Mas não quero ser mais, quero ser o que eu quiser. — Ele se vira novamente para mim, seu rosto está claramente ansioso. — Eu disse para os amigos do meu pai que eu vou estudar em Berkeley no ano que vem. E funcionou. Ele está muito, muito bravo comigo, mas funcionou. Você me disse para focar no orgulho dele. E você estava certa.

— Então? — Eu sou cuidadosa, um pouco descrente. — Você vai se mudar para a Califórnia?

— Eu tenho de me mudar.

— Certo. — Eu engulo com dificuldade. — Por causa da sua mãe.

— Por causa de você. Vou estar a vinte minutos de trem da sua faculdade e vou viajar toda noite para vê-la. Eu viajaria dez vezes a distância só para estar com você toda noite.

Suas palavras são tão perfeitas. Deve haver algum mal-entendido, certamente não estou entendendo...

— Você é a garota mais incrível que já conheci. Você é linda e inteligente e você me faz rir como ninguém consegue. E eu posso conversar com você. E eu sei que, depois de tudo isso, não mereço você, mas o que estou tentando dizer, Anna, é que eu te amo. Muito.

Eu estou prendendo a respiração. Não consigo falar, mas meus olhos estão cheios de lágrimas.

Ele entende de maneira errada. — Oh, Deus. Eu estraguei tudo de novo, certo? Não era minha intenção atacá-la dessa forma. Eu fiz isso, mas... tudo bem — sua voz falseia. — Eu vou embora. Ou você pode descer primeiro e depois eu desço, e prometo que nunca mais vou perturbá-la novamente...

Ele começa a se levantar, mas agarro o seu braço. — Não!

Seu corpo enrijece. — Eu sinto muito — ele diz. — Nunca foi minha intenção magoá-la.

Passo os dedos pela sua bochecha. Ele fica parado. — Por favor, pare de se desculpar, Étienne.

— Fale meu nome de novo — ele sussura.

Fecho os olhos e me inclino para a frente. — Étienne.

Ele pega minhas mãos nas suas. Aquelas mãos perfeitas que se encaixam perfeitamente nas minhas. — Anna?

Nossas testas se tocam. — Sim?

— Você pode, por favor, dizer que me ama? Eu estou morrendo aqui.

E então nós rimos. E em seguida estou nos seus braços e estamos nos beijando, rapidamente em um primeiro momento, para compensar o tempo perdido, e então vagarosamente, afinal temos todo o tempo do mundo. E os lábios dele são macios e doces como mel, e o modo cuidadoso e apaixonado com que ele se move contra mim indica que ele sente o mesmo gosto que eu.

E entre os beijos eu digo que o amo.

De novo, e de novo, e de novo.

Capítulo 47

Rashimi pigarreia e nos olha.

— Honestamente — Josh diz. — Nós nunca fomos daquele jeito, fomos?

Mer geme e joga sua caneta nele. Josh e Rashimi terminaram. De certa forma, é estranho que eles tenham esperado tanto tempo. Parecia inevitável, mas, da mesma forma, outras coisas também pareciam. E essas outras coisas levaram algum tempo também.

Eles terminaram da forma mais amigável possível. Não fazia sentido para eles manter uma relação a distância. Ambos parecem aliviados. Rashimi está empolgada com a universidade, e Josh... bem, ele ainda tem de aceitar o fato de irmos embora e ele ficar. E ele está ficando. Ele chiou um pouco. Está se perdendo nos desenhos e suas mãos sempre sofrem de cãibras. Eu estou verdadeiramente preocupada. Sei o que é se sentir sozinha. Mas Josh é um cara atraente, divertido. Ele vai fazer novos amigos.

Nós estamos estudando para as provas no meu quarto. Está anoitecendo e uma brisa quente assopra as cortinas. O verão está quase aí. Eu verei Bridge em breve. Eu recebi um novo *e-mail* dela. As coisas estão abaladas entre nós, mas estamos tentando. Vou apostar para ver.

Étienne e eu estamos sentados lado a lado, pés entrelaçados. Seus dedos traçam desenhos circulares no meu braço. Eu me aconchego nele, sentindo o cheiro de xampu, de creme de barbear e aquele cheiro que só ele tem e que não me canso de sentir. Ele beija minha mecha. Eu mexo a cabeça e sua boca encontra a minha. Passo a mão pelo seu cabelo desgrenhado e perfeito.

Eu amo os cabelos dele e agora posso tocá-los sempre que quiser.

E ele nem fica irritado. Na maioria das vezes.

Meredith tem aceitado nossa relação muito bem. Claro, o que importa quando se está indo estudar em uma faculdade em Roma.

— Imagine — ela disse depois de cair em si —, uma cidade toda de italianos maravilhosos. Eles podem dizer qualquer coisa para mim e tudo soa *sexy*.

— Vai ser tão fácil — Rashimi disse. — Você gostaria-ah de pedir-ah o es-pa-gue-te? Oh, beije-me, Marco.

— Será que Marco vai gostar de futebol? — Mer perguntou esperançosa.

Quanto a nós, Étienne estava certo. Nossas escolas ficam a vinte minutos de viagem. Ele ficará comigo nos fins de semana e nós nos visitaremos, dentro do possível, durante a semana. Ficaremos juntos. Nós dois conseguimos o que pedimos no Point Zéro — um ao outro. Ele disse que pediu por mim todas as vezes. Ele estava pedindo por mim quando entrei na torre.

— Humm — eu digo. Ele está beijando meu pescoço.

— Já chega — Rashimi diz. — Eu vou embora daqui. Aproveitem os hormônios de vocês.

Josh e Mer se dirigem à saída e nós estamos do jeito que eu gosto.

— Ah — Étienne diz. — Do jeito que eu gosto.

Ele me coloca no colo e eu envolvo sua cintura com minhas pernas. Seus lábios são macios como veludo e nós nos beijamos até os postes se acenderem do lado de fora. Até que a cantora de ópera comece a sua rotina noturna. — Eu sentirei falta dela — digo.

— Eu cantarei para você. — Ele coloca minha mecha atrás da orelha. — Ou eu vou te levar para ver uma ópera. Ou eu te trago de volta para visitá-la. O que você quiser. Qualquer coisa que você quiser.

Eu enlaço meus dedos nos dele. — Eu quero ficar aqui, exatamente neste momento.

— Não é esse o nome do último *best-seller* de James Ashley? *In this moment?*

— Cuidado. Um dia desses você vai conhecê-lo e ele não será nem um pouco agradável.

Étienne sorri maliciosamente. — Oh, então ele será medianamente agradável? Suponho que eu possa tolerar medianamente agradável.

— Eu estou falando sério! Você tem de me prometer agora, neste instante, que não vai me deixar depois de conhecê-lo. A maioria das pessoas sairia correndo.

— Não sou como a maioria das pessoas.

Sorrio. — Eu sei. Mas ainda assim você terá de me prometer.

Seus olhos se fixam nos meus. — Anna, prometo que nunca vou te deixar.

Meu coração bate em resposta. E Étienne sabe disso porque ele pega a minha mão e a põe contra o seu peito para me mostrar quão rápido o coração dele também está batendo. — E agora a sua — ele diz.

Eu ainda estou tonta. — Minha o quê?

Ele ri. — Prometa que não vai sair voando quando eu a apresentar ao meu pai. Ou, pior, me deixar para ficar com ele.

Eu paro. — Você acha que ele vai se opor a mim?

— Oh, eu tenho certeza de que vai.

Tudo bem. Não era a resposta pela qual eu estava esperando.

Étienne percebe o meu alarde. — Anna, você sabe que meu pai odeia qualquer coisa que me faça feliz. E você me faz mais feliz do que qualquer pessoa já me fez. — Ele sorri. — Com certeza ele vai te detestar.

— Então isso é... uma coisa boa?

— Eu não me importo com o que ele pensa. Só com o que você pensa. — Ele me aperta mais forte. — Como, por exemplo, se você achar que preciso parar de roer as unhas.

— Você roeu o seu mindinho até a carne — eu digo alegremente.

— Ou se você acha que preciso começar a passar meus lençóis.

— Eu não passo meus lençóis.

— Você passa. E eu adoro. — Eu enrubesço e Étienne beija minhas bochechas. — Sabe, minha mãe gosta de você.

— Ela gosta?

— Você é a única pessoa de quem falei o ano inteiro. Ela está em êxtase por estarmos juntos.

Eu sorrio por dentro e por fora. — Mal posso esperar para conhecê-la.

Ele sorri de volta, mas sua expressão fica preocupada. — Então, seu pai vai se opor a mim? Por que não sou americano? Quer dizer, não sou completamente americano? Ele não é um daqueles loucos patriotas, é?

— Não. Ele vai te adorar porque você me faz feliz. Ele nem sempre é tão mau. — St. Clair ergue as sobrancelhas escuras.

— Eu sei! Mas eu disse nem sempre. Ele ainda é mau na maior parte do tempo. É só que... ele faz maldade para o bem. Ele achou que estava fazendo bem em me mandar para cá.

— E foi bom?

— Olha só você, querendo que eu encha sua bola.

— Eu não me importaria se você enchesse só um pouco.

Eu brinco com uma mecha do seu cabelo. — Eu gosto do jeito que você pronuncia banana. Ba-nah-na. E, às vezes, você vibra quando pronuncia os "erres". Eu adoro isso.

— Brilhante — ele sussurra em meu ouvido. — Porque eu passei bastante tempo praticando.

Meu quarto está escuro e Étienne envolve os braços em volta de mim. Nós ouvimos a cantora de ópera em silêncio. Fico surpresa ao perceber quanto sentirei falta da França. Atlanta foi minha casa por dezoito anos e, embora só tenha conhecido Paris há nove meses, ela me modificou. Tenho uma nova cidade para me adaptar no ano que vem, mas não estou com medo.

Porque eu estava. Por nós dois, a palavra casa não é um lugar. É uma pessoa.

E nós, finalmente, estamos em casa.

Agradecimentos

Eu ainda estaria presa nos três primeiros capítulos se não fosse por Paula Davis. Paula, graças a você, eu escrevi um romance. Obrigada por ser a primeira a acreditar em Anna e Étienne. Obrigada por acreditar em mim. Se eu pudesse, nomearia uma lua ou um planeta ou uma galáxia inteira em sua homenagem.

Obrigada a Kate Schafer Testerman, meu Agente dos Sonhos, que se tornou meu Agente de Verdade. Não é sempre na vida que conseguimos o que desejamos. Eu ainda estou me beliscando.

Eu me sinto privilegiada em ter Julie Strauss-Gabel ao meu lado, cuja carreira editorial eu admiro há muito tempo. Julie, obrigada pela sua paciência e orientação extraordinária. Eu não consigo acreditar que você não só leu o meu romance como também quis trabalhar com ele. Eu sou tão grata. E sortuda. E chocada. De todo o meu coração, eu estendo estes agradecimentos ao restante da Penguim. Abraços extras para Lisa Yoskowitz, Laura Hornik e Scottie Bowditch.

Obrigada aos meus pais, que me encorajaram quando eu anunciei que estava me especializando em escrita criativa. Vocês percebem quão únicos vocês são? Eu amo vocês.

Infinitas gratidões a Laini Taylor e Summer Smith. Laini, você não só dá conselhos brilhantes como também escreve *e-mails* brilhantes. Obrigada pela orientação (e pela leitura frenética). Summer, você é a leitora mais honesta que eu poderia ter. Obrigada pela sua sabedoria romântica e pelo seu entusiasmo contagiante.

Os bibliotecários de Weaverville foram incríveis. Obrigada por desviarem o olhar todas as vezes que eu procurava no Google por *Notre-Dame* e obrigada extra a Lauren Biehl, por me deixar manter a sua tese prisioneira por um ano todo.

Merci beaucoup à minha irmã Kara, por ter sido corajosa quando eu não pude ser.

Merci, merci, merci a Manning Krull, super-herói americano-parisiense.

E obrigada a Kiersten White, por sempre estar lá quando precisei. É simples assim: eu não teria sobrevivido no ano passado sem você. É uma honra andar junto com você por esse estranho caminho.

As seguintes pessoas forneceram respostas a perguntas e imensurável apoio moral: Jim Di Bartolo, Marjore Mesnis, os bibliotecários de Norht Asheville, Taiyo La Paix, Fay e Roger Perkins, Mary e Dave Prahler, os Tenners, Staci Thomas, Natalie Whipple, Thomas Witherspoon, Sara e Jeff Zentner e todos os que leram meu *blog*. Um agradecimento especial a Amanda Reid, por manter meu cabelo azul, e a Ken Hanke e Justin Souther, críticos de cinema extraordinários. Chris Prahler me deu várias versões do que o seu reconhecimento deveria dizer. Aqui segue a menor delas: “Obrigada ao meu cunhado favorito”. Chris é meu único cunhado, mas meus agradecimentos são genuínos.

Esta história nasceu durante o National Novel Writing Month. Obrigada a Chris Baty e equipe, por tudo o que vocês têm feito por escritores aspirantes.

Finalmente, obrigada a Jarrod Perkins, que será sempre meu primeiro leitor, que me tira da cama, me despeja café e chá goela abaixo e me empurra para o escritório. Que faz o jantar, leva até minha escrivaninha e leva de volta os pratos sujos. Que nunca teve dúvidas de que eu teria sucesso, que enxuga minhas lágrimas, ri das partes engraçadas e leva seriamente em consideração minha pergunta mais frequente: “O garoto é gostoso o suficiente?”. Eu estou profundamente apaixonada por você. Obrigada por você ser você, porque você é o meu favorito.